講談社文庫

妖奇切断譜

貫井徳郎

目次

妖《よう》奇《き》切《せつ》断《だん》譜《ふ》

1

屍《しかばね》の山だった。

酸鼻《さんび》な光景であろうと覚悟はしていたが、まさかこれほどとは思わなかった。上野《うえの》の山一面を埋め尽くすが如き大量の屍は、冬枯れの森に堆積する枯れ木のようであった。腕、脚、胴、そして首《こうべ》が無秩序に散らばり、堆《うずたか》く積み上がっている。葬る者もなく放置されているそれらの屍は、人間の尊厳など微塵《みじん》も留めておらず、塵芥《ごみあくた》と変わりなかった。夕日に赤々と照らし出された死の光景の中に、生あるものの数は少なかった。がつがつと屍肉を喰《く》らう野良犬が数匹、その浅ましさを嗤《わら》うかの如く啼《な》いている鴉《からす》たち、正体も知れぬ蠢《うごめ》く虫、虫、虫。

その有様《ありさま》は酸鼻ではあるが悲愴感《ひそうかん》はなく、むしろあまりなでたらめぶりが滑稽ですらあった。人ひとりの死は痛ましいものでも、その数が百や二百になると憐れみすら感じられなくなる。腐敗が進行し猛烈な悪臭を漂わせる屍の山は、ひたすら醜悪でおぞましく、そして腹の底からの笑いを誘った。

鼻柱を殴られたように感じるほど強烈な悪臭は、しかし田村喜八郎《たむらきはちろう》の踵《きびす》を返させはしなかった。その非日常の光景に圧倒された喜八郎は、しばし視覚以外の五感が麻痺していた。体はこの世のものとも思えない悪臭に悲鳴を上げているのに、喜八郎自身はそれを認識できずにいる。わけもなくおかしくてならず、顔面の筋肉を膠着《こうちゃく》させたまま、ただ声だけで笑い続けている。

屍の山を前にして、喜八郎はどれくらいの間、我を失っていただろう。ふと笑いやんだときには、頭から顔にかけて無数の蠅にたかられていた。いまさらそれに気づき、喜八郎は手で虫を払った。蠅は耳障りな音を立てて宙を舞い、喜八郎を苛立《いらだ》たせた。喜八郎はうるさい蠅に追い立てられるように、屍の山に足を踏み入れた。

そのときになってようやく、己《おのれ》を囲繞《いにょう》する猛烈な悪臭に気づいた。だがそれとて、目に映るこの光景に比べれば何ほどのこともない。この世に現出した地獄ともいえる眺めには、悪臭もひどく似つかわしかった。

ほとんどの屍は、剣術の稽古着を着ていた。官軍のダンブクロを着ている屍体は、ごくわずかである。いかに彼我《ひが》の戦力に差があったかを、この戦場跡は物語っていた。累々たる屍のほとんどは、かつて喜八郎と志《こころざし》をともにした江戸の者たちであった。喜八郎は初めのうち、その場に転がる骸《むくろ》がつい先日まで生きて動いていた人間とは思えなかった。ごろごろと無造作に転がっている手足は、ほとんど大根や蓮根《れんこん》と変わらず、不気味さすら感じさせない。それは目鼻のある首にしても同じことで、少し珍しい模様のスイカも同然だった。スイカはいくつ転がっていようとスイカである。野良犬に喰われようがカラスにつつかれようが、憐憫《れんびん》の情など一片も覚えなかった。

ところが、そんな野菜果実の山が、ある瞬間一変した。屍の中に見知った顔を見つけたのだ。喜八郎は愕然としてその首に歩み寄り、地面に膝をついた。手を伸ばし、思わずその首を持ち上げそうになる。だがすんでのところで留まり、喜八郎は宙で掌を握った。首を抱き上げてしまえば、死んだ男の魂魄《こんぱく》まで背負い込んでしまいそうな気がしたのだ。

男の名は伊丹充吾《いたみじゅうご》といった。喜八郎と同じく貧乏御家人《ごけにん》で、剣術の真似事をしてかろうじて糊口《ここう》を凌《しの》いでいた。両親はすでに亡いが年頃の妹がいて、その行く末のみが心配の種のようだった。

伊丹は喜八郎とは対照的に、磊落《らいらく》なたちだった。よく酒を飲み、よく笑い、そして女と享楽的な一夜を過ごした。喜八郎はそうした伊丹の豪快な性向を羨ましく思い、自分もああなりたいものだと密かに望んでいた。

徳川《とくがわ》の屋台骨が揺らぎ、西から官軍が攻め上ってきたとき、御家人を中心として結成された彰義隊《しょうぎたい》に身を投じたのも、伊丹に誘われたからだった。彰義隊の結成目的は、将軍慶喜《よしのぶ》の処遇を少しでもよくすることであった。そもそも慶喜公は徳川の反主流派で、尊皇思想を充分に理解していた。だから早々に恭順の意を示し、大政を朝廷に奉還した。それにもかかわらず薩長《さっちょう》の芋侍《いもざむらい》たちは、ひたすら戦《いくさ》のことしか念頭になく、慶喜公の首を求めて江戸までやってきた。時代の趨勢《すうせい》にはもはや逆らえない。幕府が倒れるのも時の流れだろう。多くの御家人は、幕府への忠義は感じていても現実を把握していた。だが錦《にしき》の御旗《みはた》に頭を下げることはできても、薩長の芋侍どもに膝を屈するわけにはいかなかった。江戸っ子には江戸っ子の意地がある。そんな強い矜持《きょうじ》が、慶喜公が思いの外に厚遇されることが決定し、公が水戸に退いた後も、彼らを上野に留まらせた。彰義隊の存在意義はもはや失われていたが、ただひとえに薩長への反感、江戸っ子としての矜持が隊員たちを支えていたのである。

慶喜公の身柄が保証され、水戸に退いたとき、目的を達成した彰義隊は解散を視野に入れた。多くの者たちは、その時点で隊を抜けていった。だが喜八郎は、そのまま隊に留まり続けた。いまさら隊を抜けても先が見えなかったし、何よりも伊丹に強く慰留されたからであった。豪放な伊丹は人一倍薩長の横暴に憤っていた。錦の御旗を笠に着て、女に乱暴を働き飲食代を踏み倒す田舎侍どもに、腸《はらわた》が煮えくり返る思いを味わっていた。現に伊丹は、そうした官軍の者を見つけるたびに、問答無用で斬り捨てていた。逃げる田舎侍の背後から追いすがり、一瞬のうちに両腕を斬り落としたこともある。相手は己の両腕が消え失せたことにも気づかず、しばらく走って転倒した。そんな様《さま》を見て江戸の者たちは、大いに溜飲《りゅういん》を下げたのだった。

そんな伊丹であるから、慶喜公の身柄が保障されたからといっておめおめと薩長の軍門に下《くだ》るわけもなかった。彰義隊は薩長の横暴を膺懲《ようちょう》するためにこそ存在するのだと言い切り、その後も町中で官軍の侍に喧嘩を売り続けた。命知らずの彰義隊に恐れをなした薩長侍は、無力な町人に対してその鬱憤《うっぷん》を晴らす。何かと言いがかりをつけて町人を苛《いじ》め、挙げ句斬り捨ててしまう官軍の侍を見つけては、伊丹たち彰義隊は正義の鉄槌《てっつい》を下した。

そうした伊丹の行状《ぎょうじょう》を、喜八郎は最初のうちこそ頼もしく感じていた。太平の世に慣れきった喜八郎は、もちろん人を斬ったことなどない。それは伊丹とて同じはずであったが、喜八郎とは違い伊丹は、すぐ人斬りに慣れた。刀の鯉口《こいぐち》を切ることにさえ躊躇《ちゅうちょ》を覚える喜八郎とは対照的に、伊丹は簡単に刃を振りかざし、大根でも切るように人を斬り捨てた。その勇猛さを喜八郎は賞賛した。

だがそのうち、無惨な死のあまりの生々しさに、心が拒絶を覚えるようになった。一刀のうちに斬り捨てるならまだいい。しかし伊丹たち彰義隊の多くは、自分たちの剣技が相手の命を奪うことに喜びを見いだしているかの如く殺戮に酔った。薩長侍の死に様は徐々に無惨なものとなり、喜八郎を辟易《へきえき》させた。なぜ簡単に命を奪ってやらないのだ。思い余って喜八郎は問い質《ただ》したが、そんなとき伊丹はあっさりと答えるだけだった。奴らを楽に死なせてやる必要などない、と。

人でなしだ。伊丹の無邪気な笑い顔を見て、喜八郎は思った。人を何人も斬り殺すうちに伊丹たち彰義隊の者は、心のどこかにあったはずの大事な何かを失った。切り刻まれた相手が悶え苦しむ様を見て、ただ嗤《わら》うことしかしない伊丹たちは、まさしく人外《じんがい》の者であった。喜八郎はそんな伊丹が、以前から知っていた親友と同一人物とは思えなかった。動乱の時代がやってきて、そこここで血臭が立ち上り、そして何かが召喚された。伊丹はその何物かに乗っ取られ、人でなしになった。そう考えるしかなかった。

だから喜八郎は、彰義隊を抜けた。江戸の守護者を気取って幅を利かす彰義隊に痺れを切らし、大村益次郎《おおむらますじろう》が総攻撃を計画しているという噂も、喜八郎の背を押した。幕軍として生きてきた喜八郎に、先はない。いまさら官軍に情けを乞うても、簡単に受け入れられるわけもなかろう。それでも喜八郎は、人でなしたちと一緒には死ねなかった。本音を言えば、もうこれ以上伊丹たちと同じ空気を吸うのが怖くて仕方なかったのだ。総攻撃の噂に肝を冷やし脱退する者たちとともに、喜八郎は上野の山を下りた。

五月十五日、官軍の総攻撃は始まった。官軍の司令官である大村益次郎は、敗残兵が江戸の市中に逃げ込まないよう、本郷《ほんごう》、神田《かんだ》、浅草《あさくさ》方面を固めた。そして連日の雨で上野の森の五重塔が霧に煙《けぶ》る中、不忍池《しのばずのいけ》の対岸、本郷の高台から砲撃を開始した。正面の黒門口は薩軍が受け持ち、その横手から因州《いんしゅう》、そして根津《ねづ》からは長州《ちょうしゅう》軍が進撃し、肥前《ひぜん》の大砲隊が本郷からアームストロング砲を撃ち込んだ。官軍の数一万、それに対して彰義隊は、多くの逃亡者を出したこともあって二千といなかった。加えて、外国の近代兵器を揃える官軍とは対照的に、彰義隊の武器はあくまで刀一本である。勝敗は最初の砲声が轟く前から決していて、問題はどれほどの時間で戦が終了するかだった。

家康公開闢《かいびゃく》以来初めて江戸で起こった戦は、あっけないほど簡単に終わった。後に残されたのは、一方的な虐殺を物語る累々たる屍の山である。そしてその屍の山は、片づける者さえ現れず放置された。誰もが皆、官軍の逆鱗《げきりん》に触れることを恐れていたのだ。やがて初夏の気候が屍体の腐敗を促し、ますます人々の足を遠ざけた。そんな中、喜八郎は上野の山を訪れた。

喜八郎を動かしたのは、かつて行動をともにした者たちへの後ろめたさである。負け戦を承知の上で、あくまで己の矜持《きょうじ》を守るために抗戦した彰義隊を、江戸の庶民は賞賛した。よくぞ江戸っ子の気概を示してくれたと、誰もが口々に褒めそやした。そんな声を聞くうちに、喜八郎は己が死に所を失ったことに気づいた。戦が始まる前は、脱退にも正当性があると信じていた。だが玉砕ともいえる彰義隊の潔い最期を知ってしまっては、残るのはただ敵前逃亡したことへの後ろめたさだけだった。潔い死と卑怯な生を分けたのは、恥を知る心の有無《うむ》だ。血に飢えた悪鬼のようだった伊丹たちは、矜持に殉《じゅん》じたことで名を残した。そしておめおめと生き延びた喜八郎は、恥知らずとして怠惰な生を送るしかない。かりそめにも武士として育った喜八郎には、そのようにしか感じられなかった。

死者を弔ってやろうなどと考えたわけではない。喜八郎ひとりで、百や二百では済まない数の屍体を葬れるわけもない。喜八郎はただ、彼らの死に様を見届けなければならないと思ったから、上野までやってきたに過ぎなかった。できるなら目を背《そむ》けていたかったが、それを己に許せば恥の上塗りをするだけである。敵前逃亡した時点で喜八郎の人間としての質は定まったも同然であっても、さらにこれ以上落ちていくことには堪えられなかった。

屍の山を目の当《ま》たりにして、喜八郎がまず最初に覚えた感情は、奇妙なことに安堵だった。ここまでひどい有様ならば、自分のできることなど何ひとつない。足を運んだだけで充分に義務を果たした気分になれ、また明日から過去を吹っ切って生きていける。そのように感じたのだった。

ところが、伊丹の生首を発見した瞬間、すべては他人事《ひとごと》でなくなった。伊丹が晒《さら》す無惨な姿は、あり得たはずのもうひとつの自分である。鉛玉を撃ち込まれ、膾《なます》のように切り刻まれ、そして首を斬り落とされる。そんな光景を、痛みをまざまざと想像し、喜八郎は気が遠くなった。すっと頭から血の気が失せ、目の前が暗転する。上体が倒れ込みそうになり、慌てて地面に手をついた。

しばらくそのままの姿勢で、視野が元に戻るのを待った。ちらちらと飛び交う星が徐々に薄れていき、そしてようやくものが見えるようになった。その瞬間、喜八郎は「ひっ」と声を上げて後ろに飛び退いた。無様に尻餅をつく。

軽い失神から醒めてみると、目と鼻の先に伊丹の首があったのだった。伊丹の形相《ぎょうそう》は断末魔の苦しみをそのまま固定させていた。歯を剝き、目を見開き、虚空《こくう》を睨んでいる。そんな表情とまともに向かい合ってしまった喜八郎は、己が睨みつけられているような錯覚を覚えた。心底からの恐怖を味わい、情けなくも失禁した。

無意識のうちに、詫《わ》びの言葉を口にしていた。すまんすまん、許してくれと、生首に向かって許しを請うている。それでも生首の形相が穏やかになるわけもなく、喜八郎はひたすら手を合わせて拝み続けた。伊丹の虚《うつ》ろな視線に耐えられず、少し右手に動いて避けようとしたが、なぜか生首の目は自分を追っているような気がした。ふたたび、背筋を激しい恐怖が貫く。

どんなに詫びようが拝み倒そうが、伊丹が自分を許すわけはないのだ。卒然と喜八郎は、そのことに気づいた。喜八郎が逃げ出したのは己の命が惜しかったからではなく、ただ伊丹が怖かったからだ。だがそんな言い訳をしたところで、誰が納得してくれよう。命惜しさに敵前逃亡し、のうのうと生き長らえているとしか思われないに違いない。そんな自分を、このように凄絶な最期を遂《と》げた伊丹がどうして許すだろう。たとえこの場で腹を掻っ捌《さば》こうが、あの世の伊丹が喜八郎を受け入れないのは明らかだった。

おれがいったい何をしたっていうんだ。極限まで膨《ふく》れ上がった恐怖は、ある瞬間にくるりと一変し、怒りに転じた。おれだって江戸っ子の意地を示して玉砕するつもりだった。薩長の田舎侍が牛耳《ぎゅうじ》る世の中を、徳川の御家人がどうやって生きていけばいいというのだ。潔い死こそ武士の誉《ほま》れであり、それ以外のことなど望みはしなかった。そんなおれから死に場所を奪ったのは、血に狂ったお前たちではないか。お前たちが人としての道を外しさえしなければ、おれもまたここで同じような姿を晒すことができた。後の世まで語り継がれるはずの立派な最期を遂げることができたのだ。

それまでの恐怖が大きかった分、理不尽な怒りもまた激烈だった。喜八郎は跳ねるように立ち上がり、そして伊丹の生首を踏みつけた。喜八郎の足の裏は伊丹の額《ひたい》に当たり、ずるりと滑った。腐敗が進行していた生首は、熟柿《じゅくし》のように皮が浮いていたのである。伊丹の顔面の皮は、喜八郎の足の裏が滑るのと一緒にべろりと剝けた。勢いを削がれ、喜八郎はふたたび尻餅をつく。

今度はすぐに飛び起き、自分が踏みつけた生首に目をやった。生首はもはや、人間としての尊厳を留めていなかった。ぶよぶよと膨れ上がった顔面の皮は、額から剝がれてだらりと垂れ下がっている。無惨な屍体は周囲に無数に転がっていたが、今や伊丹の生首はわけても凄惨な様相を呈していた。

胃の腑が収縮した。あっと思った瞬間には、喉元を吐瀉物《としゃぶつ》が突き上げた。喜八郎は両手を膝につき、げえげえと胃の内容物を吐き出した。いくら吐いても嘔吐感は収まらず、最後は胃液を吐き出す空《から》えずきを続けた。あまりの苦しさに、涙が出た。

どれほどそうしていただろう。肩で息をして口許を拭い、喜八郎はようやく身を起こした。胃がしくしくと痛み、喉や口腔内になんとも言えぬ不快な感覚が残っている。それでも波打つような嘔吐感は失《う》せ、呼吸も楽になった。喜八郎は虚脱感に蝕《むしば》まれ、ただ呆然とした。

もう一度伊丹の生首に視線を向けるのは恐ろしかった。己の狼藉《ろうぜき》に、いまさらながら身震いがする。どうして物言わぬ死者に対して、あんな振る舞いができたのだろう。喜八郎は自分のしたことがおぞましくてならなかった。

それでも、視線を足許に向ける誘惑には勝てなかった。人間は見たくないと思うものにこそ気持ちを惹きつけられる。今の喜八郎がまさにその状態だった。見たくない気持ちに逆らって、視線は徐々に下がっていった。

生首は、皮膚の下の筋肉を剝き出しにしていた。赤黒い筋肉の束は、茱萸《ぐみ》や柘榴《ざくろ》の果実に似ている。それはもはや、人間の生首などではなかった。伊丹の生首は顔面の皮を剝がれることで、他の屍体と同じくただの芥《あくた》となった。

喜八郎は拍子抜けする思いを味わった。なんだ、これもただの芥だったのか。そう考えると、最前からひとりで演じていた様々な所行が滑稽に思えてくる。屍がどんな形相を晒していようと、死んでしまった者は皆同じだ。そこに怒りや恨みを見いだすのは、生きている者の側である。屍はただの屍に過ぎず、やはり塵芥と変わりない。それが証拠に、ひと皮剝けばスイカではないか。まずそうでとても喰う気になれない、不格好なスイカだ。

見渡すと、辺り一面にスイカがばらまかれていた。腐って蛆《うじ》の湧いたスイカを、腹を減らした野良犬ががつがつと喰らっている。耳に届くのは畜生が屍肉を咀嚼《そしゃく》するぺちゃぺちゃという音と、そしてなにやら得体の知れぬ虫がかさかさ蠢く音だけだ。喜八郎はそれを、不快に感じた。

かさかさかさかさ。ああ、いやだ。かさかさかさかさ。この音はいったいなんだろう。足許で、てらてらと光る油虫が這い回る。喜八郎は足を持ち上げ、それを思い切り踏み潰した。

2

そろそろ暑くなってきやがるな。小平太《こへいた》は入道雲が浮いている空を見上げて、そうひとりごちた。暑い季節は嫌いじゃない。冬の寒空の中、首を竦《すく》めながら往来を歩く寂しさに比べたら、多少暑くてもなんとなく華やいだ気配のする夏の方がよっぽどいい。汗をかきながらあちこち移動し、そして木陰でほっとひと息つくときの、なんと心地よいことか。それが、担《かつ》いできた野菜がすべて売れた後なら、心地よさもひとしおだった。

今日、畑から抜いてきた野菜は、それほど多くなかった。大根と人参、それと薩摩芋が数本だ。この程度の量ならば、いつもの場所で荷を広げればあっという間に売れるだろう。小平太は自分が抜いてきた野菜がどこのどんな顔の人に売れるか、だいたい予想がついた。いつも買ってくれる常連たちで、野菜はすべて売り切れるはずだった。

今日の野菜が少ないのは、母が風邪で倒れてしまったせいだった。二、三日前から鼻をぐずぐずいわせていたが、昨日の夕方からどうにもいけなくなった。顔が赤く、いかにも熱っぽいので、風邪をこじらせかけていることに気づいた。小平太が気を使って休むように言わなければ、いつまでも無理を続ける母なのだ。そんな母の性格はよくわかっているつもりだったから、母の加減には注意していたのだが、男のがさつさはいかんともしがたい。大丈夫かと声をかけてやったときには、すでに母は倒れる寸前だった。

慌てて床を敷いてやり、強がる母を無理矢理寝かせた。額に手を置くと、びっくりするほど熱い。井戸に走って水を汲み上げ、濡らした手拭いを額に当てた。母は何度も、済まないねと繰り返した。

父を病気で亡くしてから四年、母とふたりきりの生活にもようやく慣れたところだった。父が身罷《みまか》ったときにはまだ幼かった小平太も、最近はなんとか母の役に立てるようになった。以前は畑の面倒から棒手振《ぼてふり》まで、すべて母がひとりでやっていたのだが、小平太が十《とお》になったときから棒手振は引き受けるようになった。まだ体の小さい小平太には、籠《かご》に野菜をたっぷり詰め込んだ天秤棒《てんびんぼう》は重かったが、いつしかそれも辛くなくなった。天秤棒が当たる左肩にはしっかりと瘤《こぶ》ができ、もはや痛みも感じない。まるで棒を載せるためにあつらえたようなその瘤は、小平太と母の生活をしっかりと支えていた。

母が寝ついたせいで、今日はあまり野菜が穫れなかった。折れないように根菜を畑から抜き、それを井戸端まで持っていきざっと洗うには、それなりに手間暇《てまひま》がかかる。ひとりでやるには自《おの》ずから限界があり、母とふたりで行うときほど多くは用意できなかった。

とはいえ、すべて売り切ることができたなら、今日一日親子が慎ましく暮らす分の収入は得られる。母に精をつけてもらうために、多少贅沢をしてもいいくらいだ。そうだ、野菜を全部売り切ったら、母のために生卵をひとつ買って帰ろう。父が死んで以来、母が寝込んだことなど初めてだが、ここで小平太が一人前になったことを示せば、どんなにか安心するだろう。生卵はこれまで面倒をかけてきた母への、小平太からのささやかな贈り物だ。母がそれを喜んでくれるといいのだが……。

そんなことを考えながらせっせと先を急ぐうち、小平太は不意に尿意を覚えた。母が寝込んだことでいつもと違う朝になり、家を出るときに用を足すのを忘れた。一度意識すると尿意はとたんに切迫したものとなり、小平太を焦らせた。立ち止まり、都合のいい物陰はないかと周囲を見回す。早朝のこととて人の気配は少なかったが、誰も見ていないからといって他人の家の軒先で立ち小便するわけにもいかない。少し先にちょっとした林が見えるので、そこまで急ぐことにした。

林と見えたそこは、小さな稲荷だった。古ぼけて色の褪《あ》せた鳥居が、木の陰に見える。これまで何度も前を通ってはいたが、中にまで足を踏み入れたことはなかった。いつも人気《ひとけ》がなく、参拝客など見かけたことがない。東京の市中に腐るほどある、平凡な稲荷社のひとつだった。

稲荷社の境内で立ち小便などしては罰が当たるかと、一瞬自分の不敬を恥じたが、差し迫った尿意がそんな躊躇《ちゅうちょ》を忘れさせた。何も社殿に向けて小便をかけるわけじゃない。ちょっと境内の端で、木の根元にでもさせてもらえればそれでいいのだ。たかが小便くらい、お狐様も見逃してくれるだろう。そう考えて小平太は、小走りに鳥居をくぐり、石の狐の前に天秤棒を置いた。そして、右手の物陰の方に急ぐ。

なるべく目立たないところでと考え、社殿の背後へ回り込んだ。社殿の裏手は、昼でも日が射さぬほど鬱蒼《うっそう》と茂った林で、人の出入りもなさそうだ。これは好都合と、小平太はいそいそと褌《ふんどし》を緩《ゆる》めた。

放尿の解放感を存分に味わい、さてこれから一日がんばるかと気持ちを新たにした矢先だった。ふと、目の端に生白いものを見つけ、視線を向けた。目を凝らすと、なにやら人が寝ているように見える。こんなところでなぜと思い近づいてみると、どうも様子がおかしかった。人影は、着物を着ていないようなのだ。

どうして裸で寝ているのかと、ますます訝《いぶか》しい思いが募った。「もし」と声をかけても、人影が起き上がる様子はない。しかもおかしいのはそれだけではなかった。近づくにつれ詳細がわかってきたのだが、その人影は首の向きが妙だった。仰向けに寝ているはずなのに、後頭部が上を向いているのだ。

小平太は自分の目を疑った。仰向けに寝ていて、後頭部が上を向くはずがない。あれはただ、長い髪で顔を隠しているだけではないだろうか。そうでなければ、そんなに極端に首を捻《ねじ》れるわけがない。

寝ている人が女だということは、遠目にもわかった。両の乳房が剝き出しになっているのだ。小平太はこれまで、母親以外の女の裸を見たことがなかった。だから無造作に裸で寝ている女を見て、どきどきと心臓が高鳴り、気後れを覚えた。なかなか近くに寄れなかったのは、どう声をかけたらいいのかわからなかったからだ。

それでも、何も見なかった振りをして立ち去ることもできなかった。なんの事情もなく、こんなところで裸で寝ているわけがない。もしかしたらどこか具合が悪いのかもしれない。そう考えると、放っておくのがひどいことのように思える。声をかけて、しかるべき人に後を預けなければならない。

ええい、何をためらうことがあるか。困っている人に声をかけるつもりで、ただ「どうしたんですか」と尋ねればいいじゃないか。小平太はそう思い定め、実際そのように話しかけた。それでも相手は、動こうとしない。

尋常でないのは確かだった。ようやく気後れよりも心配が勝《まさ》り、小平太はおずおずと歩み寄った。そして、木の陰に隠れていた下半身を目にした。

「ひっ」

その瞬間、思わず小平太は声を上げた。膝ががくがくと笑い出し、足が自分とは別個の生き物のようになる。たったたったたっ、と声を発したのは、「助けてくれ！」と叫びたかったからだ。助けを呼ぶのは、この場合あまり適切ではなかったのだが、混乱した小平太には他の言葉は思いつけなかった。

女は死んでいた。それもただの死に様ではなかった。裸の女の体には、両脚と左腕が欠けていた。のみならず、右腕と首も胴から離れている。胸が天を向き、顔が地を向いていたのも、つまりはそのためだった。

「誰か……、誰か来てくれ！　大変だ！」

喉につかえた声が飛び出したときには、体が勝手に動いていた。小平太は商売道具の天秤棒も置き去りに、死に物狂いで稲荷社の境内《けいだい》を飛び出した。

3

時を経るにつれて幼少時の記憶など曖昧《あいまい》になっていくものだが、喜八郎の脳裏にはどうにも忘れられぬある光景が焼きついていた。

喜八郎がまだ七つになるやならずの頃、近所にお千《せん》という若い女がいた。そろそろ嫁のもらい手が気になる年頃だったが、そうしたことをお千の両親に向かって口にするのはご法度《はっと》だった。誰もが皆、両親の前ではお千の年のことなど忘れたように振る舞っていた。両親が娘の縁談のことで気を揉《も》んでいることは、問い質《ただ》さずとも手に取るように見て取れたからだ。

というのも、お千は巷《ちまた》で評判になるほどの醜女だったのだ。

確かにお千の顔は、お世辞にも美しいとは言いがたかった。えらが張った角張った輪郭は厳《いか》つく、眉は左右が繋がりそうなほど濃く、太い。目尻はお多福《たふく》と見まがうほど垂れているのに、頬骨は妙に尖っていて、とても福相とは言えない。鼻は上を向き、穴の奥まで覗けそうなほどだ。唯一愛嬌があるのは小さな口だが、それとて閉じていた場合のことである。口を開けば乱杙歯《らんぐいば》が目立ち、反《そ》り返った前歯が飛び出す。お千の母親は取り立てて醜い容姿ではなかったが、父親は鼠に似た面つきをしていた。つまり、お千は父親にそっくりだったというわけだ。

気立ては悪くないんだけどねぇ、というのが近所の者たちの月旦《げったん》だった。その後には必ず、「かわいそうに」という同情とも憫笑《びんしょう》ともつかぬ言葉が続く。喜八郎はそんなやり取りを耳にするたび、面白おかしくお千のことを評する者たちに腹を立てた。幼い喜八郎には自分の感情の意味を正確に理解はできなかったが、お為《ため》ごかしの同情にどうにも醜いものを見て取ったのだ。

喜八郎は、女の美醜を理解できなかった。周囲の者たちが醜いと評するから、なるほどあれを醜女《しこめ》というのかと知ったくらいである。しかし喜八郎は、醜いことが悪いとは思えなかった。容貌の善し悪しは持って生まれたものである。本人の責任など一分《いちぶ》もありはしない。それなのにどうして、自分の与《あずか》り知らぬことで、他人から陰口を叩かれなければならないのだろう。優越感の裏返しの同情を向けられなければならないのだろう。どうにも喜八郎には釈然としなかった。

むしろ喜八郎の目には、お千の容姿をあざ笑う者たちの方がよほど醜く見えた。顔が醜いのは本人のせいではないが、性格の醜さは己自身の醜さだ。それに気づかないでいる口さがない者たちは、見ているのが耐えがたいほど醜悪だった。

なぜ人は外見の美醜にこだわるのだろうか。喜八郎にはまるで理解できなかった。お千と話をしたことはあまりないが、それでもお千が淑《しと》やかで優しい女性だということはわかる。にもかかわらず、ただ外見が美しくないというだけで嫁のもらい手がないとは、いったいどうしたことか。それほど外見の美しさとは、人間にとって大切なのか。

喜八郎の目には、お千も他の女も大した違いがないようにしか見えなかった。目があり、鼻があり、口がある。そのひとつひとつの形が少々違っていたところで、それほど大きな差ではない。鼻が口の下にあるとか、目が頬にもついているとなればいかにも不気味だが、お千の顔はそんな異相ではないのだ。お千の顔のどこが、そんなに嗤われなければならないのか。

お千のことを嗤う者たちも、彼らの基準に照らし合わせるなら、他人のことなど言えるご面相とは思えなかった。目糞鼻糞を嗤うとはまさにこのことだ。男も女も、若い者もそうでない者も、皆醜い。美しさのかけらとて持ち合わせていない。つまり世の中に美などは存在せず、醜の多寡《たか》で人間の質が決まるというわけだ。少し醜い者が、より醜い者をあざ笑うのが世の習いとしたら、この世はなんと醜悪なことか。喜八郎の胸の裡《うち》には、ただ嫌悪感が降り積もる。

近所の評判を気に病んでか、お千はめったに家から出てこなかった。だから喜八郎も、お千の顔をじっと見る機会はあまりなかった。それでもたまにすれ違ったりすると、子供だからこそ許される不躾《ぶしつけ》さでまじまじと観察してみた。お千は喜八郎の視線を感じて恥ずかしげに顔を背け、そして逃げるように去っていく。まるで、世間に顔向けできない悪事を働いた悪党のように。

　そんなに恥じ入ることはないのに。喜八郎は小走りに去っていくお千の背中を見つめ、そう思う。確かにお千の顔は、何度も見たくなるような類《たぐい》の魅力には欠けているかもしれない。それでも喜八郎の胸には、嫌悪はもちろん憫笑さえ湧いてこない。同情もない。ただ疑問だけが厳然として存在する。そしてその疑問には、誰ひとり答えてはくれなかった。なぜ容貌が醜くてはいけないのか、という疑問に。

　しかし喜八郎がお千のことを憶えているのは、そうした疑問が強かったからではない。お千以外にも醜いと言われる女に出会ったことはあるが、そうした女たちの容貌や名をいちいち憶えているわけではないのだ。今となってはお千の顔立ちも朧《おぼろ》にしか記憶に残っていないが、ある光景だけは今でも鮮明に思い浮かべられるほど脳裏に焼きついている。それは梅雨のさなかのある日、久しぶりに晴れ間が覗いた午後のことだった。

　喜八郎はその日、いつものように近所の学問所に行っていた。黒船この方江戸の市中は何かと騒然としていたが、世の中が変わっても読み書きができるに越したことはないはずと、母が学問所に通わせていたのだ。その日一日の勉学を終え、喜八郎は帰宅する途中だった。道は昨日までの長雨でぬかるみ、そこここに水たまりができていた。

ちょうど、お千の家の前を通るときだった。いつもは閉まっている枝折り戸《しおりど》が、その日はわずかに開いていた。喜八郎は覗くでもなくその隙間に目をやり、そして心の臓が跳ねるような感覚を覚えた。喜八郎の視野には、上がり框《がまち》に坐って身を屈《かが》めているお千の姿が映っていた。

お千の様子からすると、これから出かけるのではなくちょうど帰ってきたところのようだった。身を屈めているのは、ぬかるんだ往来を歩いて跳ねた泥を洗っているためだ。お千の足許には、水を張った盥《たらい》が置いてあった。お千は着物の裾をまくって、足からふくらはぎにかけてを拭いていた。

喜八郎の目に飛び込んできたのは、お千の足の白さだった。顔の黒さからは想像もできないほど、お千の脚は白かった。染みや痣ひとつないお千のふくらはぎは、優美な曲線を描き踝《くるぶし》から膝の裏へと繋がっている。形は魚の腹に似ていたが、生臭さなどは微塵《みじん》も留めず、むしろ神々しくすらあった。喜八郎は素直に、お千の脚を美しいと思った。

醜いだけの世の中に、真実の美しさが存在した。それを見いだし、喜八郎は深甚《しんじん》な感動を覚えた。醜女とあざ笑われ、後ろ指を指されたお千の脚に、真実の美が宿っていた。それを皮肉と感じる感性は、幼い喜八郎は持ち合わせていない。ただただ素直にお千の美しい脚に見とれるだけだった。

とはいえ、長時間に亘《わた》ってじっと見入っていたわけではなかった。時間にすればほんのわずかなことだったろう。自分に向けられる視線に気づき、お千が顔を上げたからだ。その瞬間に喜八郎と目が合い、お千は恥ずかしそうに微笑んだ。喜八郎はその表情もまた美しいと感じた。

喜八郎は、己の不作法な振る舞いを恥じ入った。ぺこりと頭を下げ、すぐに退散する。胸の鼓動は耳に届くほど高鳴っていた。

4

「また八つ裂き屍体が見つかったらしいぜ」

買ってきたばかりの新聞を叩いて訴えたが、相手は例によって無感動な反応しか返してこなかった。座敷に延べた床から半身を起こし、何を考えているのかわからない視線をこちらに向けてくる。少なくとも、この情報に私ほど興奮していないのは明らかだった。

「あ、すまんすまん。つい大声を出してしまった。具合はどうなんだい？　先日よりは顔色もずいぶんとよくなったようだけど」

いまさらながら気を使って、私は友人の体を気遣《きづか》った。朱芳《すおう》は客人を迎えたというのに愛想笑いのひとつも浮かべず、「ええ」と頷く。

「だいぶ楽になりました。ようやく固いものも食べられるようになりましたよ」

そう答える朱芳の頰は、闘病生活を物語って痛々しく削《そ》げ落ちている。病状が悪化してしまった原因は私にあると言えなくもないので、朱芳の言葉に胸を撫で下ろした。この一月に久しぶりに外に出た朱芳は、そのせいで病をこじらせ、以来寝たり起きたりを繰り返していたのだ。

「そろそろ暑くなってくるからな。精のつくものを食べた方がいい」

暑くなってくる、どころの話ではなかった。昼日中でも雨戸を閉め切っているこの座敷は、すでにむっとするほど蒸し暑い。日の光が体に毒だからと四六時中雨戸を閉め切っているのだが、こう蒸し暑くてはかえって健康を害するのではないだろうか。朱芳自身も暑さを感じているらしく、傍《かたわ》らに侍女《じじょ》のお時《とき》を坐らせて団扇《うちわ》で扇がせている。そんなことをするくらいなら、四方を開放して爽やかな外気を通せばいいものを、偏屈な友人は頑として自分の考えを押し通していた。この蒸し暑さにはなんとも辟易《へきえき》するが、郷《ごう》に入れば郷に従え、我慢するしかない。雨戸を開けてくれるように訴えても、暑いなら帰れと言われるのが関の山だからだ。

「鰻《うなぎ》なんてどうだ。神楽坂《かぐらざか》に旨い鰻を食わせる店があるから、今度来るときに買ってきてやってもいいぞ」

つい先だってまで粥《かゆ》ばかりを食べていたらしいから、精がつくからといっていきなり肉を食わせるわけにもいかないだろう。そう考えて鰻はどうかと勧めたのだが、朱芳はあまり気が進まないようだった。朱芳はもともと、食に関しては無頓着な方だ。口に入れればなんでもいいと考えている節《ふし》が見受けられる。もっとも、病人のこと故どんなものでも食べられるわけではなく、だから関心がなくなってしまったのかと思えば、いささか気の毒ではあるのだが。

「食事のことはお時が気を配ってくれていますからね。九条《くじよう》さんに心配していただかなくても大丈夫ですよ。気持ちだけ受け取っておきます」

朱芳の言葉を受けて、黙って坐っているお時がこくりと頷く。まあ確かに、お時に任せておけば間違いはないだろう。もとより朱芳自身が、かつてはかの高名なヘボン医師の許で医術を学んでいたほどだ。己の健康状態には、誰よりも詳しいに違いない。

「そうそう。後先《あとさき》になってしまったが、これはみやげだ。枇杷《びわ》だよ。食べてくれ」

すっかり忘れていた手みやげを今頃差し出す。朱芳はようやく軽く微笑んで、それを受け取った。

「いつも申し訳ないですね。じゃあ、さっそく剝いて食べましょうか」

お時、と名を呼んで、朱芳は籠ごと枇杷を手渡した。お時は団扇を置いて籠を恭《うやうや》しく受け取り、奥へ下がっていく。それを見送って、私は膝で躙《にじ》り寄った。

「ところで、この新聞記事だ」

話を蒸し返したくてうずうずしていたので、すぐにも本題に入る。朱芳は私が手にした新聞に一瞥《いちべつ》をくれると、改めてこちらの顔を見た。

「また、八つ裂き屍体が見つかったとか言いましたね」

「そうなんだ。そう言うところを見ると、まだ読んでいなかったね」

「ええ。岩助《いわすけ》に買ってきてもらってはいるんですが」

「じゃあ説明しよう。といっても、この記事だけでは詳しいことは何もわからないけどね。見つかった屍体の状況は、つい先日の一件目の事件とほとんど同じだ。殺されたのは若い女性だし、屍体は手足が切断されていた。見つかった場所も、やっぱりお稲荷さんだよ」

「同じお稲荷さんなんですか」

「いや、そうじゃない。お稲荷さんはお稲荷さんでも、また別のお稲荷さんだ」

「そうですか」

朱芳は興味があるのかないのかわからない口調で応じる。そんな相手の態度にはかまわず、私は一方的に喋り続けた。

そもそも、まず最初の屍体が見つかったのは、先月の末、今日より四日前のことだった。板橋《いたばし》にある笠原《かさはら》稲荷で、屍体は四肢を切断された状態で発見された。首、両腕、両脚を切り離された屍体は、なぜか右腕と右脚が欠けていた。下手人が持ち去ったのだろうと噂されている。しかし、その目的はいっこうに不明だった。

屍体の身許は、すぐに判明した。板橋の宿で蕎麦《そば》屋を開いている夫婦の娘で、名はお菊《きく》という。板橋小町《こまち》と異名をとるほどの器量好しだったお菊は、その美貌故に引く手あまたで、方々から縁組の申し出があったそうだ。その中からお菊と両親は、目白《めじろ》の呉服問屋のひとり息子を選んだ。祝言《しゅうげん》はこの秋と予定されていた。

そんな矢先の、この事件だった。お菊の両親はもちろんのこと、もらい手の呉服問屋の方も大変な衝撃だったことだろう。仔細《しさい》は知らないが、両家の仲が険悪になったという噂だけは耳にしている。おそらく、呉服問屋が醜聞を嫌って、関わりになるのを避けたのだろう。珍しくもない話だ。

お菊を手に掛けた下手人は、未だ捕まっていない。お菊は誰の目をも引く美貌にもかかわらず、それを鼻にかけたところなどかけらもない、気立てのいい女だったそうだ。幼い頃から店に立って客の相手をしていたせいか、年の割には世知にも長《た》け、浮ついたところがなかった。お菊目当てに蕎麦屋にやってくる男たちに等分に愛嬌を振りまき、誰か特定の者と仲良くするようなこともなかった。子供や年寄りには優しく接し、いつも笑顔を絶やさず、どんなに口うるさい者でも欠点を探すのが難しいほどだったという。つまり、誰かに恨まれるような性格ではなかったということだ。

にもかかわらずお菊は、四肢を切断されるという異様な死を迎えた。ただ殺すだけでなく、屍体を切り刻むとは尋常な行為ではない。よほど腹に据えかねたことでもない限り、こうまで残虐な殺し方はしないだろうと、誰もが考えた。

そこで、下手人はお菊に逆恨みを抱く者と推測された。お菊が皆から好かれる性格であろうとも、理不尽な逆恨みをする輩《やから》はどこにでもいる。例えばお菊に懸想《けそう》し相手にされなかった男が、かわいさあまって憎さ百倍といった心境で手に掛けたのかもしれない。あるいは、お菊の美貌に目が眩《くら》んだ男の情婦が、嫉妬の炎《ほむら》を燃やして凶行に及んだか。お菊が殺された理由は、いずれにしてもその辺《あた》りにあるはずと思われた。

ところが、これがなかなか下手人逮捕へとは繋がらなかった。疑わしい者がいないわけではなく、逆にごろごろいたのだ。極端な話、板橋近辺の若い男は、多かれ少なかれ皆お菊に気があったようなものだった。あからさまに言い寄る者から、ただ顔を見られるだけで幸せと蕎麦屋に日参していた者まで、その数は両手の指ではとても足りない。警視庁はそうした男たちひとりひとりに当たったはずだが、未だ下手人は特定されていなかった。

また、下手人が持ち去ったと思われる右腕と右脚の行方も、杳《よう》として知れなかった。下手人が未だに保管しているのか、それともどこかに埋めたのか。もし捨てたのなら、なぜ頭や胴体と別に捨てなければならなかったのか。保管しているのならば、それはなんのためか。

そうした謎がいくつも散見されたため、お菊殺しは東京を揺るがす一大事件として人の口に上った。ご一新この方、血腥《ちなまぐさ》いのには慣れた東京の市民とはいえ、こんな猟奇的な殺しはまた格別の刺激を受ける。古く徳川の代に遡《さかのぼ》っても、おそらくこれほど猟奇な事件は人の記憶にないだろう。噂が噂を呼び、話がどんどん大きくなったのも無理はなかった。

　そんな矢先に起きた、今度の事件だった。発見時の屍体の状況は、ほとんど同じといっていい。下手人が同一人物であることは、火を見るよりも明らかであった。

　今度の被害者は、今は古着屋を営んでいる元川越《かわごえ》藩士の娘だった。ご一新に乗じて娘の一家は東京に出てきたが、出自が川越藩では新政府に重用されるわけもない。仕方なく古着屋を始め、なんとか細々と日々を食い繋いでいるという状況だそうだった。いわゆる武家の商法だが、同じような境遇の者たちが次々と商売に失敗していく中、曲がりなりにもこれまで続いているのは、古着屋というあまり元手のかからない仕事を選んだのがよかったためと、看板娘のお咲《さき》のお蔭だという。お咲もまた、近所で評判の器量好しだったのだ。

　ここまではほぼ、お菊の事件と同じである。違うのは、お菊とお咲の性格だった。お菊が誰からも愛されていたのに対し、お咲はあまり人に好かれる性格ではなかったそうだ。武家の出ということを鼻にかけ、店先には出てくるものの愛想笑いのひとつも浮かべるでなし、その態度は高慢の一語に尽きた。それでも人形のようなその美貌に惚れ込む男は少なくなく、そうした欲目には、つんと取り澄ました態度もまた魅力的に映ったのだろう。お菊ほどではないものの、やはりお咲にもいくつかの縁談があったそうだ。

　お菊と違いお咲は、まだどこにも縁づく予定はなかった。聞いたところでは、お咲が選《え》り好みをしていたためらしい。自分が貧乏士族の娘だということを綺麗に忘れ、あの家は金がないだの、あの男の顔は妙ちきりんだのと、我儘《わがまま》な主張を繰り返していたという。それでも縁談がなくならなかったのだから、いかに世の中には馬鹿な男が多いかという証左だろう。私だったら、そんな女は絶対に願い下げなのだが。

そんなわけだから、お咲に懸想《けそう》して袖にされた男も掃いて捨てるほどいた。お菊の事情とは微妙に違うものの、こちらもまたお咲を殺しかねない者が多そうである。警視庁も当分は、寝食を忘れて動き回らねばならないだろう。

「八つ裂き屍体はどこの稲荷で見つかったんですか」

そうしたあらましをざっと説明し終えると、朱芳はおもむろに口を開いた。興味などなさそうな顔つきをしていたが、一応こちらの言葉に耳を傾けてはいたらしい。私は質問に答える。

「高田馬場《たかだのばば》の宮坂《みやさか》稲荷だ。地元の人でも知らないような、ちっぽけな稲荷だよ」

「宮坂稲荷ねぇ」

朱芳は繰り返して、なにやら考え込む風情《ふぜい》である。私はここぞと尋ねた。

「この事件には、いくつもの謎がある。例えば、なぜ屍体を切り刻むのかとか、どうして屍体の一部を持ち去るのかとか、あるいはその屍体をなぜ稲荷に捨てるのかといった点だ。そういういくつもの謎に関して、何か思いつくことはないか」

朱芳は私の問いかけに、呆れたような苦笑するような、微妙な表情で応じた。

「どうしてぼくがそんなことを考えなければならないんですか。ぼくは警視庁の人間じゃないんですよ。こういう血腥いことは、彼らに任せておけばいいんです」

「いいじゃないか、考えるくらいは。もしこうした謎に何か回答を見つけられるなら、それを警視庁に教えるのも我々市民の義務だぞ」

「関わり合いになると辛い思いをするのは、霧生《きりゅう》家の事件でわかったんじゃなかったんですか。ああいう思いは二度としたくないでしょう」

「別に関わり合いになるつもりはないよ。殺された人には気の毒だが、いわば知的な遊戯だ。架空の話のつもりで、少し知恵を絞ってみようじゃないか」

「しょうがないですね」今度は紛《まぎ》れもなく苦笑とわかる笑みを口許に刻み、朱芳は尋ね返してくる。「今度の屍体は、体のどの部分がなくなってたんですか」

「今度はお菊よりもなくなっている部分が多い。両脚と左腕だ。残っていた首と右腕が胴から切り離されていたのは同じだが」

「両脚と左腕」

「うん、そうなんだ。前回は右脚と右腕だろ。屍体の一部分を持ち去ることには、何か意味があるのかな。ふたつの事件を比べる限り、法則性がありそうには思えないけど」

「腕は、これで左右が揃ったことになりますよね。でも右脚は一本よけいにある。このよけいな右脚には、何か意味があるのかな」

「すると君は、下手人が美女たちの四肢を集めていると考えてるのか。なんのために？」

「そんなことはわかりませんよ。九条さんが法則性を気にするから、口にしてみただけです」

「なんだ。じゃあ他に思いつくことはないか」

私が促したとき、奥からお時の戻ってくる足音が聞こえた。ふだんのお転婆《てんば》な態度からは考えられないほど静かな足取りでやってきて、剝いた枇杷を盛った器を差し出してくる。私は礼を言って、さっそく手を伸ばした。

「うん。この季節の枇杷はやはり旨《うま》いね。京にいた頃は近所に枇杷の木があったので、よくもいで食べたものだよ」

私の健啖《けんたん》ぶりに刺激されたのか、朱芳も珍しく手を伸ばしている。ひと口食べて、控え目に「おいしいですね」と感想を漏らした。

「興味があるのは、屍体の切断方法ですね。下手人はいったい、どうやって屍体を切り刻んでいるのだろう」

種を器に捨てて、朱芳は話を戻した。お時はふたたび朱芳の背後に控え、団扇で扇ぎ始める。

「切断方法って、どういう意味だ。刃物で切り刻んだに決まってるじゃないか」

「ひと口に刃物といってもいろいろある。刀で一刀のもとに切り離したのと、包丁でごりごりと切り落とすのとでは、切り口にずいぶん違いがあるはずだ。もし刀で四肢を切断したのなら、それは殺された者が生きているときだったのか、それとも死んだ後なのか。その辺りのことは、わかってないんですか」

「聞いてないな。それが何か大事なのかい」

「生きているうちに四肢を斬り落としたとしたら、それはかなりの手練《てだ》れですよ。誰でもそう簡単にできることじゃない。じゃあ死んだ後に切るのなら簡単かといえば、これもそういうわけじゃない。人間の体には意外と筋が多いし、骨も硬い。野菜を切り刻むようにはいかないんですよ」

「まるで人間の体を切ったことがあるかのような口振りだな」

「ありますよ。何度か屍体を解剖したことがある」

「ああ」

朱芳は横浜《よこはま》在住時代、そんなことまでやっていたのか。あまりこの年少の友人の過去は知らないので、いまさら驚かされる思いだった。

「なるほど。君の言うことも理解できたよ。確かに屍体の切断方法は、下手人を特定する大事な要因かもしれない。もし警視庁が気づいていないなら、それとなく伝えてあげた方がいいかもしれないな」

「ほら、関わり合いになろうとする」

朱芳はからかうように指摘する。私は「それとなくだよ」と繰り返して、先を続けた。

「つまり、生前のことにしろ死後にしろ、人間の体を切り刻むのはかなり重労働だってことだな。それなのに二体も続けて切り刻んだのだから、下手人にはそうしなければならない切実な理由があったんだろう。でもどんな理由があって、若い女の体を切り刻まなければならないんだ？」

「そうしなければならない切実な理由、という考え方はいいですね。下手人が気が触れていたとしても、狂人には狂人なりの理屈があるはずですから」

「誉めてもらったのは嬉しいが、しかしぼくには何も思いつかないよ。君はどうだい？」

「ぼくだって、何もわかりません。下手人を捕まえて訊いてみるのが一番早いんじゃないですか」

「そりゃそうだが、それじゃあ知的遊戯にならない。もう少し頭を働かせてみよう」

「じゃあ、ひとつだけ。下手人は女の手足が欲しかった」

「なんのために？」

「好きだからですよ。下手人は、女の手足が好きでしょうがないんだ。だから集める」

「そんな異常な人間がいるかな。女そのものが好きなんじゃなくって、女の手足が好きだってのか」

「異常な人間は、常とは違うから異常なのです。そんな異常な人間はいない、などと考えるのは、ただ単に想像力が不足しているからですよ」

「ああ、そりゃ悪かったね」

最近は体が弱っていたせいか、あまり憎まれ口を叩かなくなっていた朱芳だが、元気になるにつれて口の方も快調になったようだ。私は馬鹿にされているのに、少し嬉しかった。

「まあいずれにしろ、若い女を殺して切り刻むような輩《やから》が普通の神経を持ち合わせているわけがない。異常者なのは間違いないから、そういうこともあり得るのかもしれないな」

「あくまで想像の域を出ませんがね」

「じゃあ、屍体をお稲荷さんに捨てることについてはどうだ？　人目につかなければ、場所はどこでもよかったのかな」

「稲荷信仰に熱心な人など、あまり聞きませんからね。お稲荷様と奉《たてまつ》ったところで、しょせん狐は狐だ。死者を弔《とむら》う意図があるとしても、どうも調子がずれている」

「まったくだ。神社や寺院に遺棄するというのならまだわからなくもないが、お稲荷さんだからね。でも一件ならともかく、二件ともお稲荷さんに捨てられていたとなると、やはりそこにも意味がありそうじゃないか」

「確かに。でもこちらについては、想像でも何も思いつきませんね。狐の祟《たた》りでないことだけは確かでしょうが」

「狐の祟り、ねぇ」

私は首を傾げたが、遠からずそんな評判が立つことは間違いないだろうなと考えていた。

人間がしでかしたとんでもない事件も、祟りという名の下に閉じ込めてしまえばわかりやすいからである。実際、〝八つ裂き狐〟という呼称が人々の口《くち》の端《は》に上るには、それから幾日もかからなかった。

5

これもまた、喜八郎にとっては忘れがたいことである。悪友たちに連れられて、初めて遊郭に上ったときのことだ。

徳川幕府の屋台骨が大きく揺らいでいる時局だというのに、いや、だからこそなのだろうか、吉原《よしわら》一帯は十年一日の如く艶《あで》やかで退廃的な気配に溺れていた。

喜八郎はその日、塾の同期生たちと一緒に吉原にやってきた。塾とはいっても、時流に乗り遅れた儒学者が細々と営んでいる私塾で、集まってくる生徒たちにもろくな人材はいない。この難局を乗り切るための思案を巡らすでなく、剣の腕を磨いて有事に備えるでもなく、親の臑《すね》を齧《かじ》って日々を面白おかしく過ごしているような者たちばかりだった。

喜八郎とてその例外ではなく、幼馴染の伊丹と我が身を引き比べるとどうにも情けない思いが込み上げてくるのだが、積極的に現状を打破しようという気概などは微塵《みじん》もない。同期生たちの怠惰な生活を嫌悪する気持ちはあっても、結局は付和雷同的に行動をともにしてしまうのが落ちだった。

吉原にやってきたのも、性欲を持て余した塾生のひとりが、ここらでひとつ男になろうではないかと言い出したためだった。遊ぶことしか考えていない連中である、いつかはという気持ちをほとんどの者たちが温めていたが、そのひと言が呼び水となった。行こう行こうと、皆が口々に賛意を示し、その足で吉原まで繰り出すことになった。金の持ち合わせがない者の分は、持っている者が立て替える相談が決まり、全員の足並みが揃った。喜八郎ひとり、気が進まぬからと抜けられる雰囲気ではなかった。臆病者と嗤《わら》われることはわかり切っていたからだ。

夜もすっかり更《ふ》けたというのに、吉原一帯だけは闇を忘れたように光り輝いていた。どこからともなく三味線と太鼓の賑《にぎ》やかしが聞こえてきて、猥雑な空気を煽《あお》る。左右の見世《みせ》の赤い格子《こうし》の中からは、白粉《おしろい》を塗った手が伸びて男を誘っていた。寄ってらっしゃいよォ、という声に誘われ、悪友たちは鼻の下を伸ばして女の吟味を始めた。

そこに至っても喜八郎はまだ、女など抱く気になれないでいた。性欲がないわけではない。人並みに女に対して欲情する感覚は持ち合わせている。ただそれでも、自分の想像の中に存在する女と、眼前で嬌声《きょうせい》を上げて恥もなく男を誘う生き物とが、同じであるとはどうしても思えない。下品な白粉と紅を塗りたくった女相手に、どうして欲情など覚えられるだろう。

発情した犬のように女を選んでいた悪友たちは、それぞれに相方を見つけると見世の奥へと消えていった。気づいてみれば、残っているのは喜八郎の他ひとりだけだった。塾で一番気が弱いと目《もく》されているその男は、おずおずとした口調で「どうする？」と尋ねてくる。それに対して喜八郎は、「どうでもいい」と吐き捨てるように応じた。

「こんな奴ら、抱きたいとも思わない。どんな女だってかまいやしないさ」

「そうは言ったって、このまま帰るわけにもいかないだろう。いい物笑いの種だぜ」

「わかってる」

喜八郎は理不尽な罠に陥《おちい》ったような心地だった。自然、声が怒りを含む。どうにでもなれとばかりに格子を睨み、一番最初に目が合った女に近寄っていった。

「あらン、いい男ネ。遊んでってちょうだいよ」

女は顔立ちが整ってもいなければ、若くもなかった。白粉で塗り固められたその顔貌はのっぺりとしていて、妙に平板に見える。だが喜八郎は、そんな女の顔を醜いとは思わなかった。顔が醜いのではなく、真っ白い肌の色と毒々しい唇の紅が醜いのだ。どうせ醜い女ならば、顔立ちの美醜など問題ではなかった。

「お前にする」

喜八郎がぶっきらぼうに言うと、女は「嬉しいわ」と応じて奥への案内を乞うた。入り口の暖簾《のれん》をくぐると、遣《や》り手婆《てばあ》が「いらっしゃい」と迎える。ふと後ろを振り向くと、残された塾生が心細そうな顔で立っているのが、暖簾の間から見えた。

通された部屋は、いかにも安い切見世《きりみせ》といった風情で、とても清潔とはいえなかった。畳はここで行われた数々の情事の痕跡を残して黒ずみ、敷かれた布団は平べったく、染みが浮いている。両隣の部屋からはあられもなく睦《むつ》み合う男女の声が聞こえ、生々しさをいっそう煽る。その部屋の佇《たたず》まいを一瞥しただけで、喜八郎は喉元に嫌悪感が込み上げてくるのを覚えた。

「坐ったら」

部屋の入り口で立ち尽くす喜八郎の背後から、女郎が促した。言われてようやく我に返り、喜八郎は畳にどかりとあぐらをかく。どうしてこんなところにいなければならないのかという腹立ちを込めて、女郎をねめつけた。

「怖い顔してるのね。親の仇にでも会ったみたい」

「その白粉、どうにかならんのか」

科《しな》を作って横に坐った女郎に、喜八郎は率直な気持ちをぶつける。女郎は毒々しい紅を塗った唇を左右に広げ、ニッと笑った。

「女郎に白粉は付き物ヨ。これを落とせなんて、野暮なことは言わないでよね。こう見えてもね、白粉なしで世間様に向き合えるほど、そんな恥知らずじゃないつもりなんだから」

なるほど、女郎の白粉は自らをよく見せるための化粧ではなく、恥を塗り隠すための手段なのか。初めて聞いた説明に、喜八郎は改めて女の顔を見直す。白粉を落とした素顔を想像してみようとしたが、やはりそれは難しかった。

「すぐ始める？　それともお酒でも飲む？」

切見世の女らしく、女郎は即物的なことを尋ねてくる。白粉への嫌悪は多少薄らいだものの、だからといってすぐに抱く気にはなれない。取りあえず酒を所望すると、女郎は立ち上がって部屋を出、しばらくして戻ってきた。

冷や酒を持ってきた女は、猪口《ちょこ》を差し出してそれに注ぐ。喜八郎は特に酒が好きなたちではなかったが、今はそれを一気に呷《あお》らないではいられなかった。女郎はそんな喜八郎の横顔を、じっと眺めている。

「お侍さん、こういうところは初めてでしょ。もしかして、女も初めて？」

喜八郎の態度のどこに、見透《みす》かされるような要素があったのかはわからない。だが女郎は、的確に喜八郎の経験の浅さを見抜いていた。それが面白くなく、喜八郎は怒った声を出す。

「それがどうした。初めてなら駄目だとでもいうのか」

「そんなわけないでしょ。誰だって最初は初めてなのよ。初めての男は縁起がいいってね、女郎の間では喜ばれるのよ。知らなかった？」

そんなこと知るわけがない。喜八郎は内心で反駁《はんばく》したが、口には出さなかった。女郎にからかわれているような気がして、面白くない。ついつい杯を重ねてしまう。

「そんなに勢いよく飲んで、大丈夫なの？　まあ若いから、それで駄目になるってこともないだろうけどね」

女郎は品《ひん》のない言葉を吐き、下卑《げび》た笑みを浮かべる。そんな女郎の表情を、喜八郎はやはり醜いと感じる。

「どうすんの？　お酒飲みに来たわけじゃないでしょ。そんな悠長な遊びがしたいなら、見世を間違えてるわよ」

数をこなすことで認められる女郎は、床を急いでいた。帯を無造作に解き、さっさと布団に潜り込もうとする。しどけなく胸元を開いた女郎の姿を見て、喜八郎はふと手を止めた。

「女、ちょっと待て」

「何よ。じれったいわね。まさか臆病風に吹かれたんじゃないだろうね」

女郎は苛立ったのか、伝法《でんぽう》な口調で言い返した。喜八郎は手を伸ばし、女の裾を捲《まく》る。

「ちょ、ちょっとあんた、何するのよ」

どんな男とでも同衾《どうきん》する女郎も、いきなり裾を捲られれば含羞《がんしゅう》を覚えるらしい。慌てて裾を合わせ、喜八郎の目から己の肌を隠した。

「女、綺麗な脚をしているな」

思わず喜八郎は正直な感想を漏らす。顔の醜さには似合わず、女郎の脚はすらりと美しかったのだ。幼い頃に一度だけ見かけた、お千のふくらはぎがふと脳裏をよぎる。

「あら、誉めてくれンの。ありがと。あたし、脚だけはよく誉められるンだ」

とたんに女郎は機嫌をよくし、ちらりと裾を捲り上げる。赤い襦袢《じゅばん》の下から現れた女の太腿は、薄暗がりの下でも目を射るほどに白かった。

「やっとその気になってきたようね。ほら、始めましょ」

女郎は掛け布団を剝いで、喜八郎を誘った。だが喜八郎は、女郎の腕を押さえて布団を被ろうとするのを妨《さまた》げた。

「女、他のことはどうでもいい。その脚を触らせてくれ」

「脚を？　そりゃ、別にかまわないけどさ。いきなり脚から触り始めるなんて、あんた、ずいぶん変な趣味してるね」

女郎は半ば呆れたように言ったが、そんな言葉は喜八郎にとってどうでもよかった。もう一度裾を捲り、おずおずと手を伸ばした。

女の肌は、体温がないかのようにひんやりとしていた。手を触れただけで、自分の体温を奪われるような錯覚を覚える。肌は荒淫生活の痕跡を如実に留め、お世辞にもすべすべしているとは言いがたかったが、形の良さが充分にそれを補っていた。喜八郎は初めて触る女の脚の感触に、陶然とする思いを味わった。

なぜ女の脚はこれほど美しいのだろう。喜八郎は不思議でならなかった。こんなにも喜八郎を魅了する脚の美しさとは、いったい何か。女など醜いだけの生き物のはずなのに、その体を支える脚はどうしてこうも美しいのだろう。喜八郎は腿に己の顔を寄せ、頰擦りする。目眩《めくるめ》く思いとは、まさにこのことか。左右の腿の間に顔を埋め、喜八郎は陶酔した。触覚が、視覚が、嗅覚が、そして聴覚や味覚までもが、ことごとく快感を訴える。ああ、女の太腿にこそ、この世の桃源郷がある。喜八郎の意識は押し寄せる快楽の波に飲まれ、恍惚となった。喜八郎は無意識に、白い腿に歯を立てた。

6

珍しい知人が訪ねてきたのは、八つ裂き狐のふたり目の犠牲者が出た日の、翌々日のことだった。

藤下実基《ふじしたさねもと》は、私と同じ公家《くげ》の出だった。年齢が近いせいもあり、幼い頃から互いの顔は見知っていた。一時期は、親しい友人と言ってもよい関係を築いていたと思う。だが今は、互いに帝《みかど》に随行して東京までやってきたというのに、行き来は完全に絶えていた。その原因はもっぱら、私の側にある。実基が下役ながらも新政府の仕事に就いているのに対し、私がただ単に父への反発のためにぶらぶらと遊び歩いていることが、彼我《ひが》の距離を遠ざけたのだ。実基は今でも、私の惰弱《だじゃく》な性格を軽蔑していることだろう。それがはっきりわかるだけに、私の方から連絡をとる気にもなれなかった。

だから、実基が四谷《よつや》の私の屋敷を突然訪ねてきたときには、かなり驚かされた。藤下という名を聞いても、すぐには実基のことを思い出せなかったほどである。しばし考えてようやく相手の素性を理解した私の胸には、反射的に警戒の気持ちが湧いていた。久闊《きゅうかつ》を叙《じょ》するために、わざわざ実基が足を運んでくるわけがない。旧友の突然の来訪など、ろくな用件ではないはずだととっさに考えたのだ。

だが数年ぶりに相対した実基の顔つきは、不遜《ふそん》でも挑発的でもなかった。かつては板に付いていなかった口髭も、今ではすっかり馴染《なじ》んでそれなりに様になっている。一見したところ、貫禄のあるお役人といった風情は充分に身につけていた。にもかかわらず実基の表情は、すっかり困《こう》じ果てたような、どうにも情けないものであった。

「久しぶりじゃないか。どうしたっていうんだ」

私は客間に入るとすぐ、実基のそんな表情を読み取ったが、まずは尋常に挨拶をした。実基はあぐらをかいたまま、照れ臭そうに「やあ」と言う。

「元気そうで何よりだ。お父上も兄上たちも、息災と聞いている」

かつて、新政府に奉職しようとしない私を罵《ののし》った相手とは思えぬ、穏やかな挨拶ぶりだった。私は卓を挟んで正面に腰を下ろし、改めて客の顔を見た。

実基は私と同じ年にもかかわらず、今ではとてもそうは見えなかった。仄聞《そくぶん》するところによると、すでにふたりの子供がいるという。そのせいか外貌はすっかり老《ふ》け、なるほど人の親足るにふさわしい落ち着きが窺《うかが》える。実年齢より若く見られる私とは大違いだ。

「そっちこそ、今やふたりの子持ちだそうじゃないか。奥方や子供は元気なのか」

「ああ、まあな」

実基は私と目を合わそうとせず、なにやら不安げに視線を左右にさまよわせる。私とこうして相対しているのが決まり悪いのだろう。しかし、そうなることはわかり切っているはずなのにあえて訪ねてくるとは、よほど重大な用件なのか。私はそう推測したが、自分から本題を促してやるほど親切な気分にもなれなかった。

実基の性格をひと言で形容するなら、「実直」の一語で足りる。何事に関しても生真面目《きまじめ》に考え、法規前例を金科玉条の如く奉るその性質は、よく言えばこれほど信用のおける人物もないだろうが、実のところ長く付き合うには気骨が折れる。齢《よわい》七歳にして有職故実《ゆうそくこじつ》を諳《そら》んじていたような奴だから、私のようないい加減な性格の男は我慢がならなかったことだろう。京にいた頃は、顔を合わせれば説教されていたような記憶がある。だがそれでも、曲がりなりにも友情が続いていたのは、今振り返ればただ単に世界が狭かったせいである。互いにまだ子供だったために、言い争いも深刻な諍《いさか》いにまでは発展せず、単なる喧嘩に留まっていた。思えば微笑ましい関係だった。

しかし、決定的な決裂が遠からずやってくることも、自明のことだった。東京に出てきて半月後、世情が目まぐるしく動き始めている中、何もせずにただ物見遊山《ものみゆさん》の毎日を送っている私に対し、ついに実基は堪忍袋《かんにんぶくろ》の緒《お》を切った。私の怠惰な性格を、思いつく限りの語彙《ごい》を駆使して罵った。それらひとつひとつはまったくもっともで反論の余地はないのだが、だからといってそのとおりと頷くわけにもいかない。こんな私にも、ちっぽけながら矜持はあるのだ。それを踏みにじられ、なお笑っていられるほど私は大人《たいじん》ではない。以来、私たちの行き来は完全に途絶えた。

その実基が、気まずそうな顔をしながら私の目の前にいる。これはいったいどうしたことかと、訝《いぶか》しく思うのも無理はなかろう。私はただ、実基が用件を切り出してくるのをじっと待った。

家の者が茶を運んできて下がるまで、実基は口を開こうとしなかった。だが私との睨めっこにも息苦しくなったのだろう、ようやく気持ちを定めたように顔を上げ、こちらにひたと目を据える。「実は」と切り出した声は、もはや逡巡《しゅんじゅん》とは無縁で毅然《きぜん》としていた。

「こんなことを言えた義理でないのは百も承知している。だが私には、他に頼める相手がいない。そなたの力を借りたいと思い、こうして恥を忍んでやってきた」

「ぼくの力を?」

いずれはそのようなことであろうと予想していたが、しかし改まって言われるとその内容は見当がつかない。人を動かす地位も、特殊な能力も持ち合わせていない私に、いったいどんな頼みがあるというのだろう。

「話を聞いてくれるか」

実基はあくまで下手《したて》に出る所存のようだ。このように言われて、それでも拒絶するほど私は狭量ではない。それに、実基の頼みとやらにも興味がある。取りあえず今は、昔のことは水に流して話を聞くことにした。

「聞こうじゃないか。ぼくにどんな頼みがあるって言うんだ」

「いや、それが、どこから語り始めればいいのかわからないことなんだが……。そのう、私の妹のことは憶えているか」

「もちろん憶えてるよ。妹君のことなのか」

「そうなのだよ」

ほとほと困ったという体で、実基は認める。なるほど、自分のことではなく妹に関しての相談だったのか。私は得心《とくしん》がいった。

実基には年の離れた妹がいた。最後に会った頃はまだ十になるやならずといった年格好だったが、それでも見目《みめ》好さは際立っていた。成長した今ならば、さぞや美しいご婦人になっていることだろう。

「その妹がな――、いや、その前に今様《いまよう》美女三十六歌仙という錦絵《にしきえ》のことは知ってるか」

「もちろん知ってるよ。それがどうかしたのか」

「じゃあ、今帝都を騒がせている、八つ裂き狐のことは？」

「知ってるさ。その三つのことに、何か関係があるのか」

八つ裂き狐の名が出てきて、私の胸はとたんに高鳴った。まさかあの事件に、実基の頼み事が繋がってこようとは予測していなかった。

「八つ裂き狐の犠牲者は、ふたりいるよな。そのふたりとも、今様美女三十六歌仙に描かれていたんだ。それも知ってたか？」

「いや、知らない。そうだったのか」

言われて初めて、犠牲者の繋がりに気づいた。その共通点は今のところ、誰も指摘していない。ふたりとも美女ということは大いに取り沙汰されていたが、それと錦絵を結びつけて考える発想はなかった。噂に尾鰭《おひれ》が付くのは避けられないこと、扇情的な死に様の上に美女であったとなれば、不謹慎なことではあるが話がますます面白くなる。だから十人並みの器量でも死んでしまえば誰でも「美女」になるわけで、本当に三十六歌仙に選ばれるほどの器量好しとは考えなかったのだ。

今様美女三十六歌仙は、その名のとおり春信《はるのぶ》の描いた先例に準じている。東京で評判の美女三十六人を錦絵にしたもので、なかなか売れていると聞く。私は錦絵よりも実物の方が好きなので買ってはいなかったが、以前から興味は持っていた。今様というだけあって、春信の美女三十六歌仙が妓女《ぎじょ》や茶汲み女ばかりであったのに対し、こちらは多種多様、町人から士族の娘まで、あらゆる美女を網羅しているというからだ。

その三十六歌仙に、殺されたお菊もお咲も選ばれていたという。これは単なる偶然なのか。それとも何か意味があるのか。私は俄然《がぜん》興味を惹《ひ》かれて、実基の話の続きを待った。

「そのことに気づいたのは妹なんだ。珠子《たまこ》は自分も殺されると言って怯えているのだよ」

「えっ、ちょっと待ってくれ。話がわからなくなった」

唐突に話が飛躍したので、理解が追いつかなかった。三十六歌仙の美女がふたり殺されると、どうして妹の命が危ないのだ。私の疑問には、実基がすぐに答えてくれた。

「それが、珠子も三十六歌仙のひとりとして錦絵になっているそうだ」

「えっ」

驚いた。四民平等の世の中になったとはいえ、曲がりなりにも元公家である。そのような、言ってみれば下賤な筆に姿を描かせていようとは、まったく考えもしなかった。

「そ、それを君は知ってたのかい？」

「もちろん知らないさ。知ってたら、是が非でもそんなことはやめさせた。藤下家の末代までの恥だからな」

「そ、そうだろうなぁ。しかし、公家の娘が錦絵になったとなれば、それだけで大騒ぎになるだろうに、実際にはそんな噂は聞いたことなかったぞ」

「身分を隠していたそうだ。私もその錦絵を見たわけではないから、詳しいことは知らないが」

「身分を隠してたって……、しかし大胆だな、君の妹も」

「そうなんだ」

いささかげっそりした面もちで、実基は頷く。その様子からすると、兄の実基ですら手を焼く、相当の跳ねっ返りなのかもしれない。謹厳実直を絵に描いたような実基の妹が、そんな奔放な娘だとなると、これはかなり面白い。意地が悪いと自覚しながらも、私はそう感じてしまった。

「つまりはそういうわけで、珠子は今様美女三十六歌仙の女が、順番に次々と殺されていると主張しているんだ。まさかと笑い飛ばしたんだが、どうしても言い張って聞かない。そこで、本当のところはどうなのだろうと、そなたに尋ねようと思ってこうして推参したわけだ。世事に長《た》けたそなたなら、私よりはこうしたことにもずっと詳しいだろうと思ったのでね」

「ははあ」

なるほど。ようやく実基の来意を理解することができた。悩み事がそのような話であるなら、うかうかと誰彼かまわず相談するわけにはいかない。まず身内の人間ならば、どんな大騒動になるか知れない。場合によっては縁を切るという話にまで発展してしまうかもしれないからだ。こうして気を揉むところを見ると、実基はこれでかなりの妹思いなのだろう。妹の立場を思えば、なるべく事を荒立てたくないはずだ。

といって、第三者に相談したとしても、埒《らち》が明くものではない。そもそも公家の間では、美女三十六歌仙なる錦絵がどういう代物《しろもの》であるか、それを理解する者すら少ないだろう。そんなところから話を始めなければならない相手が、力になってくれようはずもない。となると必然的に、相談相手は限られる。消去法で、私にお鉢が回ってきたというわけか。

「それで、実際のところどう思う？　珠子の言っていることは本当なんだろうか？　ただの妄想と、放っておいてもいい話だと思うか」

実基は座卓に両手をつき、ずいと上半身を乗り出した。その勢いに押され、私は軽く身を遠ざける。どう思うと尋ねられても、即答できる類《たぐい》のことではなかった。

「どうなのかな。もしかしたらそういうこともあるかもしれない。ふたりだけだったらただの偶然かもしれないけど、三人目も美女三十六歌仙のひとりだったら、君の妹の主張も正しいってことになるだろうな」

「三人目って、妹が殺されてもいいって言うのか！」

実基は私の言葉に、過剰に反応した。私は両手を突き出して、まあまあと宥《なだ》める。こんなに血相を変えるとは、よほど妹が大事なのだろう。

「そんなことは言ってないよ。もし本当に三十六歌仙の美女が順番に殺されているとしても、次が君の妹と決まったわけでもあるまい。冷静に話ができないなら、ぼくはこれ以上相談に乗らないよ」

「ああ、失礼をした。そなたの言うとおりだ。まったく面目ない」

すぐにしょげ返り、実基は俯《うつむ》く。こういう素直なところは、実基の美点のひとつだ。だからこそ、口うるさい相手と思いつつも付き合っていられたのだ。

「ともかく、君の話だけではなんとも言えないな。ぼくは今様美女三十六歌仙も見たことないし。できたら、君の妹から直接話を聞かせてもらいたい」

「ああ、それはできると思う。すぐに引き合わせよう」

「うん、そうしてくれ。ぼくの意見はその後だ」

自分には関係ないと思っていた八つ裂き狐事件だが、こうして私はその渦中に巻き込まれることになったのである。

7

実基の対応は早かった。翌日には使いがやってきて、本郷の藤下邸まで来て欲しいと私に頼む。実基は、今日は出仕を取りやめて私を待っているという。好奇心をはち切れんばかりに膨らませていた私は、すぐに身支度を整え屋敷を後にした。

藤下家の屋敷も、かつての大名屋敷を接収したものである。京で貧困に喘《あえ》いでいた頃には考えられぬほど、豪壮で広い。私は表門からおとない、すぐに客間に通された。

私を導いた家人と入れ替わるように、すぐ実基は現れた。「呼び立ててすまなかった」と、尋常な詫びを口にする。この辺りは、常識人としての面目躍如《めんもくやくじょ》たるところだ。距離をおいて接する限りでは、実基は決して不愉快な男ではないのだ。

「すぐに妹もやってくる。それまで茶でも飲んでくつろいでいてくれ」

さすがに自分の屋敷にいる分には、実基も気まずそうな様子はなかった。昔のように打ち解けた態度こそ示さないが、格式張った堅苦しい応対をする気もないらしい。それはそれで、私にとってはありがたかった。すべてを水に流して旧交を復活させるにはまだわだかまりを覚えるが、だからといってよそよそしくされても息苦しい。このようなつかず離れずの関係を保てるなら、これからも実基との仲を続けていくことも可能かもしれないと考えた。

断絶が続いていた七年間を埋めるべく、世間話でもしようかと口を開きかけた矢先だった。障子が静かに開き、女性が姿を見せた。きっちりとした所作《しょさ》で手をつき、頭を下げている。発せられた声は凛然《りんぜん》としていて、思わずこちらも姿勢を正してしまったほどだった。

「ご多忙の中、お呼び立てなどいたしまして大変失礼しました。どうかご無礼をお許しくださいまし」

女性はそう言ったまま、頭を上げようとしない。実基はそちらに目をやり、「珠子だ」と紹介してくれた。

「ど、どうも、九条です」

緊張する必要などかけらもないのに、我知らず声が上擦りかけてしまった。一度咳払いをして、改めて声をかけ直す。

「あなたが小さい頃には何度もお目にかかってましたが、憶えていらっしゃるかな」

「はい、もちろん」

そう答えて、珠子はようやく顔を上げた。目が合った瞬間、私は胸を打たれるような衝撃を覚える。珠子の顔立ちは幼い当時の面影を確かに残してはいたが、しかし私の予想を遥かに上回って美しく成長していた。これほどの娘は、公家の間に限らず、広く東京中を探してもなかなか見つからないのではないか。それほど、珠子の美貌は際立っていた。

どこがどう良いというのではない。すべて良い。杏仁《きょうにん》形の目、高く通った鼻筋、幾分小さめの口、頤《おとがい》に向かって尖り気味の頬の線、どれをとっても非の打ち所がなく、人間の顔というよりも作り物めいた印象すら受ける。だがそれが等身大の人形などではないことを証明するのが、目の光の強さだった。ひたとこちらに据えられた視線は小揺るぎもせず、意思の強さを感じさせる。にこりともしない表情は、整っているが故に冷たげに見えるが、その笑顔を見たいがために胸を焦《こ》がす男の数は少なくないだろう。人間の外貌に対して「完璧」という形容はなかなか使いにくいものだが、眼前の女性はそう評しても決して大袈裟《おおげさ》ではなかった。

珠子は室内に入ってくると、優雅な所作で障子を閉め、改めて低頭した。挨拶が堅苦しいところは、なるほど実基のような堅物を生み出した藤下家にふさわしい。思わずこちらも手をついて頭を下げてしまった。

「挨拶はこれくらいでいいだろう。珠子、こちらに来て、詳しいことを九条さんにお話しなさい」

「はい」

珠子は立ち上がって、しずしずと私の前にやってきた。距離をおいて、向かい合って坐る。婦女子には珍しく、珠子は顔を俯けることなくこちらの眸《ひとみ》をまともに覗き込んできた。私の方が気圧《けお》され、目を逸らしてしまう。

「いや、あ、あのう、お久しぶりですね。小さい頃からかわいらしい顔立ちだったけど、今はまた一段とお美しくなられていて、びっくりしました」

何を言ったらいいかわからなくなり、しどろもどろにそんなことを口走る。珠子は嫣然《えんぜん》と微笑み、「ありがとうございます」と応じた。こんなやり取りを第三者が見たら、どちらが年長者かわからないことだろう。自分のみっともなさはわかっていたが、それでも珠子の美貌に圧倒されるのはいかんともしがたかった。

「これがとんだじゃじゃ馬でね。私も父上もほとほと閉口している」

実基は困ったような口振りだが、どこか自慢そうな響きもあった。実際、美しい妹が誇らしいのだろう。私は女兄弟がいないが、もしこんな妹がいたら同じような心境になっているはずだ。実基の気持ちはよく理解できた。

「しかし、とてもそんなふうには見えないけどな。実におとなしそうな女性じゃないか」

私は実基の言葉を受け、思ったとおりのことを言う。自分のことを語られているというのに、珠子は我々の言葉が耳に入っていないかのように微笑んだままだった。

「猫を被っているのさ。見かけがちょっと整っているお蔭で縁談は降るようにあるんだが、どれひとつとしてまとまらないのは、こいつの気が強すぎるせいだよ」

「いいじゃないか。男の言いなりになってばかりいるのが女性の役割というわけじゃない。これからの女性は、自分から男を選ぶくらいの方がいいのさ」

「……だそうだ、珠子。理解してもらえて幸せだな」

「ええ」

苦笑混じりに実基が同意を求めると、珠子はこくりと頷く。そんな仕種もやはり、作り物めいた印象があった。早く自分の言葉で語っているところを見たいものだと、私は密かに切望する。

「さて、どこから話し始めたらいいものやら。やはり、なぜそなたが錦絵になど姿を描かせたのかというところから始めるべきか」

「はい、そうですね」

珠子は一瞬だけ兄の方に視線を向け、すぐに私に目を戻した。そして、なんら恥ずかしがることなく経緯を語り始める。珠子の声は女子《おなご》にしては低かったが、それもまた特徴的で耳に心地よかった。

「わたくし、はしたないとお叱りを受けるやもしれませんが、東京の町をただ歩くのが大好きなのでございます。見るものすべてが物珍しくて、飽きるということがありません。天気が良ければ供の者を連れ、どこに行くでもなくただ散策するのを日課としております」

「それは奇縁ですね。実はぼくも散歩が一番の趣味なのですよ。毎日どこかで何かが起きているかもしれないこの東京は、ぼくたちのような狭い世界で生きてきた者にとっては実に面白い。あなたの気持ちはよくわかりますよ」

話の腰を折る気はなかったが、つい我が意を得たりと相槌《あいづち》を打ちたくなってしまった。珠子は口許にうっすらと笑みを浮かべたまま、先を続ける。

「そうおっしゃっていただけると、先を続けやすうございます。お話しすべきことは、今から三月《みつき》ほど前のことになります。その日もいつものように、供の者を連れて日本橋《にほんばし》を歩いておりました。わたくしは風光明媚《ふうこうめいび》な場所よりも、どこか雑然として活気があるところが好きなのでございます。ですから日本橋や浅草などは、中でもよく行くところなのです」

「いいですね。ぼくも好きですよ。他には銀座《ぎんざ》なんてどうです？」

「大好きです。西洋ではあんな煉瓦《れんが》の町並みが普通なのかと思うと、胸がときめきます」

珠子の言葉は幾分熱っぽくなったが、それでも表情は依然として人形めいていた。整いすぎた顔立ちは、どこか非人間的な雰囲気を漂わせてしまうのだろう。もしかしたらこの容貌のせいで、損をすることもあるのかもしれない。ふと、そんなふうに私は考えた。

「その日のことでした。突然往来で殿方《とのがた》から声をかけられ、わたくしは戸惑いました。見知らぬ方から呼び止められるのなど、初めてのことだったからです。わたくしは供の者の陰に隠れ、応答はすべて任せました。殿方は四十絡《がら》みのこざっぱりしたなりの方で、怪しい人とも見えませんが、だからといって直接言葉を交わすにはためらわれました。殿方は鈴木春永《すずきはるなが》とご自分のことを名乗られましたが、わたくしは失礼ながら存じ上げませんでした。春永様は少々がっかりした様子でした」

その鈴木春永こそ、今様美女三十六歌仙の作者である。名前も春信にあやかったものに違いない。狙いは図に当たり、今春信の異名をとるほどだ。当代きっての絵師と評しても、まあ間違いではないだろう。

「春永様がおっしゃるには、わたくしを見かけたのはこれが初めてではないとのことでした。以前からわたくしのことを見かけ、気になっていたとおっしゃいます。わたくしは春永様が絵師などとは存じませんでしたから、なんと不作法な方かと少々憤慨しました。もし直接応対していたなら、その場で引き返していたことでしょう」

しかし供の者は、春永の捲《まく》し立てるような口調に圧倒され、なかなか口を挟めずにいたらしい。春永は珠子がいかに美しいかと口を極めて褒め上げ、そして最後にはぜひ姿絵を描かせて欲しいと申し出たそうだ。当然珠子は断るつもりだったが、春永の意気込みは並々ならず、断りの言葉を口にすることすらできなかったという。ひたすら珠子の容姿を褒め、そしてひたすら頭を下げて頼み込むのが春永の手だった。策を弄《ろう》する相手ならば、拒絶するのも容易だ。だが愚直にただ頼み込む相手を、いつまでも拒否することは難しい。やがて珠子も面倒になり、少し話を聞いてみる気になったそうだ。

「路傍の茶店の一角を借りまして、わたくしは春永様のお話を伺いました。春永様はわたくしが存じ上げなかっただけで、この東京では指折りの絵師だそうですね。春信の美女三十六歌仙になぞらえて、新たな三十六歌仙を描いているさなかと説明を受けました。そしてわたくしにも、そのひとりになって欲しいとおっしゃるのです」

珠子もその場ですぐに承知したわけではないらしい。一度はきっぱりと断り、そして茶店を後にした。春永は残念そうな顔で見送り、その場は引き下がったという。だが春永は諦めたわけではなかった。珠子がふたたび日本橋を訪れたとき、どこからともなく現れて近寄ってきた。

「おそらく、わたくしがまた日本橋にやってくるのをずっと待ってらっしゃったのでしょう。その熱意には、多少戸惑いましたものの、胸打たれるものがありました。率直に言って、そこまで執着してくださることが嬉しくもありました」

結論からいえば、珠子は二度目で折れたのだった。だが条件として、決して自分の名は出してくれるなと付け加えたそうだ。言われて思い出したが、なるほど今様美女三十六歌仙にはひとり、謎の美女が混じっている。他の三十五人はどこの小町と素性が知れているのに、ひとりだけ所在も名もわからない美女がいたのだ。その名なしの美女こそ、珠子だったのだろう。

「春永様に懇願されるまま、ほとんど毎日のように春永様の仕事場に通いましたので、錦絵は半月ほどでできあがりました。三十六歌仙としてまとめて売り出されたその錦絵が、大評判をとったのは九条様もご存じのことと思います。顔から火が出るほど恥ずかしいことではございましたが、幸いその中のひとりがわたくしであると気づく人はありませんでした。わたくしもこのまま、いつしか忘れられていくものと楽観しておりました」

ところが、降って湧いたような八つ裂き狐事件だった。お菊殺しの際には三十六歌仙との繋がりに気づかなかったものの、お咲の八つ裂き屍体が見つかったと聞き、珠子は怯えた。美女三十六歌仙については日頃から神経を尖らせていただけに、すぐにふたりの共通点を悟ったという。

「春永様は、なるほど当代一の絵師と評判をとるほどのお方だけあって、そのお仕事ぶりには鬼気迫るものがありました。春信というよりは、わたくしの目にはかの画狂人北斎《ほくさい》のように映ったものでございます。それほど春永様は、錦絵のためにあらゆる物をお捨てになり、一心に筆を走らされました。思うに、あれほどの丹誠を込められましたなら、弱い女性《にょしょう》の魂《こん》魄《ぱく》など吸い取られてしまうに違いありません。八つ裂き狐とはつまり、春永様の筆勢のことなのでございます」

「春永の絵が、女性たちの命を奪ったというんですか」

いきなり話が突拍子もない方向に向かったので、私はいささか戸惑った。なるほどひと昔前ならばそのような流言も充分に真実として人々に信じられただろうが、今や時代は開化の世である。いくら絵師の創作姿勢がもの凄まじいとはいえ、それで人の命が奪われるわけもない。おぞましいことではあるが、やはり八つ裂き狐は物の怪《もののけ》や妄念の類ではなく、我々と同じ人間なのだ。

「お信じいただけないのも無理はないと思います。九条様は春永様のお仕事ぶりをご覧になっていらっしゃらないのですから」

「ちょっと待ってください。信じる、信じないはこの際脇に置いておきましょう。まず検討すべきは、八つ裂き狐の犠牲者が本当に美女三十六歌仙に姿を描かれた人に限られるのかどうか、という点です」

「そなたの言葉ではないが、確かに犠牲者がふたりだけではただの偶然かもしれないな。美しい女に恨みを持つ者が、たまたま絵姿を描かれたふたりを狙っただけかもしれん」

実基が私の言に言葉を添える。私は顔を実基に向けた。

「そうなんだ。例えばこんな状況が考えられる。その男は恋い焦がれた女に手ひどく袖にされた。男はその相手をでなく、女全般に恨みを覚える。特に女が美しければ美しいほど、男にとっては憎い。だから男は、有名な美女をひとりひとり、残虐な方法で殺して回っている……」

話しているうちに、自分の仮説が決して珠子を安心させ得ないことに気づいた。下手人が本当にそんな理由で美女を殺しているのなら、相手を選ぶのに今様美女三十六歌仙を参考にしているかもしれないからだ。とすると、いずれは珠子が標的になってもおかしくない。

珠子もすぐにそのことには気づいたらしい。口に出して指摘こそしないものの、目は少しも安堵していなかった。私は自説を引っ込め、珠子の不安を和らげてやる言葉をかけた。

「いずれにしろ、あなたが素性を隠しておいたのは賢明でしたよ。八つ裂き狐事件に美女三十六歌仙が関係しているのかいないのかわからないうちは、やはり安心していられませんからね。八つ裂き狐が三十六歌仙の美女を殺して回っているのだとしても、あなたは一番最後に狙われることになるはずです」

「果たしてそうでしょうか。わたくし、次は自分であるような、そんな胸騒ぎがしてならないのです」

「どうしてですか。それには何か理由があるんですか」

「理由はありません。ただなんとなくです」

そう答えて珠子は、憂わしげに目を伏せる。そんな風情もまた、珠子の美しさを際立たせた。私は柄にもなく、珠子の力になってやらねばと決心する。

「わかりました。おそらく杞憂《きゆう》に終わることとは思いますが、不安に感じられる気持ちもわかります。ぼくに何ができるわけでもありませんけど、少し調べてみましょう」

「調べるって、何をなさるんですか」

珠子は顔を上げ、不思議そうにこちらを見る。私は胸を張って応じた。

「まず、その絵師に会ってみましょう。あなたがおっしゃるような仕事ぶりも見てみたいし、本当に八つ裂き狐が美女三十六歌仙に関係しているかどうかもはっきりするかもしれない。もし関係ないとわかれば、それはそれであなたにとってはいいことですからね」

「でも、そんなことをお願いしてしまっていいんでしょうか……」

「いいんですよ。どうせ暇な身ですから。期待しないで待っていていただけますか」

安請け合いなどするものではない。考えもなしに引き受けてしまったこのときの判断を、私は後に深く後悔することになる。

8

傘の山だった。

お世辞にも広いとは言いかねる長屋の一室を、膨大な数の傘が埋め尽くしている。土間には骨だけの傘が堆《うずたか》く積み上げられ、畳の上は紙を貼られた傘が所狭しと並べられている。大袈裟でなく足の踏み場もなく、体を休めたければ土間に直接腰を下ろすよりすべはなかった。

この部屋は人間様のものなのか、それとも傘のためのものか、わかりやしない。

喜八郎は床に身を横たえながら、憤然とした思いを噛み締める。風邪をこじらせ高熱を発しているというのに、この家では病人よりも傘の方が優遇されるのだ。一本でも多く紙を貼らねばならない傘は、病人の上にまで広げられている。喜八郎が見上げても目に入るのは、ただ白い傘の裏側だけだった。

傘傘傘傘傘傘傘傘傘傘傘傘傘傘傘傘傘傘傘傘傘傘傘傘傘傘傘傘傘傘傘傘傘傘傘傘。

もともと風邪のせいで頭が重く、だるいのだが、この傘の山を見ているとますます頭痛がひどくなる。ただの唐傘《からかさ》に対して激烈な憎悪が湧き出し、どうにも耐えがたくなる。大声を出して傘を蹴り破り踏み潰し、この部屋から一掃できたらどんなに爽快なことか。しかし喜八郎は、自分がそうできないことを充分に自覚していた。喜八郎と老母にとって、今やこの傘の山がほとんど唯一の生命線なのだ。

維新直前に、喜八郎の父は身罷《みまか》った。動乱に巻き込まれて命を落としたわけではない。泥酔して堀割に落ち、そのまま溺れ死ぬという惨めな死に様だった。世の動きをまったく視野に入れることができず、ただ先祖伝来の御家人株を守ることだけに汲々《きゅうきゅう》としていた父らしい、無意味な死だったと喜八郎は思う。もちろん、父の死に対してなんらかの感傷など一片とて覚えなかった。

しかし喜八郎とは違い母は、父の死を重く受け止めたようだった。もともと快活なたちとはお世辞にも言えず、ひたすら忍従するように父に付き従ってきた母だったが、どんなに横暴な夫でもいないよりはましだったらしい。父の死を境としてめっきり老け込み、今やほとんど老人といってもいいような容貌になってしまった。髪が白くなり皺が目立ち、これが我が母かと目を疑ってしまう。それは同時に、母の存在が喜八郎の双肩に大きくのしかかってきたことを物語っていた。

世が世であれば、老母を養っていくことなど決して難しくはなかっただろう。五十俵二人《ににん》扶持《ぶち》とはいえ、身分は立派な御家人である。質素な生活さえ心がけていれば、母とふたりで細々と生きていくことくらいできるはずであった。

ところが、父の死を待ちかまえていたかのような維新騒ぎである。あれよあれよという間に世の中は大きく変貌し、喜八郎のような幕臣が生きていける余地はほとんどなくなってしまった。幕臣のほとんどは、駿府《すんぷ》に引き下がった慶喜公に随行して江戸を離れたが、彰義隊から逃亡した喜八郎にはそんな選択肢もなかった。江戸の市井《しせい》に、世間の目を憚《はばか》るように身を潜め、じっと息を殺しているより他にない。生きていくためには、傘貼りでもなんでもいいから仕事を選んでいる場合ではなかった。

とはいえ、実際に傘貼りの内職に精を出しているのは、ほとんど母だけである。喜八郎自身は、今や飯の種にもならない武士としての矜持が邪魔をして、どうしてもそんな惨めな仕事に打ち込む気になれない。日がな一日、朝から晩まで単調な作業に没頭し、それでようやくその日のたつきを得ることができるかと思うと、己の境遇に深甚な怒りを覚えてしまう。なぜこんなところまで落ちてしまったのか、どうして自分だけが地べたを這いずるような生き方を強《し》いられるのか。悪いのは時勢か、自らの選択の結果か、それとも単なるつきのなさか。いずれが悪いとも、また悪くないとも思える。繰《く》り言《ごと》は決してどこかに落ち着くことなどなく、ますます喜八郎を惨めにさせる。喜八郎の頭痛はいや増す。

とりわけ喜八郎を滅入《めい》らせるのは、もの言いたげな母の眼差しだった。彰義隊から逃げ帰ってきた息子を、母は温かく迎えた。母には武家の女としての矜持《きょうじ》など、かけらとてない。喜八郎が死に所を失ったことを咎めるどころか、たったひとりの息子が生きて帰ってきたことをただ手放しに喜んだ。喜八郎の後ろめたさは、そんな母の態度を受けて微妙に変化した。母の愚かさに対しての苛立ち、そして己の行為の正当化。喜八郎のすり替えは確かに卑怯ではあったが、しかしそうでもしないと維新後の世で幕臣が生きていくことなど不可能だった。喜八郎が母に対して卑怯な振る舞いに出るのは、時代の必然という要素も確かにあった。

逃亡後の喜八郎は、母に対して横暴になった。その態度は、亡き父の振る舞いに瓜ふたつであった。かつて喜八郎は、家長という無根拠な権威のみを振りかざす父に対し、漠然とした反発を覚えていた。自分が妻を得た場合には、あんな理不尽な接し方はすまいと心に決めていた。ところがいざ父に死なれてみると、喜八郎はかつて嫌悪していた振る舞いとまったく同じことをしている。味噌汁がしょっぱいだの、綺麗な足袋が用意されていないだのといった理不尽な理由で怒声を上げ、母を打擲《ちょうちゃく》した。母はただ、そんな暴力を夫が生きていた当時と変わらずじっと堪えている。

その代わり母は、目で何かを訴えるようになった。その点だけが、夫の暴力への反応と違っていた。父に殴られる母は、痛そうな表情こそ浮かべるものの、決して悲しげではなかった。しかし喜八郎に対しては、もの言いたげな目を向ける。母の目に浮かぶ色は、悲哀とも憐憫《れんびん》ともとれた。そしてそれは、ひたすら喜八郎を苛立たせる。

今も母は、傘の山の間からちらちらと喜八郎に視線を向けていた。喜八郎はその視線に気づきながら、ずっと無視し続けている。だがあまりの煩《わずら》わしさに睨み返そうとすると、母は慌てたように目を逸らした。どうにも煩わしくていけない。

　母が言いたいことくらい、喜八郎には手に取るようにわかっていた。ただ寝ているだけならば、一本でも二本でもいいから傘貼りを手伝って欲しい。母は内心で、そう思い続けているのだ。紙を貼った傘を一本でも多く納入すれば、それだけ家計は楽になる。母ひとりでこなせる量などたかが知れているのだから、確かに喜八郎が手を貸しさえすれば収入はぐんと増える。そんなことは、言葉にされずとも理解していた。

　だが、だからこそいやなのだ。母がただ内心で願うだけで、決して言葉にしないからこそ、喜八郎は手を貸したくない。ひと言「頼む」と言ってくれさえしたら、喜八郎も喜んで手を貸すのに、母は絶対にそんな頼みは口にしない。母はただ、息子の逆鱗に触れないようにと鼠のようにおどおどしているだけだった。それがいっそう喜八郎を苛立たせるのだとは、気づく気配もない。

　傘の山の下で、喜八郎の苛立ちは膨らみ続ける。

傘傘傘傘傘傘傘傘傘傘傘傘傘傘傘傘傘傘傘傘傘傘傘傘傘傘傘。

　この安普請《やすぶしん》の長屋では、壁や天井などはほとんど紙のように薄く、隣家や外の音がそのまま聞こえてくる。ここ数日、長屋の天井裏では鼠が子供を産んだらしく、動き回る不快な音が夜となく昼となく続いていた。

かさ。

喜八郎は耳を塞いで、布団に潜り込む。

9

「すまないな、本当に。こんなことを頼めた義理ではないのに、快く引き受けてくれて感謝している」

珠子との話し合いを終えて屋敷を辞去するとき、実基はいかにも恐縮しているようにそう言った。その表情には、こちらを見下したような気振《けぶ》りは見られない。やっかいなことを頼んでしまったから、表面上だけ下手《したて》に出ているというわけではないだろう。七年の時が実基の態度を軟化させたのか、それとも軽蔑されていると考えていたのがこちらの被害妄想だったのか。いずれにしても、実基はもはや私にとって不愉快な相手ではなかった。

「いいんだよ。これは皮肉で言うんじゃなくて本当に暇な身だし、もともとぼくはこういうことが好きなんだ。大した力になれるとも思えないけど、できることはやってみるよ」

「ありがとう。本当に感謝している」

実基はもう一度繰り返した。今にもこちらの手を握って頭を下げかねない勢いだ。実基は堅苦しくはあるが、決して自分の非を認めない頑《かたく》なな男ではない。かつて私に投げつけた言葉が厳しすぎたと、今では反省しているのかもしれなかった。ならば私も、それを受け入れるに吝《やぶさ》かではない。実基の罵倒自体は決して的外れではなかったのだから、私とて偉そうなことは言えないのだ。

気持ちよく藤下邸を後にし、私はそのまま春永の仕事場に向かうことにした。珠子に教えてもらった春永の仕事場は、京橋《きょうばし》にある。虎ノ門《とらのもん》の朱芳家下屋敷に日参している私の足には、どうということのない距離だった。

夏の気配が濃厚に感じられる気候は、長く歩くには不向きだったが、京の蒸し暑い夏に慣れた私にはむしろ心地よいほどだった。日差しを直接受けると暑さを感じるものの、一度木陰に入るとたんに清涼な風に包まれる。堀端の柳の下や道々の茶屋には、涼を求める人々の姿が散見された。私は先を急ぐことなく、そんな人たちに交じって初夏の気候を楽しみながら、京橋を目指した。

春永の仕事場は、二度ばかり道を尋ねるだけですぐに見つけることができた。さすがは有名人だけあって、この辺りでは知らぬ者がないらしい。教えられた家に行ってみると、なにやら数人の人影が群がっている。暇な人が中の様子を見物しているようだった。

私もその人だかりの後ろにつき、背伸びして内部を覗いてみた。だが、期待した春永の仕事ぶりなどは見えない。ただの広い板間に、絵筆などが散乱しているだけだ。どうやらこの人だかりは、今に姿絵を描かれる美人がやってくるやもという期待だけでここにいるようだ。なんとも暇な人たちがいたものである。まあ私も同類だが。

「ちょっとすみません。春永先生はいらっしゃらないんですかね」

取りあえず目の前にいる中年男を掴まえて、そう尋ねてみた。振り返った坊主頭の男は、こちらの顔をしげしげと眺めてから応じた。

「もうそろそろ帰ってくるんじゃねえの。また綺麗な女を連れてくるんじゃねえかと思って、さっきから待ってんだよ。あんたも綺麗な女が見たい口だろ」

そう言って坊主頭の男は、えへへへと笑う。男の指摘は事実とは違うものの、綺麗な女が見たくないわけではないので否定もできなかった。私は重ねて尋ねる。

「ここでこうして待っていれば、先生のお仕事の様子を見物できるんですか」

「いや、そうじゃねえよ」何もわかってねえんだなと言いたげに、男は偉そうな態度で首を振る。「おれっちみてえなむさ苦しい野郎どもが覗いてちゃ、先生だって気が散ってしょうがねえだろ。第一、女だって恥ずかしがるしよ。だから絵を描く場所は、もっと奥の部屋だよ。ここで覗いてたって、仕事の様子は見えやしねえぜ」

「じゃあ、どうして待ってるんです？」

「そりゃあ、ここにいりゃ先生が連れてくる女をちらっとでも見られるじゃねえか。そのために待ってんだよ」

「ああ、なるほど」

なんともいじましく、また気の長い話である。胸を張って言えるようなことではないはずなのに、あまりに堂々としている男の物言いに、私はかえって感心してしまった。

しかし、ということは春永が帰ってきたとしても、すぐ奥に引っ込んでしまうわけか。もしそのまま仕事に取りかかるのであれば、面識もない私などと言葉を交わす暇はないだろう。ならば、情報収集するならかえって主が不在の今の方が好都合かもしれなかった。

「ところで、美女三十六歌仙に描かれた人が、続けてふたりも殺されましたね」

私はどうでもいい世間話の一環を装って、さりげなく水を向けてみた。一度窓の方に顔を戻していた男は、私の言葉に驚いて振り返る。

「何？　今なんて言った？」

「いえ、今様美女三十六歌仙に描かれた人がふたり、八つ裂き狐に殺されましたねって言ったんですけど……」

「ほ、本当かい、そりゃ」

男は心底驚愕したように目を瞠《みは》る。やはりまだ、八つ裂き狐事件と今様美女三十六歌仙の結びつきは、人の口の端に上っていなかったのだ。坊主頭の男だけでなく、窓に群がっていた男たちが皆いっせいに、私の顔を見た。

「違うんですか？　ぼくは美女三十六歌仙を全部買ったわけじゃないので、又聞きなんですけど」

「お、お、おれだって美女三十六人の名前を諳《そら》んじているわけじゃねえよ。おい、誰か、こいつの言っていることは本当なのかよ」

坊主頭は声を張り上げて一同に尋ねる。しばらくごそごそと互いに相談し合う声がして、やがてひとりが「そうかもしれねえ」と応じた。

「確か、板橋の蕎麦屋の女が選ばれていたはずだよ。それが最初に八つ裂きにされた女かね」

「古着屋の娘もいたぞ。そうだよ。あの女も八つ裂きにされたばかりだぜ」

驚いたような大声がそれに続く。衝撃がその場の全員の間を走り、得たばかりの情報を論じ合う声でたちまち喧《やかま》しくなった。

声高な論議が周囲の注意を呼び、見る間に人だかりは膨れ上がった。後からやってきた人は、何が起こったのかもわからず背伸びして前方を覗き込もうとしている。押し合いへし合いが小競《こぜ》り合いを生み、論議とはまったく関係のない罵り合いまで始まっているほどだ。まさかこんな騒ぎになるとは思わなかったので、張本人たる私はただ呆然としていた。

そんな喧噪がぴたりと収まったのは、春永の仕事場の扉が開いたからだった。その場にいた全員の注意が一点に集中し、水を打ったように静まる。一同の視線の先には、ひとりの男が立っていた。

私はその男を見て、瞬時息を呑んだ。目を奪われて呼吸を忘れるほど、男は印象的な容姿を持ち合わせていたのだ。女かと見《み》まがうばかりに整った顔。美しい女はどんなに美しくともこちらの想像の範囲を超えないが、それがいざ男となるとこんなにも度肝《どぎも》を抜かれるのかと、私は初めて知った。

男はいささか吊り気味の切れ長の目で周囲を睥睨《へいげい》し、おもむろに声を発した。

「見物していただくのは別にかまいませんが、どうぞお静かに願えませんか」

顔の美しい男は、声までも耳に心地よいようだ。男の声特有のざらざらした感じはまったくなく、かといってひ弱さとも無縁だった。どちらかといえば高い声は張りを含んでいて、周囲を威圧するかのような感すらある。美丈夫《びじょうふ》、という言葉こそが、眼前の男をひと言で説明するに最も適切だった。

男は群衆が静まり返ったことを見定めると、満足したようにそのまま家の中へ戻っていこうとした。その背後に、私が最初に話しかけた坊主頭が言葉を投げる。

「あ、あんたさ、三十六歌仙に描かれた女が続けて八つ裂き狐に殺されたって、知ってたか?」

男は扉を閉めようとしていた手を止め、ゆっくりと振り返った。質問の主が坊主頭だと声でわかっていたのか、真っ直ぐにそちらを見て尋ね返す。

「どういうことですか? どなたがそんなことをおっしゃってるんですか?」

「この人だよ」

坊主頭は遠慮なく私の顔を指差した。ふたたびいっせいに、今度は私に視線が集中する。思いがけない展開に私は怯《ひる》み、声も出なかった。

「困りましたね。おかしな評判など流さないで欲しいのですが。私どもの師匠に何か含むところでもおありなのですか」

その言葉からすると、どうやら男は春永の弟子らしい。私は男の冷ややかな目に威圧され、情けないことに口籠《くちごも》った。

「いや、あの、そういうつもりでは……。ただ事実は事実なので……」

しどろもどろに答える私に、男はじっと視線を向ける。私は多くの視線に曝され、いっそこの場で消え入りたくなった。

「ちょっと、上がって詳しいお話を伺わせていただけませんか。聞き捨てにしていい話ではなさそうですからね」

そう言って男は、横にどいて中に入るよう私を促した。私はその誘いに応じるべきか一瞬迷ったものの、この場から逃げるためならばどこにでも行きたい心境になっていたので、素直に男の言葉に従った。人波を掻き分けて扉まで辿り着き、框《かまち》をくぐる。男は私の背後でぴしゃりと扉を閉めた。

このひと幕が人々の好奇心をさらに煽ったらしく、物見高い人々の顔が窓の外に群がっ

た。男はそちらに苦笑するような表情を向け、「こちらへ」と私を奥へ誘《いざな》った。もはやこう
なれば、私の肚《はら》も固まっている。言われるままに男の後についていった。
四畳半ほどの奥まった一室に、男は私を案内した。箪笥《たんす》がふた棹《さお》ある以外、家具らしいも
のは何ひとつない殺風景な部屋である。床の間があるにはあるが、そこには掛け軸ひとつ掛
かっているわけでなく、ただ空虚な欠落感だけを留めていた。
「女手のない男所帯なものですからね、茶も出せずに失礼しますが」
男はそう言って、座布団だけを差し出してきた。私はそれを受け取り、腰を下ろす。居心
地は悪かったものの、思いがけず春永の身近な人間と話す機会を持てたことを、密かに喜ん
でいた。
「すみません。あんな大騒ぎになるとは思わなかったもので、軽はずみなことを口にしてし
まいました。こちらの先生を中傷するつもりは毛頭なかったのです」
私はまず慇懃《いんぎん》に、こちらに悪意があったわけでないことを説明した。手をついて、頭を下
げる。男は私の言葉をどう受け取ったのか、特に表情を変えなかった。
こうして近くで相対してみると、よりいっそう男の顔立ちの非凡さがわかってくる。名匠
の手による仏像のように整った顔は、表情が乏しい故に幽玄な印象すら見る者に与えた。だ
がいくら男の顔が整っていようと、役者のようなと形容するのはいささか的外れのような気
がする。春永の弟子は女を凌《しの》ぐほどの美貌を持ち合わせながらも、虚弱な雰囲気は微塵《みじん》も漂

わせておらず、むしろ堂々とした押し出しだったからだ。顔は浅黒く肩幅が広く、絵師というよりは実戦を多く経験した武士のような風格がある。背筋を伸ばして坐っている挙措《きょそ》も見事なもので、士族といえどもこれほど泰然とした居住まいを保ち続けられる者はそうそういないだろう。私はほとほと感心して、ただ男の顔を眺めていた。

「お詫びしていただくのはありがたいのですが、まず互いの素性を明らかにしようではありませんか。私はあなたがどちらの方なのか存じ上げない。あなたもまた、私が何者かをご存じでないでしょう。取りあえず私から名乗りますが、私はここの主である鈴木春永の弟子、春朝《はるとも》と申します。以後、お見知り置きのほどを」

「これはご丁寧に痛み入ります。私は九条惟親《これちか》と申す者です。実は仔細あって、こちらの先生にお目にかかりたくまかり越しましたのですが、思いがけずあんなことになってしまい、大変恐縮しております」

「仔細？　それが先ほどおっしゃっていた、八つ裂き狐云々というお話ですか」

「ええ、そうなんです。八つ裂き狐に殺された美女ふたりとも、なんでもこちらの先生に姿を描いていただいた人だったとか……」

「騒がしかったので、私にもそんな声が聞こえてきましたが、しかしそれは本当なんですか？　八つ裂き狐は美女を狙っているのかもしれませんが、それと今様三十六歌仙は関係ないでしょう」

春朝は軽く眉根を寄せる。そんな様子も憂わしげで、美貌をよりいっそう引き立てた。男の私ですらこんなに感嘆してしまうのだから、女であったらこれほどの美丈夫をどのように見るのだろう。狂おしいまでの感情に囚《とら》われたとしても、それは仕方のないことなのではないだろうか。

「実はそれについてのご意見をお伺いしたく、推参したのです。先生は事件に関して、何かおっしゃっていらっしゃらなかったですか」

「八つ裂き狐についてですか？　いいえ、何も。殺された方が美女三十六歌仙のうちのふたりだなどということにも、おそらくお気づきになってらっしゃらないと思いますよ」

「そうなんですか。では私がよけいなことを言わなければ、今でもあなたも知らぬままだったわけですね」

「ええ。残虐な事件が世間を騒がせているのは知っていましたが、被害に遭われた方の詳細まで耳にしているわけではありませんから」

「板橋のお菊さんと、早稲田《わせだ》のお咲さんのことは憶えていますか」

私は故人の人となりについて尋ねてみる。三十六歌仙ではなく、何か別のことがふたりの被害者を結びつけているかもしれないからだ。春朝は私の問いにしばし考えるような目をして、そして頷く。

「そうですね。よく憶えているというほどではないですが、ひと言ふた言口を利いてはいます。それが何か?」

「いえ、どうして彼女たちが八つ裂き狐に狙われたのか、それを知りたいと思ったものですから」

「失礼ですが、先ほどおっしゃっていた仔細とは、いったいなんでしょう。どうして九条さんは、殺された女の人たちのことを知りたがっているのですか」

問われてようやく、私は自分が本題をなおざりにしていたことに気づいた。再度非礼を詫びて、珠子とのいきさつを話す。春朝が珠子の素性を知っているかどうか不安だったので説明がもどかしかったが、案ずるまでもなくすべてを承知しているようだった。

「——それであなたがいらっしゃったというわけですか。しかし残念ながら、何も力になれることはないようです。むしろこちらの方が、本当に八つ裂き狐と美女三十六歌仙が関係しているのか、伺いたいくらいですよ」

春朝はとぼけているわけではなく、心底当惑しているような表情だった。せっかく師匠の錦絵が評判をとっているのに、こんなことで味噌を付けたくないのだろう。その気持ちはよくわかるし、何より事件を三十六歌仙と結びつけて考えるのは珠子の考え過ぎかもしれないのだから、騒ぎを大きくしてしまった私としては責任を感じざるを得ない。ますます自分の軽率な行動を申し訳なく思ったが、いまさら取り返しがつくことではないので詫びのしようもなかった。

「単なる当て推量で騒いでしまい、本当に失礼しました。私がこんなことを言えた立場ではないのですが、十中八九まで事件と三十六歌仙は関係ないと思います。もしくだらない噂が立ってしまったら、私も極力打ち消すように努めますので、どうぞご寛恕《かんじょ》ください」

「そうですね。そうであって欲しいものです」

春朝はどこか上の空にこちらの言葉に応じた。私はふたたび居心地の悪さを感じ、早々に退散した。私を送り出した春朝は、結局最後まで愁眉《しゅうび》を開こうとはしなかった。一礼して、踵《きびす》を返す。

ちょうどそのときだった。ほんの一瞬のことだが、私は春朝の美しさを損なう一点の傷を目に留めてしまった。正面から見ていてはわからない耳の横辺りに、膿《うみ》の湧いたおできを発見したのだ。ほとんど完璧とも言える美貌を台なしにしかねないそのおできを、私は見てはいけないもののように感じて目を逸《そ》らした。と同時にそれは、罪悪感を伴って私の胸に刻み込まれた。

10

陽炎《かげろう》が立ってやがる。

喜八郎は膝を抱いて蹲《うずくま》ったまま、ぼそりとひとりごちた。低い視線から眺めていると、照りつける日差しが石畳を焼き、陽炎を立ち上らせている様がよく見える。風通しのいい木陰に坐っていても、ゆらゆらと揺れる陽炎を見ているだけで暑さを覚える。どうにも苛立たしい。

神田明神の境内は、陽炎が立つほどの暑さにもかかわらず大変な賑わいだった。喜八郎が眺めている石畳の上を、先ほどから大勢の人が行き交っている。月に一度の市を目当てに、近隣の住人はもちろんのこと遠方からも人が集まっているのだ。境内には様々な出店が軒を連ね、人々の注意を惹いている。活気溢れる市の雰囲気は、維新前と少しも変わりない。

違うのは、喜八郎の境遇だけだ。かつての喜八郎は、このような場にはあくまで物見遊山としてしかやってこなかった。その当時には、近い将来自分がこうして地べたに蹲って、行き交う人を見上げることになろうとは想像すらしなかった。露天商のことすら見下していた喜八郎である。大道芸人など、ほとんど視野にも入っていなかった。

喜八郎の横には、残された唯一の財産とも言える先祖伝来の刀がある。名のある刀というわけではないが、それでもそんじょそこらのなまくらとはわけが違う。父はこの刀を腰に差していることを滑稽なほど誇っていたが、そんな父の振る舞いは少なからず喜八郎に影響を与えていたようだ。喜八郎もまた、この刀に己の武士としての矜持を見いだしていた。この刀がある限り、どんなに落ちぶれても気位だけは高く保持していられるような気がした。

だからこそ喜八郎は、母の手伝いをして傘貼りなどしたくなかったのだ。傘貼りに刀は必要ない。女子供でもできる仕事に、己の労力を費やす気にはなれなかった。金を稼ぐ手段は、あくまで剣に関わることであって欲しかった。

しかし、今や時代が変わった。維新前から剣の道場には弟子が集まらなくなり、ひとつまたひとつと江戸の町から消えていったが、時代の変化がその流れに拍車をかけた。今や一部の大道場を除いて、剣を教える場などほとんど存在しない。習う者がいないのだから教える者も必要でないのは世の道理、まして喜八郎は、他人様に剣術を指南するほど技が卓越しているわけではなかった。剣へのこだわりだけでは生きていかれないことを、喜八郎はまざまざと痛感していた。

喜八郎とて、老母だけに働かせて安閑としていたわけではない。人足仕事のような、手っ取り早く金になることは何度か試した。しかし人足としての仕事を得るにも、口入れ屋を通さなければ話にならない。口入れ屋の番頭は、仕事を与えてやっているという意識があるためか、たいていの場合態度が高飛車だ。元幕臣であることを隠さなければならない喜八郎は、そんな番頭から犬畜生の如く扱われてもじっと耐えねばならなかった。一度揉め事を起こしてしまえば、警視庁の密偵に目をつけられる。彰義隊の残党であることが知られれば、この身がどうなるやらわかったものではない。己の命を守るためには、仕事にあぶれた人足を装う必要があった。

しかしだからといって、番頭の仕打ちにいつまでも耐え続けるのはあまりにも屈辱だった。いつ自制が弾けて、相手を殴りつけてしまうやもしれぬ。ほんの数年前であれば、たかが口入れ屋の番頭風情に偉そうな態度をとられることもなかったのだ。それを思うと、何もかもぶち壊してくれた新政府に対する腹立ちや、それに対応できなかった我が身のふがいなさに底知れぬ憤りを覚える。こらえ続ける自信が揺らぐ。結局、人足として日々のたつきを得ることを諦めるしか、己の矜持を守るすべはなかった。

巡り巡って行き着いた先が、この神田明神の境内だった。喜八郎は習い憶えた剣技を、見せ物として生かすことしかできなかった。思いつく限り出任《でまか》せの口上を述べ立てて道行く人の注意を惹きつけ、さんざん勿体《もったい》をつけてから居合いの抜刀術を披露する。宙に投げ上げた紙を気合いとともに瞬時に切り裂いてみせると、武芸などとはほとんど縁のない暮らしをしている者はそれなりに感心してくれる。そんな大道芸で得られる金銭など、たかが五銭十銭という単位でしかないが、それでもないよりはずっとましだった。ここ二年ばかり、喜八郎はそうして糊口《ここう》を凌《しの》いでいる。

己の剣技を切り売りするような真似を始めた当初、喜八郎は人前に立つことを恐れてひょっとこの面を被っていた。いつ何時、かつての自分を知る者が現れて、彰義隊から逃亡した惰弱さを咎《とが》められるやもしれないと怯えていたのだ。ところが世間は、喜八郎が気にするほど彼のことを憶えてはいなかった。すでに上野の山の戦いも人々の記憶の中で風化し、政府高官ならいざ知らず、町人は幕臣だの薩長だのといった出自を気にしなくなった。喜八郎は長い時間をかけてそれを実感し、そしてひょっとこの面を後頭部に回した。いつしか面は格好の目印となり、喜八郎は「ひょっとこの居合い抜き」としてそこそこ知られるようにもなっていた。

今日も午過《ひるす》ぎから、喜八郎は幾度か居合い抜きで銭を稼いだ。得た金は充分とはとても言えないが、同じ芸を間をおかず何度も披露したところで、それだけ収入が増えるというものではない。小休止を取り、眺めるともなく石畳を眺めていると、いつの間にやら立ち上っていた陽炎に気づいたというわけだった。

こうして地べたに坐り込んで下から世間を見上げていると、立っているままでは見えないことが不思議と見えてくる。足の綺麗な女、汚い女。足の爪まできちんと手入れしている女がいるかと思うと、爪に垢をたっぷり溜めている女もいる。面白いのは、足が綺麗な女のご面相を窺ってみると、これがいわゆる美女ではない。かといってたまに美しい女が通りかかると、そういう女に限って足が汚かったりするのだ。それは男でも同じことで、身なりのきちんとした男、恰幅の良い男の足が綺麗だった例《ためし》がない。喜八郎はその事実に気づいてから、こうして人々の足を観察するのが趣味になった。

足が綺麗な女は、そうそういるものではない。爪先に至るまで綺麗に保っておくのは、東京の道を歩く者にとって至難の業だからだ。それでもまれに、清潔であろうという意志が足の先まで行き届いている女を見つけると、喜八郎はわけもなく嬉しくなる。その日一日は、何か得したような幸せな気分を味わっていられる。

女の本当の美しさは、顔などではなく足に現れる。喜八郎はそんなふうに考えていた。いくら顔が美しくても、心延《こころば》えまで美しいとは限らない。むしろ、顔も心も美しい女など、世の中にはそれほど多くないのではないか。美しい女は、周囲が常にそのことを指摘する。だから当人が己の美にまったく無自覚などということはあり得ない。ひとたび己《おの》が顔《かんばせ》の美しさを自覚してしまえば、そこに慢心が生じる。他人と比較し、誇らしく思う気持ちが、心の片隅にでも存在するはずだ。そしてそんな心は、もはや美しくはない。他人を見下し己を誇る気持ちの、どこが美しい。己の努力によって習得した技を誇るのならば、それも許されよう。しかし生来の美貌など、当人の功績ではない。たまたま運が良かっただけの話だ。そんなことに自惚《うぬぼ》れ、浮かれる女を、喜八郎はとうてい好きにはなれない。

それに引き替え、足が綺麗な女はそんな慢心とは無縁だ。足の形そのものは顔と同じく生来のものだが、無自覚なだけ純粋である。純粋な美は好もしい。

まして、人に見せるためではなくただ清潔であろうとする意志の発露は、賞賛に値する。世間の男が見ようとしない足許にまできっちり気を配る女は、あらゆるところに気配りができているはずだ。そんな女の心が、醜いわけがない。足の美しい女は心まで美しいと、喜八郎が考える所以《ゆえん》である。

今日も喜八郎は、陽炎の中を行き交う多くの足を眺めている。男の足、女の足、子供の足、大人の足、美しい足、醜い足、凡庸な足、非凡な足。いずれもが顔に匹敵するほど特徴的で、興趣が尽きない。何度か通りかかった人の足は、そのまま形を憶えてしまっているほどだ。たとえその人の首を切り落とされたところで、喜八郎は足を見れば身許を特定できる自信があった。

ふと、喜八郎の目の前に、女の足が現れた。高価そうな赤い下駄を、足袋は履かずに素足に突っかけている。足指には歩き胼胝《だこ》や角質などはなく、まるで赤ん坊のような瑞々《みずみず》しさだった。爪もきちんと手入れされ、垢などとは無縁だ。これは美しい足だと、喜八郎は密かに感嘆した。

「ひょっとこさん。あなたが有名な居合い抜きなのね」

頭上から、女の声が降ってきた。自分の呼びかけ方を面白がっているような、笑いを含んだ声だ。喜八郎はその声に釣られて、ようやく視線を上げた。そして相手の顔が思いがけなく美しいことに、驚く。

ほう、足も顔も美しい女がいるのか。喜八郎は内心でひとりごちたが、そんな思いはむろん顔には出さなかった。無表情な喜八郎にも娘は臆《おく》することなく、天真爛漫《てんしんらんまん》な口振りで続ける。

「ひょっとこさん。居合いを見せてくださいな。あなたの居合いを見たくて、わざわざやってきたのよ」

娘の背後には、従者らしき小僧が立っている。小僧は娘の気まぐれにはらはらしているような様子で、喜八郎と刀の間に視線を走らせていた。喜八郎はもう一度視線を足許に向け、娘の足を見た。やはり美しい。それを確認して、刀を手に立ち上がった。

「たっての所望とあらば、一刀ご披露つかまつろう。ただし、我が家に遠く室町の頃より伝わるこの名刀村正《むらまさ》は、周知の如く際限もなく人血を求める妖刀。万々が一、我が剣技の未熟さ故に手許が狂い、そなたの美しい顔《かんばせ》を血に染めたとしても、ゆめゆめ吾《われ》を恨むなかれよ」

もちろん、すべてはたった今思いついた出任せである。村正どころか、この刀は一度も人を斬ったことがないに違いない。それでもそんな大袈裟な前口上を、娘はころころと笑って喜んだ。華やかな娘の笑いに釣られ、ふたたび周囲に人が集まってくる。喜八郎は気をよくし、さらに大仰な言葉を並べ立てて観衆の期待を煽った。

何度か抜きそうで抜かない駆け引きを繰り返し、いい加減観衆が焦《じ》れてきたところで、気合い一閃刃を走らせた。空を切る音とともに、舞い上がった紙が見事にふたつに裂かれて落ちてくる。大した技でもなかったが、刀を抜く呼吸が観衆の意表を衝《つ》いていたため、一瞬の沈黙の後にやんやの拍手が湧き起こった。喜八郎は重々しい挙措《きょそ》で刀を鞘に収め、そして縁の欠けた椀を差し出した。大喜びの観衆は、そこに銭を投げ込む。

ひとしきり観衆から金を集めて、喜八郎は最後に娘の前にも椀を突き出した。娘は至極《しごく》満足したように微笑み、言う。

「噂どおりの面白い芸ね、ひょっとこさん。楽しませてもらいましたわ」

そして背後を振り返り小僧の名を呼ぶと、財布を取り出させた。

「これくらいで足りるかしら」

そう言って娘は、財布から紙幣を取り出した。無造作に椀に投げ入れられた紙幣は、なんと一円札だった。それを認めた周囲の者たちは、一様にどよめきの声を上げる。喜八郎もまた、度肝《どぎも》を抜かれてただ紙幣を眺めていた。

「面白かったわ」

娘はそう言い残し、踵《きびす》を返した。群がっている人々を小僧に掻き分けさせ、悠然と去っていく。娘の歩き方は上品で、決して裾を割るようなはしたない真似はしなかったが、それでもちらりちらりと見える足首からふくらはぎにかけてが、喜八郎の目には鮮烈だった。喜八郎は遠ざかっていくその足が見えなくなるまで、食い入るように視線を向け続けた。

11

私は春永の仕事場を後にしたその足で、絵双紙屋に寄って美女三十六歌仙すべてを買い込んだ。その場で一枚一枚眺めてみたい誘惑をこらえ、俥《くるま》を拾って四谷の屋敷まで帰宅する。そして、誰にも邪魔されぬところで三十六枚分の錦絵をじっくりと鑑賞した。

もちろん、最初に見たのは身許不詳の女——実は珠子の姿絵である。なるほど姿絵は春信を彷彿《ほうふつ》とさせる筆致で美しい女を描いていたが、私に言わせれば珠子本人の美の半分ほども伝えていなかった。それでも他の絵よりも際立って美しいのだから、いかに珠子の美貌が卓越しているか知れよう。なまじ幼い頃を知っているだけに、私は感に堪えなかった。

しかし、他の姿絵がさほどでもないかといえば、そんなことはまったくなかった。よくこれだけの美女を集めたものだと感嘆したくなるほど、様々な美しい女が網羅されている。細《ほそ》面《おもて》、丸顔、瓜実《うりざね》、柔和な顔、取り澄ました顔、険のある顔、優しげな顔、皆それぞれに美しい。なるほどこれならば大評判となるのも無理はないと、いまさらながら納得した。

絵双紙屋で聞いたところによると、この三十六人の中でもとりわけ美しい者六人が、錦絵愛好家の中では評判になっているらしい。品評される当人にとっては失礼なことだろうが、上吉だの上々吉だのと好き勝手な月旦を交わしているそうだ。そして殺されたお菊、お咲の両名は、ともに上々吉だった。そのふたりよりさらに美しい珠子は、大極上々吉と評価されている。大極上々吉は、三十六人の中でも珠子ただひとりだった。

すべての錦絵を見終えて、私は珠子の心配が必ずしも杞憂《きゆう》ではないような気がしてきた。もし本当に八つ裂き狐がこの錦絵に描かれている女を順番に殺しているのなら、美女揃いの三十六歌仙の中でもひときわ目立っている珠子が目をつけられないはずがない。自分が特別美しいことを珠子が意識しているかどうかはわからないが、本能的に下手人の意図を察知し怯えているのだとしたら、その気持ちは充分に理解できることだった。

事件について調べてみると引き受けてしまった手前、珠子の身に危険が及ぶことは絶対に防がなければならなかった。そのためにも、まずは殺されたふたりの女を結ぶ糸をはっきりさせる必要がある。お菊とお咲は本当に、三十六歌仙に描かれたために殺されたのか。その点を確かめないことには、珠子の不安を晴らすことなどできないだろう。取りあえず私は、まず殺された女たちの遺族の話を聞いてみようと心に決めた。

そして翌日。私はその決心をさっそく実行に移すべく、早稲田に向かった。最初に殺されたお菊の遺族を後回しにしたのは、単に早稲田の方が我が家から近かったからである。古着屋の場所は知らなかったが、これほどの事件に巻き込まれたのだから近所の評判になっていることだろう。近くで道を尋ねれば、簡単に行き着けるだろうと考えていた。

果たして、古着屋の場所自体は簡単に見つかった。だが猟奇的な事件で娘を亡くした衝撃が未だ癒えないのか、店は板戸が閉まったままだった。無理もないことである。私は同情しながらも、店の裏に回っておとないを告げた。

すぐには返事もなかった。しばし待っても人が出てくる様子はないので、留守だろうかと耳を澄ます。すると、なにやら内側で人が動く気配がした。どうやら在宅していることはしているらしい。

「すみません。ちょっとお話を伺いたいんですが」

少し声を張り上げて、もう一度呼ばわってみた。さすがに今度は聞こえたのか、近づいてくる衣擦《きぬず》れの音がする。そのままじっと待っていたが、しかし裏戸が開くことはなかった。

「どちら様ですか」

生きていくためのいっさいの生気を失ったような、幽霊の声もかくやという女の返事が内側から聞こえた。お咲の母親だろうかと考えたが、それにしては声があまりに老いさらばえている。おそらくは祖母であろうと推測した。

「恐れ入ります。お取り込み中のところ大変申し訳ありません。このたびご令愛《れいあい》が不幸にも巻き込まれたことについて少々お伺いしたいことがあり、まかり越しました。忌中《きちゅう》のさなか、このような申し出をする無礼は重々承知しておりますが、少しの時間でけっこうですので、どうぞお話を聞かせていただけませんでしょうか」

「……ってください」

私の呼びかけに、か細い声が応じる。私はそれを聞き取ることができず、「は？」ともう一度問い返した。

「帰ってください、と申し上げております」

依然として弱々しかったが、しかしきっぱりとした返答だった。これほどはっきりと拒絶されるとは思っていなかったので、私は少々面食らう。しばし続ける言葉に詰まり、そしてようやく絞り出した。

「いや、あの、決して興味本位で伺ったわけではなく、言ってみれば非常に大切なことでして。ご遺族の皆様のご心痛は充分にお察ししておるつもりですが、ここはどうか人助けと思って、少しお時間を割いていただくわけにはいかないでしょうか」

「お帰りください。もうそういうことにはほとほと疲れ果てたのです。察しているとおっしゃるならば、どうぞこれ以上は何も言わずお引き取りください」

とりつくしまもないとはこのことだ。そういうことにはほとほと疲れた、と言うからには、心ない野次馬がこれまでにも大勢訪れていたのだろうか。私はそうした輩とは違うのだという意味のことを強調して繰り返したが、相手はいっこうに取り合ってはくれなかった。ただひたすら帰ってくれと頑なに拒絶するだけだ。

どうしたものかと考えあぐみ、しばし裏戸の前で逡巡していたときだった。突然がらりと戸が開いて、頭髪が半分白くなった初老の男が顔を出した。頬が病的に痩《こ》けた男は、もの凄まじい形相で私を睨みつけてくる。そして何も言葉を発さぬまま、左手に持っていた壺から何かを摑み出すや、それを私に投げつけた。

「うわっ」

思わず悲鳴が漏れる。男が投げつけてきたのは、なんと塩だったのだ。

「帰れ！　帰れと言ったら帰るんだ！　人の不幸がそんなに面白いか！　もし自分の娘がこんな殺され方をしたら、いったいどう感じると思うんだ！　恥を知れ、恥を！」

今にも折れそうな痩身のどこからそんな声が出るかと思うほど、四方に轟《とどろ》く大きな怒声だった。声を張り上げながらも、塩を投げることはやめない。私はすっかり度肝を抜かれ、ただ「すみませんすみません」と詫びながら、ほうほうの体《てい》でその場を逃げ出した。

しばらく走り続けて、ようやくひと息ついた。頭から着物まで、すっかり塩まみれになっている。私は体を払い髪の毛を搔き、全身から塩を叩き落とした。このときほど散切《ざんぎ》り頭をありがたいと思ったことはなかった。

突然のことに恐慌状態に陥っていた頭を鎮《しず》めてみると、男の無体な振る舞いに対してもなにやら同情する気持ちが湧いてきた。過去に幾度も非礼を働いた相手ならいざ知らず、初めて訪ねてきた者にああまで果断な仕打ちをするのはよほどのことだ。こちらも気を使っていたつもりではあったが、それでもなお無神経だったということだろう。自分の娘だったらどう思うか、という男の怒りの言葉は、私の胸に沈潜して重くのしかかった。

　霧生家の事件では、関わり合いになるなという朱芳の言葉に従わず、結局は辛い思いをした。にもかかわらず今度もまた、私は悲しみに暮れる人に鞭打つような真似をしようとしているのだろうか。とぼとぼ歩きながら己の振る舞いを反省したが、しかし今から戻って詫びを入れたところで先方も喜びはすまい。自分の浅慮を自分自身で咎《とが》めるしかなかった。

　足は意識せずに板橋に向かっていたが、今のひと幕を思えばお菊の遺族を訪ねることも躊躇された。お咲の家族があの調子であれば、お菊一家もおそらくは相当不愉快な経験をしたことだろう。それがわかっていながら、古傷を抉《えぐ》るような真似をしていいのだろうか。果たして自分にそんなことをする資格があるのか。

　しかしそう自問してみても、その場で踵を返すことはできなかった。私は珠子の命に対して責任を負ってしまった。塩をかけられたくらいで、珠子の頼みを放擲《ほうてき》するわけにもいかない。もしこのままおめおめと引き下がり、万が一にも珠子が八つ裂き狐に殺されたなら、生涯悔いても悔い足りない。事は遠慮や気遣いなどしていられないほど切迫しているかもしれないのだ。

　どうにも考えがまとまらぬうちに、ずいぶん歩いてしまった。気づいてみれば、いつしか中山道に入っている。私は取りあえず駕籠《かご》を拾い、板橋の宿まで急いでもらった。引き返す決心すらつかなかったのだ。

ええい、ままよと、私は逡巡を吹っ切った。お菊の家は蕎麦屋だという。もし営業を再開しているようなら、取りあえず客として店の蕎麦を食べてみよう。そしてこっそり主人の様子を窺い、その上で判断すればいいではないか。私は都合よくそう考え、自分を納得させた。

駕籠の足はさすがに速く、夕方になる前に板橋に着いた。先ほどと同じように通りすがりの人に道を尋ねて、蕎麦屋を見つける。幸いにと言うべきか、店は開いていた。

四つ角に面した蕎麦屋の暖簾《のれん》は、往来の埃を浴びてくすんでいた。私はそれを見ただけで、お咲の遺族の対応を思い出し気が滅入った。私の目には、色の褪せた暖簾が家族の心境を物語っているように映ったのだ。

ところが、暖簾をくぐってみると私の勝手な先入観は裏切られた。「いらっしゃい」と威勢のいい声に迎えられたのだ。思いがけない応対に、私は店を間違えたのではないかと一瞬考えてしまった。思わず立ち止まり、振り返って他に蕎麦屋がないかと見回す。しかしさほど大きくもない宿場町には、もう一軒の蕎麦屋などありそうにはなかった。

時刻が中途半端なせいか、私の他に客はいなかった。私は壁に書かれた品書きを見ることもなく、掛け蕎麦を注文する。亭主は「へい、掛け蕎麦一丁」と応じて、すぐに麺を茹《ゆ》でにかかった。

その働きぶりを遠目から眺めていると、なかなかきびきびとしていて小気味よかった。沈んだ様子などまったく見られないので、もしかしたら居抜きでこの店を買った別人なのではないだろうかと勘ぐりたくなるほどだ。しかし私にこの店を教えてくれた人は、そのようなことはひと言も言っていなかった。娘が殺されたことをきっかけに店を売ってしまったなら、そのことに触れないはずはないと思うのだが。

考えあぐねているうちに、蕎麦ができてしまった。亭主が盆にどんぶりを載せ、運んでくる。「はいお待ちどおさまでした」と愛想のいいことを言って厨房に戻ろうとする亭主を、私は「もし」と引き留めた。

「つかぬことをお伺いしますが、こちらでお店を始めて何年になられますか」

「えっ、おれの味をお疑いですか」

「いえいえ、そういうわけではありません。おいしそうな蕎麦なので、どれほど年季の籠った味なのかと知りたくなっただけです」

とっさに言い逃れると、亭主は簡単に相好《そうごう》を崩した。

「そりゃあ、年季が入ってますよ。何しろ二十年もずっと蕎麦を打ってきましたからね。蕎麦だけじゃない。つゆだって自信はありますよ。どうぞゆっくりお召し上がりください」

「二十年ですか。ずっとこちらの店で？」

「ええ。徳川様の頃からずっと、ここで店を構えておりますよ」

ならば、やはりこの亭主がお菊の父親なのだろう。年格好には問題ないが、しかし娘を残虐に殺されたばかりとは思えぬ快活さだ。これはいったいどうしたことだろうか。

ひとまず私は箸を取り、蕎麦を食べてみた。ひと口啜《すす》って、なるほど亭主が自信たっぷりに語るだけのことはあると納得する。腰があるが固すぎることはなく、歯切れの良さが繋ぎの少なさを物語っている。つゆも蕎麦粉本来の味を損なわず、むしろ控え目に引き立てているような感があった。こんな小さな宿場町に店を広げているのはもったいない味である。

「これはおいしいですよ、ご亭主。おっしゃるとおり、年季の籠った味だ」

率直に感想を述べると、亭主はいかにも嬉しそうに「そうでしょう」と言って、空いている椅子に腰を下ろした。他に客もいないことだし、私とお喋りを続ける気になったのだろう。こちらとしては好都合だった。

せっかく胸襟《きょうきん》を開いてくれた相手の機嫌を損なわぬよう、しばし蕎麦の味についてのやり取りを続けた。多少大袈裟すぎるかと思うくらい、おいしいおいしいと繰り返しながら食べ進むと、ますます亭主の機嫌は良くなっていく。私は頃合いや良しと見て、さりげなく本題に入った。

「ところで、先日はまったく災難でしたねぇ。どこのどいつがあんなひどい真似をしたのか。まったくお悔やみ申し上げます」

「はあ、いや、そりゃご丁寧にどうも」

とたんに亭主は、ため息をついてうなだれた。私から目を逸らし、無意味に卓の上の箸立《はしたて》や薬味を整理し始める。しかしそれでも込み上げてくるものに耐えられなくなったか、首に巻いていた手拭いで乱暴に目許《めもと》を拭《ぬぐ》った。

その様子からすると、どうやら先ほどまでの快活さは空元気だったようだ。娘を喪《うしな》った悲しみを紛らわすために、あえて平素と同じように働いていたのだとしたら、あまりに気の毒なことだ。私は迂闊《うかつ》な自分の言葉を悔いたが、いまさら遅かった。

「申し訳ない、ご亭主。思い出させようというつもりはなかったんです」

腰を浮かせて慌てて詫びると、亭主は鼻をぐすんと言わせて顔を上げる。醜態を曝《さら》してしまったことを恥じたか、無理に微笑んで見せようとする様が痛々しかった。

「お気遣い、ありがとうございます。お客さんの気持ちは嬉しいですよ。こちらこそ、みっともないところを見せてお恥ずかしい。どうにもね、思い出すだけでいけなくて」

幸い、亭主はこちらの不躾《ぶしつけ》な態度にも腹を立ててはいないようだ。私はその様子を見て、ためらいながらも続ける。

「そりゃ、無理もないですよ。私はこんな年ですから、まだ人の親にはなっていませんが、気持ちはよくわかります。まして娘さんは、事故や病気で亡くなったわけじゃない。むしろ、よくお店を開けていられるなと感心したほどです」

「おれは蕎麦を打つことくらいしかできないですからね。娘が酷《むご》い殺され方をしようと、蕎麦を打つしかない。嬶《かかあ》は寝込んじまったけど、おれまで一緒に倒れるわけにはいかないじゃないですか。だからおれは、こうやってお客さんに旨いと言ってもらえる蕎麦を打つんです」

殺されたお菊は、その美貌だけではなく気立ての好さでも評判だったという。そうした性格は、この親あってのものだったのだろう。私は亭主の潔い言葉を聞いて、そう納得した。

「娘さんは誰からも好かれる優しい人だったそうですね。そんな人をどこの誰が、あんな残酷な殺し方をしたんでしょう」

「それが、さっぱりわからないんですよ。親のおれが言うのもなんですが、お菊は絶対に他人様《ひとさま》の恨みを買うような娘じゃなかった。そんな娘に育てた憶えはないし、お菊も親の期待に応えて真っ直ぐに育ってくれた。もうすぐ嫁ぐことになっていて、言ってみれば幸せのまっただ中だったんだ。そんな娘がどうして、体を切り刻まれるような目に遭わなきゃならないんでしょうかね。そうまでしなけりゃ気が済まないほど、下手人はお菊を嫌ってたんですか。おれァ今でも信じられないですよ」

下手人に心当たりがないというのは、噂で聞いたとおりのようだ。私は事件が起きた日の様子に、話の焦点を移す。

「娘さんは毎日、店の手伝いをしていたんですよね。姿が見えなくなった日は、買い物にでも行ってたんですか？」

「そうなんですよ。嫁入りの準備でね。本当は嬶と一緒に行ければ一番よかったんだが、そのために店を閉めるわけにもいかないでしょ。ひとりで大丈夫だって言うから、行かせたんでさあ。それが、まさかこんなことになるとは……」

お菊が変わり果てた姿で発見されたのは、行方が知れなくなった翌日のことだという。娘が帰ってこないと気を揉みながら過ごしたその晩の心境は、いかばかりだっただろう。そして、もう二度と帰ってこないと判明した瞬間は。人はとても受け入れがたいと思えることをも、いつしか乗り越えていくものなのだろうか。私には想像することはできても、実感はできなかった。

「買い物はどちらまで?」

「日本橋です。何せ嫁ぎ先が大店ですからね、多少は見栄を張って立派な嫁入り道具を揃えてやりたいなどと考えたんですよ」

「日本橋ですか。じゃあ駕籠か俥《くるま》でも拾ったんですか」

「そうしたはずですけどねぇ。でも真っ直ぐ帰ってこなかったところを見ると、駕籠には乗らなかったんですかね」

もし下手人がお菊をつけ狙っていたとしたら、駕籠舁《か》きに化けて拉致《らち》したとも考えられる。だが私は、自分の考えを口にはしなかった。日本橋と聞いて、大事なことを思い出す。

「ところで、娘さんが今様美女三十六歌仙に描かれたことは、当然ご存じですよね」

「ええ、まあ。そういうちゃらちゃらしたものはよせと言ったんですがね。本人がずいぶん喜んでまして。まあ、美人画に描かれるなんて、若い娘としちゃ嬉しいことでしょう。今となっちゃ、写真なんてたいそうなものは撮っちゃいませんから、生きている頃の娘を偲《しの》ぶただひとつのものになっちゃいましたよ」

「どういうきっかけで、娘さんは姿絵を描かれることになったんですか。町中で今春信に声をかけられたんですか」

いつしかずいぶんと立ち入った質問をしていたが、亭主はそれを気にした気振りもなかった。娘のことを話せるだけで、今は嬉しいのかもしれない。

「いや、そうじゃなくって、直接訪ねてこられたんでさぁ。姿を描かせてくれってね。ありゃあ、面食らったなぁ」

「それはやはり、美人として評判が立っていたからですか」

「まあ、そういうことなんでしょうねぇ。おれも娘が器量好しに育って鼻が高かったが、でも死んじまっちゃなんにもならないですよね。不器量だって、親よりも長く生きるのが孝行ってもんだ。そうは思いませんかい？」

「逆縁は最大の親不孝、と言いますからね。でも娘さんも、決して親不孝な真似などしたくなかったでしょうよ。まったくお気の毒なことです」

とても孝行息子とはいいがたい自分を承知しているから、内心でかなり気恥ずかしかったが、むろん亭主はこちらの胸の内など知る由《よし》もない。「そうですよねぇ」と寂しげに慨嘆する。

「それでもね、親不孝でもなんでもいいから、ただ生きていて欲しかったですよ。もう、ただそれだけだ。他には何もないです」

亭主は自分の言葉にまた涙を浮かべ、手拭いで顔を覆った。

12

世間を騒がせている八つ裂き狐の噂を喜八郎が耳にしたのは、夏の盛りのある午後のことだった。

その日も喜八郎は、神田明神の境内で芸を披露し日銭を稼いでいた。つい先日まで梅雨寒空が続いていたかと思えば、いつの間にか耐えがたいほどの酷暑になっている。喜八郎はその暑さの中に心なしか腐臭が漂っているような気がして、どうにも我慢がならなかった。実際にどこかで物が腐っているのかもしれないし、単なる想像なのかもしれない。しかしいずれにしても、暑さが連想させる腐敗臭は、喜八郎に上野の屍の山を思い起こさせた。この世の地獄かと見まがうばかりのあの光景も、喜八郎にとっては瓦礫の山も同然であったが、汚い物に対する嫌悪感はどうしようもなく残る。腐敗臭は汚物に対するおぞましさを想起させ、喜八郎をうんざりさせるのであった。

だから喜八郎は、抜刀の術を披露してもどこか身が入らなかった。真剣味に欠ける芸では、客を喜ばせることなどできない。勢い、碗に投げ込まれる銭もふだんより少なく、そのことがさらに喜八郎を苛立たせた。投げやりな気分になり、喜八郎は木陰に坐り込む。

何を思うでもなく、ただ目の前を通り過ぎていく足を漫然と眺めているときだった。若い職人ふうの足を持った男ふたりの声が、喜八郎の注意を惹いた。男たちは喧噪に負けまいとしてか、周囲の耳を憚ることなく大声で言葉を交わしている。そのうちのいくつかの言葉が、喜八郎の耳朶《じだ》に飛び込んできたのだった。

「……両脚と左腕がなかったんだってよ」

「酷い話だねぇ。若い女の体を切り刻むなんて、どんな鬼畜生なんだ」

「ああ、おぞましい話さ。でもよ、それよりももっと恐ろしいのは、どうして下手人が両脚と左腕を一緒に捨てなかったかってことさ。噂じゃ、なんでも下手人が喰ったって話だけどな」

「喰った？　脚と腕をか？」

歩きながらの会話なので、聞き取れたのはここまでだった。だがそれだけで、喜八郎の顔を上げさせるには充分だった。話の内容はとても信じがたかったが、一度聞いたら忘れられない衝撃を孕《はら》んでいる。喜八郎は話の続きが聞きたく、腰を上げてふたりの後についていった。

　往来が激しいのをいいことに、喜八郎は男たちの背後にぴたりと張りついた。しかし男たちは気づくことなく、声高《こわだか》な会話を続ける。

「……信じられないね、しかし。人間のできることなのかね」

「二件とも、屍体が見つかったのはお稲荷さんの境内だろ。だからお狐様の祟りだって噂もあるぜ」

「獣だから、なくなってる手足を喰ったっていうのか？　でもよ、狐が人間の肉なんて喰うか？」

「ただの狐じゃないんだよ。九尾の狐とか、そういう妖怪狐なんだぜ。人間の手足くらい喰えるだろ」

「くわばらくわばら。文明開化の世だっていうのに、未だに狐狸《こり》狢《むじな》の類《たぐい》に怯えなきゃならねえっていうのか。毛唐《けとう》どもに舐められるわけだ」

　会話はどうでもいい方向に流れてしまい、盗み聞きしている喜八郎を苛立たせた。殺したのが妖怪だろうが人間だろうが、そんなことはどうだっていい。なくなっているという脚はどうなったのか、喜八郎はそれだけが知りたかった。

「すまない。その話、もっと詳しく聞かせてくれないか」

たまらず、背後から声をかけてしまった。上野の戦い以来、世人との関わりを絶つように生きてきた喜八郎には珍しいことだ。自分でも己の行為に驚いたが、膨れ上がった好奇心は抑えがたかった。

「な、なんだ、あんた？　あ、いつもその辺にいる居合い抜きか」

喜八郎が頭の後ろに付けているひょっとこの面を見て、男のひとりはそう言った。どうやら何度か喜八郎の姿を見かけていたらしい。喜八郎はただ頷いて、もう一度促した。

「今の話、詳しく聞かせてくれないか。それは本当にあったことなのか」

「なんだ、あんた知らないのか。今東京で大評判なんだぜ」

喜八郎は新聞を読む習慣などないし、長屋の住人との交流もほとんどない。どんなに評判になっていようと、噂話を耳にする機会などないのだ。喜八郎はただ、「知らない」とだけ応じた。

「まあいいよ。知らないんなら教えてやろうぜ。立ち話もなんだから、その辺に坐って話すか」

もうひとりの男がそう言って、そばにあった縁台を顎で示す。喜八郎はその言葉に従って、彼らと並んで坐った。

男たちはふたりとも、喜八郎と同じくらいの年格好だった。前掛けを着けて、髪を短く刈っている。同年輩の気安さからか、男たちは気さくに喜八郎の求めに応じてくれた。

男たちが交互に教えてくれた話は、喜八郎を驚嘆させた。戦ならいざ知らず、維新の戦火も落ち着いたこの東京でこれほど血腥い事件が起きているとは驚きだ。いったいどこの誰が、どんな目的でそんな残虐な殺戮《さつりく》を繰り返しているのか。屍体発見現場では見つからなかった体の各部は、どこにあるのか。下手人は捨てなかった手足をどうしているのか。

殊《こと》に喜八郎がどうにも気になって仕方ないのが、美女たちの脚の行方だ。女のおぞましい顔や女陰から切り離された脚は、どんなにか美しいことだろう。女から脚だけを切り離すこともできるのだという認識は、喜八郎に深甚な衝撃を与えた。それはまさに天地がひっくり返るほどの発想の転換だった。

女などいらない。女を愛したいとは思わないし、愛されたいとも望まない。ただ美しい脚だけが欲しい。

喜八郎はそのとき、己の中に長く巣くっていた欲望の形をはっきりと自覚した。そう、喜八郎は女の脚だけを求めていたのだ。他に付随する物はいらない。厚化粧で彩った顔も、不快に膨れ上がった胸も、海鼠《なまこ》のように生理的嫌悪感を覚えさせる女陰も欲しくはないのだ。すべてを一体として考えていた喜八郎にとって、脚だけを切り離してみせた下手人はまさに偉大な先駆者だった。おそらく今でも美女たちの脚を所有しているであろう下手人に、喜八郎は強い羨望を覚えた。

「どうして——、どうして下手人は脚を捨てなかったんだ。下手人は女の脚が好きなのか」

尋ねて答えなど得られるわけもないのはわかっていたが、それでも喜八郎は問いをぶつけないではいられなかった。男たちは当惑をありありと顔に浮かべ、首を傾《かし》げる。

「女の脚が好きだって？　あんた、面白いことを言うなぁ。でもよ、おれだって女の脚は好きだけど、切り取って持っとこうとは思わねえぜ。脚だけあってもしょうがねえじゃねえか」

男はそう言って、さもおかしそうに笑う。喜八郎は自分の性向を笑われたように感じて、内心で腹を立てた。

「じゃあ、どうしてなんだ」

「そんなことはわからねえよ。女の体を切り刻む奴なんざ、どだい頭のどこかがおかしいんだ。そんな奴が何を考えているかなんて、誰もわかりゃしねえよ」

「それにさ、必ず脚だけを捨てずに取ってあるわけじゃないんだぜ。最初は右腕もなかったし、この前は左腕がなかった。下手人は女の体を切り刻みたいだけで、腕や脚を捨てなかったことには大した意味なんてないんじゃないか」

もうひとりが簡単に言い切る。なるほど実際にはそんなものかもしれないが、しかし喜八郎にとっては大いに意味があった。喜八郎は女を切り刻んだ下手人に会い、問い質したかった。あんたも女の脚が欲しかったのか、と。

喜八郎の脳裏には、ある女性の脚が浮かんでいた。先日、喜八郎の抜刀術に対して一円も払ってくれた女。あの女の脚が欲しいと、喜八郎は心底切望した。

13

警視庁の人間でもない一介《いっかい》の書生もどきに、できることなどほとんどなかった。私はお菊の父親に話を聞いて以後は、打つ手もなくただ漫然と日々を過ごした。美女三十六歌仙にまつわる噂は、町を歩いていろいろ収集したものの、これといって目新しい情報もない。ただぽちぽちと、錦絵と美女殺害のふたつを結びつけて語る声も聞こえてくるようになった。それはもしかしたら、私が広めてしまった噂かもしれないので、自分の軽率さに身が竦《すく》む思いだった。

この時点まで私は、八つ裂き狐事件とはなんの関わりもなかったと言ってよい。春永やお菊の実家を訪ねたのは単なる義侠心の発露で、自分が事件を解決してやろうなどと意気込んでいたわけではない。このまま下手人が捕まらなくても、以後誰も殺されたりしなければ、私と事件はまったく接点を持たないまま終わっていたであろう。だが実際には、そのようには展開しなかった。私は霧生家の事件同様、魅入《みい》られたように渦中に巻き込まれてしまったのだった。

私は最も望まない形で、事件に関わることになった。一番恐れていたことが出来《しゅったい》し、私を引き返せなくさせたのである。それはむろん、珠子の身の安全に関することであった。

藤下家からの使いがやってきたのは、お菊の実家を訪ねた日から一週間後のことだった。すでに日はとっぷりと暮れ、そろそろ床に就こうかという頃に、藤下家の中間《ちゅうげん》は私の屋敷の戸を叩いた。直接それに応対したのは爺やだが、こんな時刻の訪問者になにやら不吉な予感を覚えた。結果から言えば、私の予感は的中していたわけだが。

息を潜めて待っていると、爺やが中間からの伝言を持ってやってきた。爺やはいつものとおり、感情を面に出さずに淡々と言う。

「藤下様の中間がやって参りました。藤下様の妹君が、未だご帰宅なされないそうでございます」

「実基の妹が帰ってこない？」

重大なことを、まるで明日の天気の予想でもするようにあっさりと告げられ、思わず私は問い返した。爺やはただ、「左様でございます」と頷く。私は面食らい、腰を浮かせずにはいられなかった。

「それで、実基はなんだと言うんだ。どうしていいかわからないから助けを求めてきたのか」

「八方捜しているそうではございますが、特に惟親《これちか》様にご助力を乞いたいというわけではないようです。中間は妹君がいなくなったとだけお伝え願いたいと告げて、引き取りましたので」

「帰った？」

もっと詳しい話が聞きたかったのに、帰ってしまったのではそれも叶わない。私は歯痒《はがゆ》い思いでしばし思考を巡らし、やはりここは直接実基に尋ねるべきであろうと判断した。

「出かける。駕籠《かご》を呼んできてくれないか」

「夜に出歩くのは危のうございます。お気持ちはわかりますが、どうぞご自重くださいませ」

「だから駕籠を呼べと言ってるんだよ、爺。大丈夫。夜と言ってもまだ宵《よい》の口《くち》じゃないか。そんなに子供扱いしないでくれ」

「こう申しては失礼ながら、この爺からすれば惟親様はまだまだ子供にございます。産婆が惟親様をお取り上げ申し上げたときにも、真っ先に抱《いだ》き参らせたのは乳母ではなくこの爺めでしたくらいで……」

「ああ、わかったわかった。そうだったな、よく憶えているよ」爺やの十八番の決まり文句が出てきたので、私は適当に応じて黙らせた。「ともかく、そんなに成人男子として認められないのなら、ちゃんと子供の面倒は見てくれよ。駕籠に乗っていかないと危ないだろう。さあ、早く呼んできてくれ」

「こんな夜分に出かけられては、お父上がなんとおっしゃるか……」

「藤下のところに行くのだから、父上もとやかく言わないだろうさ。さあ、そんなことはいいから、早く早く」

なおもぶつぶつ言う爺やを急き立てて、駕籠を拾いに行かせた。駕籠舁《か》きはいつも、外堀沿いの道に屯《たむろ》している。さして待つこともなく、爺やは駕籠を連れて戻ってきた。

「お話し合いが済みましたら、またこの駕籠で戻っていらっしゃるのがよいかと存じます。その間、ずっと待っているよう話をつけておきましたので」

「ああ、そう。助かるよ」

口うるさいことを除けば、爺やはまったく有能で文句の付け所がない。子供扱いしないでくれ、などと主張してみたものの、日常の生活を完全に爺やに依存している身なのだから、確かにそんな言い分は聞き入れられないことだろう。駕籠に揺られながら、爺やの満足そうな顔を思い浮かべ、密かに笑った。

しかし、事態はそんな安穏としたことを言っていられるような状態ではなかった。私はそれを思い出し、顔を引き締める。

まだ二十歳《はたち》にもならない若い女子《おなご》が、夜になるまで外出したまま戻らないとは尋常ではない。異常事が突発したことは間違いないのだ。それが珠子の身に危険が及ぶようなことでないのを祈るしかないが、あの八つ裂き狐の話を聞いた後では、そんな願いも自分自身でどこか疑ってしまう。珠子が帰ってこないとなれば、それは絶対によからぬことが起きているからなのだ。私の胸は、不吉な想像にどっぷりと塗り潰された。

本郷までは、駕籠舁きの足ならばさほどかからずに到着できる。私は駕籠を門の前に待たせ、おとないを告げた。先に中間が応対し、すぐに実基が顔を出す。実基の顔は、夜目にも青白く見えた。

「わざわざ来てくれたのか。それには及ばなかったのに、申し訳ない」

内心では激しく惑乱しているだろうに、実基はそれを押し殺して殊勝なことを言う。私は軽く応じ、すぐ本題に入る。

「珠子さんが帰ってこないとは、どういうことなんだ。昼間に自分から出かけたのか」

珠子が行方不明と聞いて真っ先に浮かんだ疑問は、あれほど八つ裂き狐に怯えていながらなぜ外出などしたのかということだった。家の中に引き籠っていれば、暴漢に襲われることもない。そんな自明のこともわからず、どうしてのこのこと外に出たのか。私にはそれが不思議でならなかった。

「そうなんだ」

実基は認めたくないことのように頷く。どうやら珠子が自分の意思で出かけたことは間違いないようだ。

「どうして。家の中にいるのが一番安全だろうに」

「珠子はそういう女なんだよ」実基は諦めに似た吐息をついた。「家の中にじっとしていられるような女じゃないんだ。ああ見えて気性は激しくてね。一度出かけると決めると、傍《はた》から何を言われようと聞き入れたりしない。頑固という点では、私はもちろん父上も兜を脱ぐよ」

「そうだったか……」

言われて私は回想したが、幼い頃の記憶では性格まで把握し切れていない。あの美しい顔貌と頑固という形容はいかにも結びつきにくかったが、身内がそう言うのならば間違いないのだろう。

「まあ、ともかく上がってくれ。詳しい話を聞いて欲しい」

今頃思い出したように実基は言って、私を奥へ導いた。書院に籠り、改めて相対する。実基は心労に打ちのめされたように、伏し目がちだった。思えば実基は、再会してからこちらいつもこのような表情をしている。妹を思う実基の気持ちは、痛いほど伝わってきた。

「まさか、珠子さんはひとりで外出したわけではないよな」

私は不明な点をどんどん質すことにする。ここで実基に質問をぶつけていても埒《らち》が明かないのはわかっていたが、さりとて夜の町を探し歩くこともできない。今は前後の事情を把握することが先決だった。

「もちろんだ。いつも珠子についている小者《こもの》が一緒だった」

「その小者はどうしたんだ。一緒にいなくなったのか」

「いや、ひとりで帰ってきた」

「どうして」

「珠子が命じたんだ。少し寄るところがあるからお前はここで待っていろと言われて、半蔵《はんぞう》門《もん》の辺りで別れたらしい」

「それで、言われたとおりにしたというのか。小者のくせに、そんなことでいいのか」

「私も父上も強く咎めたよ。だがよくよく聞いてみると、どうやらこういうことはこれが初めてではなくて、幾度もあったらしい。小者は自分の勤めを全うするためになんとか珠子についていようとしたそうだが、どうしても珠子がそれを許さなかったそうだ。思うに、そうやって小者と離れている間に、春氷の許へ行って姿を描かせていたのだろう」

「これまでそのことがわからなかったというからには、何事もなく小者とふたりで帰宅していたわけだな」

「そうだ。小者が言われたとおりにその場で待っていると、珠子は必ず戻ってきたそうだ。だから今日もいつもどおりに珠子を待っていたが、日が暮れ始めてもいっこうに帰ってこない。それで小者は青ざめ、ここに飛び帰ってきて自分の失態を詫びたというわけだ」

「その小者は、今ここにいるのか」

「いや、珠子を捜しに出ているよ。珠子を見つけるまで帰ってくるなと、父上が一喝したからな」

「以前に珠子さんが姿を消したときは、君の推測どおり春永のところに行っていたんだろう。しかしもう姿絵が完成した今は、あの仕事場には用がないはずだ。今日はいったいなんのためにひとりになったんだろう。小者は珠子さんの行く先について、何か言っていないのか」

「まったく聞いていないそうだ。小者の身としては、主人の行動を詮索するわけにもいかないだろうから、それは仕方がない」

「心当たりもないのか。何か手がかりになるようなことを言っていなかったかどうか」

「駄目だな。少なくとも今は、動転してしまって何も思い出せないだろう」

「君や他の家人は、珠子さんの行きそうなところに見当がつかないか」

「いや」実基は苦渋に耐えるように首を振る。「ぜんぜんわからないな。こんなことを認めるのは辛いのだが、東京に来てからこちら、私も父上もそれほど珠子に気を配っていたとは言いがたい。町を出歩いているのも、珠子の気性を考えると抑える方が難しいのはわかっていたから、そのまま好きにさせていた。それをいいことに珠子は自由にしているのだろうと思っていたが、もしかしたら自分に関心が向けられないことを寂しく感じていたのかもしれない。だとしたら、珠子にはかわいそうなことをした」

実基は自分の咎《とが》のように言うが、私にしてみれば珠子への接し方はごく普通のように思える。妹が年頃になっているのに、べたべたと仲良くしている方がむしろ気持ち悪い。つかず離れず、過度に干渉することなく見守っているのが理想なのではないだろうか。つまり実基の距離のとり方は決して間違ってはおらず、そのことで自らを責めても仕方がないだろう。私がそのような趣旨のことを告げると、実基は少し救われたように安堵の表情を浮かべる。

「そうか。そうだよな。そう言ってもらえると、幾分かでも気分が楽になるよ。ありがとう」

実基はそう言って、軽く低頭する。まったく、私の惰弱を叱りつけた実基とも思えぬ弱腰だ。私はそんな変化に戸惑ったが、しかしその点は指摘しなかった。今はそんなことを言っている場合ではない。

「珠子さんは、東京に友人はいなかったのか。公家同士の付き合いなら、今でも続いていただろうと思うが」

「もちろん、それはある。だが付き合いのあるところにはすべて回ってみたはずだ。それでも珠子が見つからないのだから、友人の許にいるわけじゃなさそうだ」

「口幅《くちはば》ったいんだが、そのう、相手が男だとは考えられないか」

「男？　珠子が男の許に行ったというのか？」

「可能性の話だ。珠子さんも年頃だし、あれだけ美しいのだから、縁談のひとつやふたつはあるだろう」

「もちろん、ありがたいことに縁談は降るほどある。でもそのひとつとして、珠子は乗り気にならないんだ。まあ珠子の意向も大きいが、父上がまだ珠子を縁づけるつもりがないということもある。時期が来れば、家格にふさわしい相手の許に嫁がせようと考えているようだ。だから、珠子が特別親しくしている男などはいないはずだ」

しかしそれは、実基が把握している範囲のことだろう。あまり気にかけていなかったと自ら認めるくらいなのだから、珠子がどのような交友関係を持っていたか、すべてを知っていると考える方が早計だ。毎日出歩いていれば、それなりに顔見知りも増える。その中に男がいたとて、決して不思議ではない。いやむしろ、あれほどの美女が歩いているのに男がまったく寄ってこない方がおかしいだろう。小者ひとりが従者としてついているだけでは、とても近づいてくる男を撃退できたとは思えない。その辺りも、小者に質《ただ》す必要がありそうだ。

しかし今は、実基に自分の考えを告げるつもりはなかった。ただでさえ心配で身を揉んでいるのに、この上混乱の種を与えても仕方がない。男の許にいるのならば、大変な醜聞で家名の恥にはなるだろうが、命に別状はないはずだ。この上はむしろ、男と一緒にいてもらった方がいい。私は密かにそんなことを考えた。

そうした調子で問答を交わしながらも、我々はじりじりする思いで吉報を待ち続けた。案ずるまでもなく、道に迷ったとかそういう単純な理由であっさりと見つかるかもしれない。そんな楽観と最悪の想像の間で、私たちの思いは揺れる。だがその揺れは、どちらにも固定されることはなかった。いつまで経っても、珠子の行方は知れなかったのだ。

問いたい事項も尽きたとき、私はいったん引き取ることにした。実基は私が駆けつけたことに深く感謝しているらしく、何度も何度も頭を下げる。気落ちするなと励まして、私は藤下邸を後にした。自分の言葉が空しくならないようにと、心底祈りながら。

14

今日も暑くなりそうだわね。

ぎらぎらとした日差しが降り注いでくる青い空を見上げ、お駒《こま》はそう慨嘆した。夏が来るたびにお駒は、五年前に身罷った父のことを思い出す。日頃から酒の度合いが過ぎていた父は、あるとき心の臓の発作であっさりと逝った。その死自体には、親を喪った悲しみを覚えたものの、さして悲惨な要素はなかった。父はすでに七十を超え、いつ死んでも大往生と評される状態だった。にもかかわらず、いや、だからこそなのだろうか、父は好きな酒をちっともやめようとしなかった。明日をも知れない命だからこそ、父は好きな酒を断とうとは思わなかったのかもしれない。もしそのような覚悟があって酒を飲んでいたのなら、おそらく当人にとっては幸せな死だったことだろう。周囲の者が大袈裟に悲しむ必要はなかった。

だが、その死に様の潔さとは裏腹に、残された者にとっては往生極まりない事態がひとつあった。父の身罷った季節が、暑い夏の盛りだったということだ。

五年前の夏は、ここ数年のうちでもとりわけ暑かった。日が高いうちはもちろんのこと、夜になっても蒸し暑く寝苦しかった。風が吹けばそれでも幾分ましなのだが、あの夜は空気さえもが生ぬるく、肌に不快だったことをよく憶えている。

父は深夜、寝入りばなに発作を起こしそのまま息を引き取った。実家の近所に住む人がわざわざそれを報せに来てくれ、お駒は子供たち三人がよく眠っているのを確認してから家を飛び出した。歩いてもさほどかからない距離を、お駒は駆け通した。そのせいで、実家に辿り着いたときには襦袢《じゅばん》が汗まみれになっているほどだった。

父の死に顔は安らかだった。母の話を聞いても、それほど苦しんだわけではないという。その言葉に安堵しながらも、お駒は自分と直接血の繋がる者を喪った欠落感に戸惑い、涙していた。むしろ日々一緒に暮らしていた母の方が、覚悟を固めていたのかお駒よりもしゃんとしていた。

だからお駒は、ほとんど父の枕許で呆然としていたようなものだった。代わる代わる顔を出して悔やみの言葉を述べてくれる近所の人に、自動人形のように挨拶をする。夜のうちとて葬儀の支度などできようものではなかったが、それでも何かと用を見つけて立ち働いている母とは対照的だった。

お駒が自失から立ち直ったのは、目や耳から刺激を受けたためではなかった。呆然としていても無視できない、かすかだがどうにも気に障る腐臭。それがお駒の鼻をくすぐり、周囲に注意を向けさせた。

土間から漂ってくる臭いではないかと反射的に考え、母に注意を促した。だが母は、臭うような物は何も置いていないと言う。確かに母は、買ってある食べ物を腐らせるような女ではない。年を取ったからといって、身に染みついた習慣まで忘れるものではないだろう。ならばこの臭いは、いったいどこから漂ってくるのか。

気づいてみれば、夜は白々と明けようとしていた。一度顔を見せてから自分の家に戻っていた近所の人々も、そろそろ起き出して一日の活動を開始している。どこかの家が腐った物を表に捨てたのではないか。お駒は次にそう考えた。

だがそれにしては、腐臭はずいぶん近くから発しているように感じられる。どうも外から漂ってくる臭いではない。ではこの殺風景な部屋のどこに、こんな臭いを発するものがあるのか。お駒は奇異に思い、狭い部屋の中をぐるりと見回した。

家具と言える物は小さな簞笥と卓袱台《ちゃぶだい》しかなく、後の雑貨はすべて押入に押し込んでいるような長屋の一室である。眺め渡すにも首を軽く巡らせればそれで済む。だからこそ、腐った物など存在しないことは、ほぼ一目瞭然だった。にもかかわらず漂ってくるこの腐臭は、いったいなんなのか。

「あらやだ。臭ってきたわね」

土間から戻ってきた母が、前掛けで手を拭きながらそう声を上げた。眉を顰《ひそ》めて、鼻をくんくん言わせている。母は布団の上に寝ている父に顔を近づけると、もう一度「臭ってるわ」と言った。

その母の仕種を見て初めて、父が腐り始めているのだとお駒は認識した。屍は腐る。そんな単純なことは承知していたはずなのに、つい数刻前まで生きていた父が腐臭を放つことなど、お駒には想像外のことだった。身も蓋《ふた》もない母の指摘に、お駒は心底驚愕した。

父の体の腐る臭い。そう意識しただけで、わずかに臭う程度だった腐臭は突然猛威を増した。鼻の奥に指を差し込まれ、ずんずんとつつかれでもしたような痛みが走る。それはとても耐えられるようなものではなく、お駒は外に転がり出て吐瀉《としゃ》した。胃の奥から突き上げる酸っぱい物をげえげえと吐き出しても、鼻に染みついた腐臭は消えない。これが父の、人間の腐る臭いなのかと、幾度も戻しながらお駒は実感した。臭いは特別おぞましいことなどなく、日常口にする食べ物が腐る臭いとなんら変わるところがなかった。そのことがいっそう、お駒に嫌悪感を与えた。

お駒の精神はごく健全で、実の親の死によって傷つけられることもなかった。だからふだんの生活の中で、父の体が腐れゆくときの臭いを思い出すことはない。しかしふとした弾みに、例えば今のように強い日差しを受けて夏を間近に感じたときなどに、鼻の奥にあの腐臭が甦ることがある。そのわずかな瞬間は、お駒にとって耐えがたいものだった。だからお駒は、夏が大嫌いだった。

お駒は一度頭を激しく振り、手にした笊《ざる》を抱え直して井戸端に向かった。井戸端にはすでに、近所の女たちが集まっていつものように声高なお喋りを繰り広げている。その輪の中に入れば、最前思い出した腐臭のことなど簡単に忘れられるだろうとお駒は考えた。

おはようございます、と声をかければ、互いに顔を見知った間柄、打てば響くように挨拶が返ってくる。今日も暑いわねぇ、などと言いながら、お駒は女たちの中に入っていった。

井戸水を汲み上げ米を研ぎ、しかしその間も口は休ませずにたわいもないお喋りに興じていたときだった。ふと、先ほど感じた幻の腐臭を嗅いだように思った。いやだ、あんなこと思い出しても仕方ないのに。お駒は一瞬止めかけた手をふたたび動かし、甦ってくる記憶を追い払おうとした。

だが、今度は先ほどと違い、うまく気分は切り替わらなかった。それどころか、最初はわずかに風の中に感じ取れるかどうかといった程度だった臭いは、なぜか徐々に強くなってくる。いやな顔をしたお駒を見て周りの女たちは不思議そうな顔をしたが、すぐに同じように鼻の頭に皺を寄せた。

「ねえ、なんか臭くない？」

「そうね。誰か何かを腐らせたのかしら」

「こんなに暑くなると、なんでも簡単に腐っちゃうから気をつけないとね。それにしても、誰の家よ」

「あたしじゃないわよ。あたし、買い置きなんてしてないもの」

「あたしんちじゃないと思うけど……」

どうやら幻臭などではなく、実際に何かが腐っているようだ。お駒は周囲の反応を見てわずかに安堵し、それでも漂ってくる臭いに顔を顰《しか》めた。この、食べ物の腐る臭いだけはどうにも我慢がならない。誰か食べ物を腐らせてしまった心当たりがあるなら、早く始末をして欲しいものだ。まったく、食べ物の腐る臭いは人間が腐れる臭いによく似ている……。

ぎゃっ、という悲鳴が上がったのは、井戸からずいぶん離れたところでだった。最近越してきたばかりの若い女は、お喋りの輪に加わるにも遠慮があるのか、いつも後ろの方にいる。その女が唐突に、聞いた方がびっくりするような声を上げた。女たちはいっせいに、そちらに目を向けた。

「何よ、あんた。どうしたっていうの。そんな変な声上げて」

不作法を咎めるように、年輩の女が立ち上がったときだった。その女までもが、とんでもないものを見たとばかりに目を剝き、やはり悲鳴を上げた。すとんと坐り込み、指を指しながら「ひ、ひ、ひ」と繰り返す。あまりの驚きに、言葉が詰まって出てこないようだった。

女たちはほぼ同時に立ち上がった。そして皆揃ってそれを見て、まったく同じ反応を示す。手にしていた食べ物を放り出し、身も世もなく絶叫したのだ。

それはお駒も同様だった。いや、お駒こそ誰よりも激しい反応を示していたかもしれない。なぜならお駒は、真っ先にその臭いに気づいていたからだ。二度と嗅ぎたくないと思っていた臭い、人間の腐臭をふたたび嗅いでしまい、お駒は卒倒寸前だった。

女たちの視線の先には、痩せこけた野良犬がいた。何度かこの井戸端にやってきては、お情けで野菜屑をもらい命を繋いでいた犬だ。しかし今日の犬は、女たちから餌をもらう必要はなかった。というのも、すでに犬は一日かかってようやく食べ切れるほどの食料を入手していたからだ。

犬は大根に似た物を口にくわえていた。だが大根にしては、一方の端が妙に細かく割れている。そしてもう一方は、柘榴《ざくろ》のように爆《は》ぜ割れて桃色の断面を見せていた。

犬がくわえていたのは、二の腕から切断された人間の腕だった。

15

また八つ裂き狐が出たという噂は、瞬く間に東京中に広まった。読売《よみうり》や新聞はすぐさま事件を取り上げ街頭で売り歩き、それを買った者を囲んでたちまち人の輪ができあがる。情報を仕入れた者はさらにそれをあちこちで語って聞かせ、人の口から口へと伝わった。噂がこんなにも短期間で広まることはめったにない。それだけ東京の市民が八つ裂き狐に強い関心を寄せている証左だった。

今度見つかった屍体は、両手両脚のみだった。まず左腕だけが、野良犬がくわえてきて発見された。それを見つけた者たちが、これは八つ裂き狐の仕業ではないかと気づき、近くの榊《さかき》神社という稲荷社を捜してみた。すると予想に違《たが》わず、右腕と両脚が見つかったという。だが首と胴体は、いくら捜してもどこにもなかった。人体の一部が見つからないのは、これまでの八つ裂き狐事件と同様だった。

腕や脚は、明らかに若い女のものだった。体を切り刻んでいる点といい、稲荷社に捨てられていたことといい、犠牲者が若い女である点といい、これまでの事件と寸分も違わない。もしこれが狐の祟りなどではなく、人間の所行であるなら、同一人物のしでかしたことなのは間違いなかった。

私は三人目の屍体が発見されたことを、新聞を買って知った。珠子が見つかったという報せは、ひと晩経ってもない。それがどうにも気がかりで、情報を仕入れるべく新聞を買いに出たのだった。新聞には、考え得る限り最悪の記事が載っていたことになる。私は強い衝撃を受け、しばし動くことすら忘れて立ち尽くした。

だがこの手足が珠子のものとは限らない。しばらくして衝撃から立ち直ると、私は前向きにそう考え直した。悲観的なことばかりを想像しても仕方がない。何より、この事件の報を聞いて覚える衝撃は、私などより実基を始めとする珠子の家族の方が遥かに強いはずだ。私がうろたえている場合ではなかった。

私は取る物も取りあえず、新聞を買ったその足で藤下邸に向かった。汗だくになりながら辿《たど》り着き、門を叩くと、実基は外出しているという。内務省に出仕しているのかと思いきや、そうではなく富久町《とみひさちょう》に向かったと、応対に出てきた中間は答えた。富久町は三人目の屍体が見つかった場所である。やはり実基は、八つ裂き狐が三たび現れたという報せを聞き、矢も楯もたまらず屍体発見現場に向かったのだろう。私とは行き違いになってしまったというわけだ。

礼を言い、私も富久町に駆けつけることにした。とはいえ、この暑い盛りにけっこうな距離を歩いたので、すっかり疲弊《ひへい》している。今度は俥《くるま》を拾い、来た道を戻ってもらった。

俥の座席に落ち着き、炙《あぶ》るような日差しの強さから解放されると、ほっと吐息をつきたくなる。京の暑さに比べれば遥かにましだと思っていた東京の夏だが、体がこちらの気候に順応してしまったのか、いつしか暑さに辟易《へきえき》するようになっている。せいぜい打ち水などをして涼を取ろうとする姿が多く見られるが、それもあっという間に乾いてしまう。仮借《かしゃく》ない夏の暑気だった。

暑気の中に私は、なぜか別のおぞましいものを見いだしてしまう。動乱の幕末に多く流され土に染みついたであろう血の臭いが、水蒸気とともに立ち上るような錯覚を覚える。今や維新の騒ぎなど悪夢であったかのように小綺麗になり、近代化への道を歩んでいるこの帝都だが、その厚化粧の下に多くの屍を隠しているように感じるのは、私が八つ裂き狐事件に過敏になっているせいだろうか。こんな血腥い事件が起きるのも、動乱期に命を落とした多くの人々の魂魄が、今もなお血風を求めているせいだと思えてならない。

富久町の榊神社に辿り着いたとき、俥曳《ひ》きは全身汗まみれになっていた。本郷からここまでの長い道のりを、休むことなく俥を曳き続けてくれたのだから頭が下がる。私はねぎらいの言葉をかけて、少し多めの俥代を払った。中年の俥曳きは、手拭いで首筋を拭いながらぺこぺこと頭を下げ、去っていった。

稲荷社の前は、大変な人だかりだった。近隣だけでなく、遠方からも野次馬が集まっているような感がある。小さな稲荷社のこととて、こんなにも人に群がられてはまったく見通しが利かない。実基の姿を見つけるどころか、稲荷社には付き物の狐の石像すら見えないほどだった。

困惑して、なんとか人込みを掻き分けて前に出ようとした。ところが、誰もが敷地内に入りたいのを我慢しているらしく、私の行動はすぐに顰蹙《ひんしゅく》を買った。どうやら稲荷社の入り口を巡査が守って、中に誰も立ち入れないようにしているようだ。仕方ないので、動きがあるのをその場でじっと待つことにした。

だが幸い、炎天の下いつまでも待ち続ける必要はなかった。すぐに前方がざわめき、やがてそれは後方まで伝染する。どうやら屍体が運び出されようとしているらしい。

跳び上がって様子を窺ってみたところ、制服を着た巡査数人が布を被せた戸板をしずしずと運んでくる様が見えた。布の盛り上がりは、その下に人ひとりを隠しているとは思えぬほどこぢんまりとしている。それを見て私は、発見されたのが腕と脚だけなのだという事実を改めて認識した。なんとも酷い所行だ。

さらにその後ろから、互いに支え合うようにしてよろよろと歩いてくるふたりがいた。遠目だったが、私はふたりの顔をしっかりと視野に収めた。ふたりのうち一方は、間違いなく実基だった。もうひとりの初老の人物は、私の遠い記憶によれば実基の父上だ。

ふたりの様子は、今にもくずおれかねないのをかろうじて踏みとどまっているようであった。その姿を見て私は、事態が絶望的なことを悟った。屍体が珠子でなかったなら、ふたりがこれほど打ちのめされるはずもなかろう。昨日から行方知れずになっていた珠子は、あまりに変わり果てた姿で戻ってきたのだ。私は絶望から、目の前が暗くなるように感じた。

「実基！」

我を忘れて、思わず声を上げた。すぐに周囲の視線が集まってきたが、私は頓着《とんちゃく》しなかった。もう一度、顰蹙を買うのは承知で前へ出ようとする。だが今度は、声を上げたお蔭か抵抗を受けることもなかった。野次馬たちは素直に、私が通り抜けるのを許してくれた。

ようやく人込みを抜けると、そこには霧生家の事件で顔見知りになった巡査が何人かいた。突然現れた私に、皆驚いたような顔をしている。私はそんな巡査たちへの挨拶もそこそこに、実基の許へ駆け寄った。実基は私に気づいても、声も出ないようだった。

「ほら、どいたどいた！」

巡査の大声が響き、野次馬たちを追い払った。左右に分かれた野次馬たちの間を、戸板を運ぶ巡査たちが通っていく。私はそれを見送ってから、改めて実基の顔を見た、実基は魂を抜かれたように、惚けた表情を浮かべていた。あまりに衝撃が強すぎて、思考が空白になっているのだろう。

「実基、しっかりするんだ。屍体は珠子さんだったのか」

私は実基の肘を摑んで、少し強いくらいの力を込めて揺さぶった。すると実基はようやく我を取り戻したのか、「あ、ああ」と声を上げて改めて私を見る。実基の父上は、依然として焦点の合わぬ目で中空を見つめていた。

「どうしてここに……」

私が駆けつけたことが不思議らしく、実基はどうでもいいことを尋ねた。「噂を聞いたんだ」と短く応じて、私は再度問い質す。

「なあ、しっかりしてくれ。今運び出された屍体は、間違いなく珠子さんだったのか」

「ああ、そうなんだ。珠子だったよ――」

実基は去っていく戸板に視線を移し、呆然と答えた。私はもう一度肘を揺すって、確認した。

「間違いないんだな。でも、見つかったのは手足だけなんだろう？　それだけで、どうして珠子さんだとわかる？」

「ほくろだ」

「ほくろ？」

「ああ。珠子は右肘の内側と、右膝の内側に小さなほくろがあったんだ。手足両方にあるから印象が強くて、家族はみんな知っていた。今見た手足には、両方ともほくろがあった。だから間違いないんだ……」

「そうなのか――」

そんな特徴があったのなら、確かに人違いなどあり得ないだろう。万が一の可能性を期待していたが、これで希望は完全に打ち砕かれたことになる。珠子はやはり、八つ裂き狐の手に掛かって殺されたのだ。

しかしそう考えても、現実感などまったくなかった。つい先日会ったばかりの人が、今は手足だけになってしまったと聞いても、簡単に死を実感できるわけもない。それはおそらく、実基も同じなのではないかと推察した。たとえ頭では珠子の死を認めていても、心の奥で了解するにはほど遠いだろう。手足だけを切り捨てて放置するような残虐な下手人に、私は心底怒りを覚えた。

「珠子は死んでしまった。殺されてしまった……」

実基は呟くように言う。それは誰に聞かせるでもなく、ただ事実を確認するために声にしているかのようだった。私は痛ましさを覚え、つい無意味な励ましの言葉をかけてしまった。

「気落ちするな、実基。気をしっかり持つんだ」

身内がこれ以上ない凄惨な死を迎えているのに、気落ちするなという方が無理だ。私は自分の言葉の空虚さを充分理解していたが、それでも口にせずにはいられなかった。それほど、実基は放心しているように見えたのだ。

「こんな不名誉は、なんとしても隠さなければならない。手足を切り刻まれて殺されるなど、藤下家始まって以来の醜聞だ。なんとか、これは秘密にしなければならない……」

ぶつぶつと実基は、そんなことを呟いた。私は驚き、改めて実基の顔をまじまじと見た。家名だの恥だの、今はそのようなことを言っている場合ではない。あまりに焦点のずれた心配をしている実基は、やはり錯乱しているのだろうと考えた。

「そうだ、実基。よく気がついた。こんなことはなんとしても秘匿《ひとく》しなければならない。珠子はまだ生きている。そうだ。本郷の屋敷に籠って、私たちの帰りを待っているに違いない」

驚いたことに、傍らで呆然としていた実基の父上まで、同意を表明した。その目は未だに中空を眺めていて、正常な思考が行われていないことを物語っている。私はますますふたりの精神を心配した。気が触れかけているのではないかと思ったのだ。

「急ごう、実基。珠子が待っている。すぐに帰らなければ」

「お待ちください、お父上。そんなふうに考えてはいけない。気を確かにお持ちください」

私は父上の前に立ちはだかり、そう訴えたが、しかし相手は聞く耳を持たなかった。まるでうるさい蠅でも追い払うように私を押しのけ、立ち去ろうとする。慌てて巡査が追いすがったが、今度は大声で一喝して近くにも寄らせなかった。

常軌を逸しかけている様子が野次馬たちにも伝わったのだろう、実基たちが向かう先だけぽっかりと人の波が割れ、道ができた。ふたりは堂々とそこを通り抜け、そして通りかかった俥を拾って去っていった。あれほど騒がしかった野次馬たちが、今やしわぶきひとつ立てずに実基親子を見送っていた。

「お知り合いでしたか」

野次馬たちと同様に呆然と立ち尽くしていた私の背後から、そのように声がかかった。慌てて振り返ると、そこには懐かしい人物が立っていた。いや、ほんの数ヵ月前に会ったばかりだから、懐かしいと感じるのは奇異だ。しかしそれでも、その頼もしそうな面構えは人にそう感じさせる何かがあった。

警視庁の川辺《かわべ》警部だった。薩摩出身のこの警部は、頑固ながらも実直で、信頼が置ける。

霧生家の事件を解決するに当たって私と朱芳が果たした功績を認め、大いに敬意を表してくれていた。事件がすべて片づいた後は一度も会う機会がなかったが、短い交流は好感として私の記憶に残っていた。

「これはお久しぶりです。こんなところでお目にかかるとは」

私はそう挨拶したが、それを聞いて川辺警部は苦笑する。

「それはこちらが申し上げたいことですよ。まさかあのご遺族と九条さんがお知り合いとは思わなかった。ずいぶん混乱されているようでしたが、大丈夫でしょうかね」

「ええ、ちょっと心配ですね。日頃から四角四面な考え方をするたちなので、ついあんなことを口走ったのでしょうが……」

「由緒ある家柄の方だそうですね。そんな家のご令嬢がこんな目に遭われるとは、まさに前代未聞の事件です」

川辺警部は難しい顔で腕を組む。私も頷き、同意を示した。

「まったく。しかしそれについては、少々気になることがあるのです。ここでお会いできたのが幸いだった。お耳に入れておきたいので、聞いていただけますか」

「ほう。それはいったいどういうことですか」

川辺警部は眉も動かさなかったが、こちらの言に興味を抱いたことは明らかだった。私は周りを囲む野次馬たちの耳を気にし、声を潜める。

「話せば長くなりますし、ここでは人の耳があります。どこか場所を移せませんでしょうか」

「そうですか。それでは本官はひとまず馬車に乗って警視庁まで戻りますが、同乗なされませんか。四谷のお屋敷までお送りしましょう」

「そうですか」応じて、私はしばし考える。「いや、それならば四谷ではなく、虎ノ門まで行ってくれませんか」

「虎ノ門。朱芳さんを訪ねるのですか」

「ええ。あいつにも話を聞いてもらいたいので」

「では、もしお邪魔でなければ本官もご一緒させていただけませんか。朱芳さんにご挨拶もしたいし」

「それはいっこうかまいませんよ。では一緒に行きましょうか」

話がまとまり、我々はすぐに移動することにした。屍体発見現場の調査は引き続き行われるようだが、それについては二、三の指示を与えて後は巡査たちに任せる。そして警部は私を促し、野次馬を掻き分けて待機させていた馬車に乗り込んだ。私も遠慮なくそれに続く。

馬車の中で向かい合うと、警部はすぐに「さて」と話を促してくる。私は今様美女三十六歌仙と殺された女性たちの繋がりについて、手短に語った。

「――では、珠子姫の心配は杞憂などではなく、まさに正鵠《せいこく》を射ていたというわけですね」

川辺警部はこちらの話を聞き終えると、まずそのように確かめてくる。私は自分が無力だったことを指摘されたように感じ、胸が痛んだ。私にもっと力があったら、珠子が命を落とすこともなかったろうに。そう考えると、どうにもやりきれなくなる。

「事ここに至っては、偶然などで片づけるわけにはいかないでしょうね。三十六歌仙と八つ裂き狐の間には、明らかに繋がりがあります」

「では、その今春信を気取っている絵師を少し叩いてみましょう。何か出てくるかもしれない」

「どうぞお手柔らかに願いますよ。下手人が三十六歌仙を知っているのは間違いないでしょうけど、それを描いた絵師には責任などないんですから」

「わかってます。我々とて徳川時代の奉行所とはわけが違う。近代国家にふさわしい法の番人として、勤めを果たしておりますよ」

重々しく言われ、私は恥じ入った。言わでものことを口にし、警部の矜持を損なってしまったかもしれない。それでも警部は、気を悪くした様子もなかった。そんな重厚さに、救われた気になる。

「藤下家の方も、しばらくしたら訪ねてみます。あの調子では落ち着くまで時間がかかりそうですが」

「そうですね。我々も早く前後の事情を伺わなければならないところだが、果たしてちゃんとした話を聞かせてもらえるのかどうか……。霧生家のときもそうでしたが、こうした家格の高い家の事件はなかなかやりにくい。もしかしたら、また九条さんのお力を借りることになるかもしれませんが、その節にはどうぞよろしくお願いします」

警部は言って、軽く頭を下げた。実直そのものの態度に、こちらも恐縮して低頭する。警視庁の警部から協力を求められるとは、なんとも驚きだ。私の方から関わらせてくれと頼みたいところであったのに。

「もちろん、ご協力できることがあればなんなりと。そちらも何か新しいことがわかったら、教えていただけますか。もちろん、捜査上の秘密事項であれば仕方ないですが」

「ご協力を仰ぐ以上、情報は共有しないといけません。絵師から何か出てきたら、九条さんにもお知らせしましょう」

「頼みます」

そんな会話を交わしているうちに、いつしか馬車は虎ノ門の朱芳家下屋敷に近づいていた。御者に道を指図して門前に馬車を止めてもらい、私と警部は降りる。いつものように大声でおとないを告げて、勝手に門をくぐった。

「ああ、これは九条様」

こちらの声を聞いて、屋敷内から朱芳家の下働きである岩助《いわすけ》が現れた。一緒にいる警部を見ても、顔の筋ひとつ動かさない。いつもどおり、若いのに寡黙な男だった。

「せっかくお越しいただいたのに、相済みません。慶尚《よしなお》様はあいにくとお加減が悪く、床に臥《ふ》せっております。お目にかかることは難しいのですが」

「そうなのか」

先日はよくなりかけていると言っていたのに、この暑さにやられてしまったか。友人の健康は気がかりだったが、誰にも会えないというのなら無理をさせるわけにもいかない。養生するよう伝えてくれと言い置いて、私たちは引き返した。

川辺警部とは、門前で別れた。警部は馬車で数寄屋橋《すきやばし》へ、私は徒歩で四谷に帰る。珠子を守ることができなかった慚愧《ざんき》の念が、私の足取りを重くさせている。それでも私は、己を罰する意味を込めて炎天下を歩き続けることにした。悔恨は、いくら汗をかいても流れ去ることはなかった。

16

気にかけていたせいだろうか、今度は八つ裂き狐の噂を耳にするのも早かった。喜八郎は一芸披露し終え、客の輪が解散した後、すでに顔馴染みになっている熊手屋の親父に話しかけた。往来をゆく参拝客たちが口にしていた話を小耳に挟んでからずっと、どうにも気になって仕方がなかったのだ。

「親父さん、また八つ裂き狐が出たっていうのは、本当なのかな」

「おっ、なんだい。あんたがそんなことを気にするのは珍しいね」

喜八郎の方から話しかけることはめったにないので、熊手屋の親父は驚いたように眉を吊り上げた。客もつかずに手持ち無沙汰そうにしていた熊手屋は、いい暇潰しとばかりに屋台の後ろから出てきた。

「そうなんだよ。今朝から東京中はその噂で持ちきりさ」

「おれは今さっき、客たちが噂しているのを聞いて知った。そういう話はどうやって仕入れるんだ？」

「どうやってって……、まあ最初は読売とかだろうな。それを聞き込んできた奴が、あちこちで噂をばらまくわけだ。おれも長屋を出るときに、近所のお喋りから聞いてきたよ」

「なるほど、読売ね」

こちらの顔を知っている者に会うかもしれないという恐れがあるので、喜八郎はあまり町中を歩いたりしない。実際にはこうして素顔を曝《さら》して大道芸などをしているのだから、そんな心配が無意味だということは理解している。それでも喜八郎は、自分が他の者たちと同じように自由に振る舞えるとは思っていなかった。破滅はいつ何時訪れるかもしれない。それが、逃亡者の宿命だという諦観がある。とはいえ、宿命を甘受する気などさらさらないので、勢い世間とは隔絶した生活を送ることになる。

だから読売の口上に耳を貸すという発想は、喜八郎の裡にはなかった。なるほど、ああした読売は開化の世となっても続いているのか。どんなに世の中が変わろうと、人の口に戸は立てられないというわけだろう。

「今度はどこで見つかったんだ」

「どこでって、八つ裂きにされた屍体のことか。なんでも富久町のお稲荷さんだって話だぜ」

「なんという稲荷だ」

「なんていったっけなぁ……。榊稲荷とか、そういう名前だったと思うぜ」

「榊稲荷か――」

喜八郎は口の中でその名を反芻《はんすう》する。最初が笠原稲荷、その次が宮坂稲荷で今度が榊稲荷。この順番には何か意味があるのだろうか。それとも稲荷社であればどこでもいいのか……。

「あんたがそんなことに興味を持つとは珍しいな。あんたは世の中のことにはなんにも興味がないんだと思ってたよ」

熊手屋は面白そうに喜八郎の顔を覗き込んで、しみじみと言う。喜八郎は相手のそんな言葉は無視して、質問を続けた。

「八つ裂き狐というからには、やっぱり体をバラバラにされていたんだろ。体はすべて見つかったのか」

「いやいや、それは前のふたつと同じさ。今度は首と胴体が見つからなかった。両手両脚だけさ」

「両手両脚」

では下手人は、女の脚が欲しかったわけではないのか。どうせ捨てるくらいなら、おれにくれればよかったのに。喜八郎は心底残念に思った。

「じゃあ、今度ばかりは殺された女が美しいかどうかはわからないわけだな」

喜八郎の感覚からすれば、脚さえ残っていれば女の美醜は判別できる。だが世間の基準はそうではなく、顔貌の善し悪しだけで大騒ぎしていた。これまでに殺されたふたりは、世間一般で言うところの美女だったという。そんな評価に喜八郎は一片も興味を覚えなかったが、熊手屋が喜びそうなことなのでそう水を向けてみた。

するとと案の定、熊手屋は目を輝かせて話に乗ってくる。無精髭を生やした口許を緩ませて、「ところがそうじゃねえんだ」と首を振った。

「手足だけになっても、殺された女が美女だってことはわかってるんだ。それもただの美女じゃない。そんじょそこらにゃめったにいない、極上の美女だって話だぜ」

「どうしてそんなことがわかる？」

脚の美しさを見分けられる者が他にもいるのだろうか。喜八郎は反射的にそう考えたが、熊手屋の返事はまったく違うものだった。

「あんた、今様美女三十六歌仙っていう錦絵のことは知ってるか」

「いや、知らない。それがどうかしたか」

「大評判になってるんだがな。あんたは本当に、俗世間のことになんか興味がない偉いお坊さんみたいだな。それはそれで大したもんだと思うよ」

揶揄《やゆ》ではなく、心底感心したように熊手屋は言う。そんな言葉には、さすがに喜八郎も苦笑しないではいられなかった。おれが偉い坊さんか。なんと的外れな形容だろう。おれの胸の中に渦巻く泥濘《でいねい》にも似たどろどろとした感情を見せることができたなら、熊手屋はいったいなんと言うだろうか。感想を聞いてみたい気がしたが、しかし今はそれどころではなかった。

「そんなことはどうでもいい。その錦絵がどうしたって言うんだ」

「ああ、うん。その三十六歌仙というのは、東京中の美女三十六人の姿を描いたものなんだけど、八つ裂き狐に殺された美女ふたりとも、どうやらその三十六人の中に入っていたらしいんだ」

「ほう」

それは興味深い話だった。八つ裂き狐がたまたま美しい女を狙っているから、三十六歌仙に選ばれている者が続いたのか。それとも三十六歌仙の女を順番に殺しているのか。真相はどちらなのだろうかと、喜八郎は激しく興味を惹かれた。

「じゃあ、今度の女もその中のひとりだったというわけか」

「どうやらそうらしいんだよ。まだはっきりしたことはわからないんだけどね。何しろ今度の女は、三十六歌仙の中でもただひとり、素性が伏せられていた女なんだよ」

「素性が伏せられていた？　それはどうしてだ」

「名前が表に出るのは何かと差し障りがあるんだろうと噂されていたんだけどな、今度の事件でようやくその理由がわかったよ。なんでもその謎の美女は、京から今上様《きんじょうさま》に随行してきた公家さんの娘だったらしいぜ」

「公家の娘か。なるほど。それだったら名前など出せるわけがないな」

「驚くのはまだ早いぜ。これは確かな話じゃないんだが、どうやらその娘さんは、この前あんたに芸を所望《しょもう》した女らしいぞ」

「なんだと！」

それまでは地べたに坐っていた喜八郎だが、驚愕のあまり思わず腰を浮かせてしまった。そんな喜八郎の反応に満足したのか、熊手屋はにやにやする。

「驚いたろう。おれも驚いたよ。見かけたばかりの人が手足を切り刻まれて殺されたなんてな、めったにあることじゃない」

「どうしてあの女だってわかるんだ。首はなかったんだろう」

たとえ首がなくても、脚さえ残っていればおれは見分けることができる。喜八郎は胸の内で考えたが、むろん言葉にはしない。やはり喜八郎以外にも、脚だけで女を識別できる者がいたのだろうか。

「あんな美しい女はめったにいるもんじゃないからな。この前のことがあってから、あれは誰だってこの界隈《かいわい》じゃずいぶん評判になってたんだぜ。あんた、知らなかったか」

「知らない」

いつも隣り合わせる熊手屋とこそ挨拶くらいは交わすが、基本的に喜八郎は境内に店を出している者たちと交流はない。こんなに長く他人と話すのは、久しくなかったことなのだ。

「それで、いろいろと噂が飛び交ってな。耳敏い奴が多いもんだから、あれが公家さんの娘だってことはいつの間にか知れ渡っていたんだ。そこにこの事件だろ。ああ、あの女かと、合点《がてん》が行ったたってわけだよ」

「そうだったのか……」

娘の素性が知れていたとは気づかなかった。どうやらここに店を出している他の者たちは皆知っていて、肝心の喜八郎だけが情報から取り残されていたようだ。あの女の噂ならば喜八郎の耳には真っ先に入ってきてもおかしくないのに、誰もそんなことは教えてくれなかった。話せば愛想のいいこの熊手屋も、それは同じだ。このときばかりは喜八郎も、自分の無愛想な態度を悔いた。平素から周囲と親しくしていたなら、こんな噂もすぐに聞こえてきただろうに。

だがいまさらそれを悔いても仕方がない。詳細を教えてもらっただけでもありがたかった。

「娘の名前はわかっているのか」

「ああ。藤下っていう偉い公家さんの娘で、名前は珠子っていうそうだぜ」

「珠子」

喜八郎はその響きを口の中で転がしてみた。なるほど、その名はあの美しい女にひどく似つかわしいような気がした。珠子珠子と、頭の中で幾度も繰り返してみる。喜八郎の脳裏には、女の美しい踝《くるぶし》が甦った。

「女の屋敷はどこなんだ」

喜八郎は特別な考えがあってそのことを尋ねたわけではない。だが「本郷だよ」という答えを聞いた瞬間、抑えがたい欲求が胸の底から立ち現れるのを自覚した。喜八郎はその禍々《まがまが》しい欲望に、戦慄と同時に陶酔を覚えた。

――あの女の脚が欲しい。

17

考えるべきことは山のようにあった。私は屋敷に帰り着くとすぐに自分の書斎に籠《こも》り、これまで得た情報を頭の中で並べてみた。事件の表層は非常に派手で、手がかりは多そうではあるが、果たしてそれを組み合わせて何かが浮かび上がるのか。真剣に検討してみる必要があった。

まず着目すべきは、殺された美女たちの繋がりだろう。美女たちは誰かから共通の恨みを買うようなことがあったのだろうか。もし逆恨みにしろ何にしろ、美女たち三人を憎んでいる者が見つかるなら、話は簡単だ。だが実際には、そうした人物の存在はまったく浮かび上がっていない。そもそも美女たちは、互いに面識すらなかったのだ。面識がない者同士に共通して抱く恨みとは、いったいなんなのか。

例えば、同性の嫉妬だとしたらどうだろう。三十六歌仙に選ばれなかった女が、そのことに憤って次々に美女たちを殺しているとしたら。私は男だから女の嫉妬がどの程度強いものか想像もつかないが、もし己の美しさに自信のある女が三十六歌仙から漏れたなら、選ばれた女を殺してやりたいほど憎むこともあり得そうな気はする。しかしただ憎むだけと、実際に殺して屍体を切り刻むような真似の間には、遥かな隔たりがあるはずだ。果たして女は、嫉妬だけであそこまで残虐なことができるだろうか。私は首を傾げざるを得ない。

　美女三人を結びつける糸は、今様美女三十六歌仙しかないのだろうか。もし本当に繋がりがそれだけだとしたら、下手人はなぜ娘たちを殺さなければならない？　錦絵に描かれることが、体を切り刻まれなければならないほどの罪とはとうてい思えない。美女三十六歌仙は娘たちを繋ぐ唯一の糸だとしても、それが殺意の原因になったとは考えにくい。

　そもそも、下手人はなぜ美女たちを殺すのだろう。体を切り刻むからにはよほどの恨みがあるに違いないと思っていたが、ただの怨恨などではないのかもしれない。どうしても切り刻まなければならない必然性があったとしたらどうか。その必然性がわかりさえすれば、下手人がどういう人間なのかも自然と判明するだろう。

　しかし、恨み以外の理由で屍体を切り刻まなければならないことなどあるだろうか。私はむろん人を殺したことはないが、それが多大な精神力を要する行為だということくらい想像がつく。ただ人を殺すだけでも負担なのに、その上屍体を切り刻むとなると、これは相当神経を蝕《むしば》まれる作業となるだろう。にもかかわらず屍体を切断するのは、よほどの切羽詰まった理由があると考えねばならない。

　果たしてその理由とは何か。しばし頭を捻ってみてもこれといったことは思いつけなかったが、かろうじて考えられるのは、下手人はどうしても美女の体の一部を欲していたのではないか、ということだ。例えば、下手人ないし下手人の身内が、業病を治すために人間の生き肝を必要としていたとしたら。

とはいえこの仮説にしても、腹を割いて臓物だけを持ち去るなら筋が通るものの、手や脚を蒐集《しゅうしゅう》する理由は説明できない。内臓ならともかく、人間の手足が薬になるなどという話は寡聞にして知らない。やはりこの仮説でも的を外していると考えざるを得ない。

私はだらしなく畳に寝そべり、文机の上に置いてある団扇に手を伸ばした。気づいてみれば、首筋からはだらだらと汗が流れていたのだ。暑い。私はせいぜいばたばたと団扇を動かして、涼を求めた。

扇いで風を起こすと、縺《もつ》れかけた思考がふたたび鮮明になった気がする。私は天井を仰いで、再度検証に挑んだ。

発想を根本的に変えてみよう。この事件は、常識に囚われていては真相など見抜けないかもしれない。異常な事件には異常な発想で。人非人になったつもりで、事件を見直してみるのだ。

巷《ちまた》では事件の下手人を八つ裂き狐と呼び、ほとんど妖怪であるかのように扱っている。これほど猟奇的な事件なのだから、そうした風評が出るのは当然のことだ。人によっては、完全に人外の者の仕業と思い込んでいることだろう。そうした捉え方も、あながち馬鹿にしたものでもないかもしれない。

妖怪下手人説を採る人たちは、八つ裂き狐は美女を食べているのだと言う。妖怪が美女を殺しているのならば、なるほどそうしたこともあるだろう。だがそれは、下手人が妖怪に限った場合の話だろうか。

むろん、人間が人間を喰らうなど、とうてい普通の神経でできることではない。しかし美女を切り刻んで捨てるような輩は、すでに通常の感覚など持ち合わせているわけがないのだ。異常な行為の源に異常な理由があったところで、決してそれは不可思議なことではない。むしろ当然ではないだろうか。

下手人は美女の肉を喰らっているのだ。そう私は仮定してみた。すると、取りあえず体の一部がなくなっている理由だけは説明がつく。なくなっているのは、つまり下手人が食べたからだ。美女それぞれでなくなっている体の部位が違うのも、どこが一番旨いか試しているからではないか？　食べきれなかった分を、稲荷社に捨てているのだろう。

おぞましい発想だったが、決して頭から捨て去るわけにもいかなかった。下手人以外の誰も、この仮説を否定することはできないはずだ。今のところ、この突拍子《とっぴょうし》もない推測と矛盾する事実は何もないのだから。

稲荷社に屍体の残りの部位を捨てるのは、やはり供養のつもりか。しかし供養にしても、稲荷社というのはどうにも間が抜けている。普通に考えるなら、やはり神社仏閣にて葬るものであろう。しかしこれも異常な者の発想であるなら、頷けないこともない。

美女ばかりを狙うのは、その方が美味だと下手人が考えているからか。これもまた、納得しがたい発想ではあるが理解できなくもない。下手人はおそらく、美女三十六歌仙を見て食べる相手を吟味しているのだろう。なまじ美しく生まれついてしまったことが、被害に遭った美女たちの悲劇であったというわけか。

もしこの推測が正しければ、これからも美女たちは殺され続けるだろう。下手人の腹は一時的に満足しても、またすぐに減ってしまう。そして下手人が空腹を覚えたときこそ、ひとりの美女が解体されてしまうときなのだ。これ以上犠牲になる人が増えるのは、なんとしても食い止めなければならなかった。

次に狙われるのは、おそらく三十六歌仙の中でも選りすぐりの美女である六人の、残り三人であろう。もし三人が八つ裂き狐事件と美女三十六歌仙の繋がりに気づいていなければ、注意を喚起しなければならない。怯える珠子に頼られながら、みすみす殺されるに任せてしまった私としては、せめて残りの三人を守るくらいしかできることはなかった。

とは言っても、私には美女三人と接触するすべなどない。一応錦絵にはどこの誰という名は書いてあるものの、それだけで相手を特定するのは骨が折れる。ここはひとつ、川辺警部の注意を促し、美女の身辺を警視庁で守ってもらうべきであろう。私はひとまず、そう結論づけた。

戻ってきたばかりでまた警視庁に向かう気力は、さすがになかった。そこで私は爺やを呼び、警視庁まで伝言を頼むことにした。声を上げて呼ぶと爺やはすぐにやってきて、廊下に控える。私は身を起こし、使いを頼んだ。

「かしこまりました」

爺やは眉ひと筋動かさず、頷く。いかにも堅物といったその表情を見て、私は少しいたずら心を起こした。

「ところで、爺。お前は今評判になっている今様美女三十六歌仙を知っているか」

「存じております」

意外な返事が返ってくる。まさかこの爺やが、そんな俗世間のことに通じているとは思わなかった。

「知ってるのか。爺もなかなか捨てたもんじゃないな」

「恐れ入ります」

真面目くさった顔で、爺は言う。私は爺を近くに呼び寄せて、さらに質問を向けた。

「爺は三十六人の中では、誰が一番いいと思う？」

「左様でございますな。爺めのような老いぼれが申すのも憚《はばか》りながら、美女の姿は多種多様、とてもひとりを挙げるなどできることではございません。ですがあえて幾人かを挙げるなら、やはり巷の評判どおり極上六歌仙の女がよろしいでしょうか。そのうち三人は、もったいないことに殺されてしまいましたが」

なんと爺やは、そんなことにまで通じていた。自分の身近にこれほどの情報通がいるとは、意外な発見だ。謹厳実直を絵に描いたような顔をしていて、なかなかどうして隅に置けない。爺やが美しい女に興味があるなど、二十数年間の付き合いになるが、まったく知らなかった。

「八つ裂き狐に殺された人が、皆三十六歌仙に選ばれていたってことまで知ってるのか。じゃあ、今日無惨な屍体で見つかった美女が、藤下家の娘だってことも聞いたか」

「聞き及んでおります。大変痛ましいことです」

「早いな。もう評判になっているのか。爺はどこでそんな話を仕入れたんだ？」

「出入りの行商の者が、そうした話を持って参ります。爺はその者らの話に耳を傾けているだけで、世の中の動きのたいていには通じることができます」

なるほど、それが情報源だったのか。確かに行商の者ならば、顔も広いだろう。いち早く情報を耳にするのも当然だ。私は少し欲が出てくる。

「さっきも言ったとおり、警視庁に美女たちの身辺警護を促そうかと思ってる。でもできるなら、ぼくが直接訪ねていって、気をつけるように忠告してやりたいんだ。まさかとは思うが、極上六歌仙の残り三人の身許なんて、爺は知らないよな」

「ひとりだけ、存じております」

「えっ？」

爺やはいったい、どこまで情報を隠しているのだろう。これまで私が知っていた爺はあくまでほんの一面に過ぎず、実は非常に世事に長《た》けた故老なのではないかという気がしてくる。私は初めて相まみえる人を前にしたかのような気分で、爺やの顔をまじまじと見直した。

「出入りの庭師が住む長屋に、大変美しい娘がいるそうで、それが極上六歌仙のひとりだということです。庭師は自分の手柄のように自慢しておりました」

「へえっ。それは大変な幸運だ。どこの長屋なんだい」

「大塚《おおつか》の観音長屋というところだそうです」

「観音長屋。そいつはまたずいぶんと縁起のいい名前の長屋だな」

「観音というのは、虱《しらみ》の俗称でございます。虱が湧くほど汚い長屋という意味で、惟親様が足をお踏み入れなさるような場所ではございません。そんな長屋には希有《けう》な美しさを持つ娘なので、もっぱら掃き溜めに鶴と評判をとっているそうでございますよ」

「虱が湧くような長屋、ねぇ」

どんな貧民窟なのかと後込《しりご》みする気持ちが立ったが、そんなことで怖じ気づくわけにはいかない。美女の所在がわかったからには、捨て置くことはできなかった。

「よし。じゃあ爺はすぐにも警視庁に向かってくれ。ぼくはこのまま大塚に行って、その美女に会ってみよう」

「どうしても行かれるのですか。あまりお勧めはしませんが」

「大丈夫だよ。いくら汚くても我慢するさ。その庭師の名前と、それから美女の名を教えてくれ」

「本当に行かれるんですか」

爺やはなおもぶつぶつ言ったが、こちらの質問には素直に答えてくれた。庭師は平兵衛《へいべえ》という四十絡みの男、美女はお美代《みよ》という下駄職人の娘だそうだった。それだけわかれば、探し当てるのは簡単だ。私は勇んで屋敷を後にした。

18

もう一度炎天下を歩き続ける気力はなかったため、俥《くるま》を摑まえて大塚まで走ってもらった。その道すがら、早くも珠子が殺されたことを報じていた読売がいたので、いったん俥を停めてそれを買い込む。紙面を見て真っ先に目に飛び込んでくるのは、《呪いの三十六歌仙》という扇情的な文字だった。

なるほど、ついにそんな異名まで付いてしまったか。私は嘆息した。もうここまで来ては、私の軽はずみな発言が原因とは思えない。遅かれ早かれ、誰かが八つ裂き狐と三十六歌仙の繋がりには気づいていただろう。そしてそこに曰く因縁を見いだすのは、人の性《さが》だ。こんな読売が売られるようになれば、春氷に姿絵を描かれた女たちも警戒するのではないか。私の心配も杞憂《きゆう》に終わるかもしれなかった。

むしろ私は、春氷の身が心配だった。こんな悪い風評が立ってしまえば、美女三十六歌仙そのものはこれまで以上に売れるであろうが、春氷に対しての風当たりは強くなるはずだ。無知な者は、春氷こそが八つ裂き狐と見做《みな》して、後ろ指を指すことだろう。春氷に姿を描かせてくれる女など今後は出てこないだろうから、美人画を描く絵師としてはもう終わりかもしれない。なんとも気の毒なことだ。

もちろん私は、呪いだの妖怪狐だのといった類の妄言《もうげん》は、まったく信じていない。どんなに残虐で、とても人間のしたこととは思えなくても、やはりそれは人間のしでかしたことなのだ。私は維新前夜の、京の町での動乱を知っている。人が人を大根のように斬り捨ててなんとも思わなかったあの時代は、つい数年前のことなのだ。平和を取り戻したかに見えるこの東京とて、実はただの幻想に過ぎず、ひと皮剝けば我々は屍の山の上に立っているのかもしれない。八つ裂き狐事件でさえ、幻想の綻《ほころ》びからこぼれ出た禍々《まがまが》しい日々の余韻に過ぎないのかもしれなかった。

つらつらそのようなことを考えながら俥に揺られるうちに、いつしか大塚界隈に踏み入っていた。俥曳きは観音長屋を知っているらしく、躊躇なく歩を運ぶ。徐々に家並みが猥雑な気配を増し始め、なるほどこれならば虱が湧いていても不思議ではないなと思える景色になってきた。

「ちょっとこれ以上は俥では入れないので、ここでいいですか」

長屋の入り口らしきところで、俥曳きは停止し、そのように言った。確かに長屋の路地は狭く、俥のままでは入れない。私はねぎらいの言葉をかけて、俥代を与えた。

私を降ろすと、俥は逃げ帰るように去っていった。そんなに急がなくてもいいだろうにと、訝しく思うほどの勢いだ。私はそんな俥曳きを見送ってから、改めて長屋を外から眺めた。

奥まったところに井戸が見え、その周囲を中年の女たちが囲み、なにやら談笑している。路地の両脇の家はみすぼらしくはあるが、さほど不潔な印象はない。私は特に恐れることなく、そのまま足を踏み入れた。

ふと、視線を感じたように思って横を向いた。すると、ぱたんと窓の戸が閉められる。まるで私の視界から逃れるかのようだ。馴染みのない男がやってきたことに興味を持って、覗いていたのだろうか。それにしても、何も慌てたように視線を避けなくてもいいだろうに。

取りあえずお美代の所在を確認しなければならない。それは井戸端の女たちに尋ねればすぐわかるだろうと見当をつけ、私は長屋を奥へと進んだ。

すると、突然左手の戸が開き、中から十くらいの男の子が飛び出してきた。思い切り私にぶつかり、「ごめんよ！」と詫びて長屋の外に走っていく。ぶつかられた私の腰は痛かったが、あっという間に去ってしまった子供を追いかけて文句を言うわけにもいかなかった。私は腰をさすりさすり、井戸端に辿り着いた。

「すみません。ちょっとお尋ねしたいことがあるんですけど」

声をかけるまでもなく、女たちは全員私に注目していた。品定めをするように、頭の先から爪先までじろじろと眺められる。それがひとりやふたりではなく、全員揃ってだから威圧感がある。私はかなりたじろぎながらも、女たちの顔を見渡した。

「何？」

髪が白くなった老婆が、一同を代表するように返事してくれた。私はそれに意を強くして、質問を続ける。

「こちらにお美代さんという方がいらっしゃると思うんですが、どちらにおいででしょう？」

「おいで」

私の言葉遣いがおかしかったのか、老婆はくすくす笑う。他の女たちもそれは同じだった。思いがけない反応に、私はむっとする。

「何か妙なことを言いましたか？」

「あんた、ずいぶんお上品だね。着ているものも上等だし、どこかのいいところのお坊ちゃんかい？」

　胸がスイカのように大きい肥えた女が、からかうように言う。謙遜《けんそん》すべきか開き直って認めるべきか迷っていると、そんな態度がさらに笑いを誘うのか、女たちはまたどっと沸いた。どうやら、この長屋の住人がとても上品とは言いかねる人たちだということがわかってきた。だからといって、ここで腹を立てて引き返すわけにもいかない。

「あの、お美代さんはこちらの長屋にいないんですか？」

　私は肥えた女のからかいは無視して、再度尋ねる。女たちはどうしたものかと思案するようにしばし黙ったが、やがて老婆が顎をしゃくった。

「そこだよ」

　右手奥の家を示す。そちらを振り返ると、確かに誰か在宅しているような気配があった。私は取りあえず礼を言い、逃げるようにその場を立ち去る。すると何がおかしかったか、また背後から女たちの笑い声が追ってきた。私はもう振り向きもしなかった。

　教えられた家の戸は開いていた。だが葦簀《よしず》が垂れていて、若い女が住む家にふさわしい配慮はある。最前のこともあるので、私はそうした気配りひとつを見ただけで、なにやらほっとするような気がした。この長屋全体が殺伐《さつばつ》としているわけではないと知り、安心したのだと思う。

「ごめんください」

私は葦簀越しに、中に話しかけた。すると、「はい」と女性にしては思いの外に低い声でいらえがある。お美代の母親が返事をしたのだろうかと、私は反射的に考えた。

「すみません。こちらにお美代さんという方がいらっしゃると聞きましたが――」

「ああ、あたしだよ」

思いがけないことに、返事の主がお美代当人だった。葦簀越しで相手の顔が見えなかったので母親と思い込んでしまったのだが、声は明らかに若い女のそれではなかった。お世辞にも、鈴を鳴らすようなとは言えない。どうやらこのお美代は、容姿は卓越していても難は声にありそうだった。

私は葦簀をよけて、中に一歩踏み入った。六畳一間のその家には、確かに若い女しかいない。しかもただの女ではない。往来を歩いていれば、すれ違う男が皆振り返るような、めったにお目にかかれない美女である。珠子に続いてこのお美代と、世の中には美しい女がいるものだなと、私は妙に感心する。

「なんの用よ」

お美代は珠子とは違い、猛々《たけだけ》しい美しさを備えていた。目は吊り気味で、頤《おとがい》にかけての線も鋭い。美しいには違いないが、なかなか剣呑《けんのん》な気配を孕《はら》んだ美しさだった。これではいくら美しくても、よほど度胸のある男しか寄ってこないのではないか。私は内心で余計な心配をした。

「お美代さん、ですね」

私が念のために確認すると、お美代は「そうだよ」とうるさそうに言う。だが私の訪問を煩わしく感じたにしては、お美代が何かをしていた様子もない。ただ畳に横坐りになり、いかにも鬱陶《うっとう》しそうに団扇で自分を扇いでいただけだ。暇ならば、少しくらいこちらの話を聞いてくれてもいいだろうにと、私は先ほどの腹立ちを引きずって考える。この暑いさなかにわざわざこんなところまでやってきたのは、私のためではなくお美代の身を心配したからなのだ。

「あんた、誰？」

お美代はいっこうにつんけんした態度を崩さない。私は自分の意気込みがだんだん馬鹿馬鹿しくなってきた。

「私は九条という者です。ここまでやってきた目的など、もうどうでもよくなる。先日八つ裂き狐に殺された珠子さんの知り合いです」

「八つ裂き狐」

お美代はただ私の言葉を繰り返すだけで、目立った反応を示さない。目を細め、いかにも胡散《う　さん》臭そうにこちらを眺める。私は土間に立ったまま、居心地の悪い気分を味わった。

「それがなんだってのさ。あたしになんの関係があんの？」

つんと顎を反らして、お美代は問い返してくる。なるほど、そんな表情は確かに愛らしい。もう少し殊勝な態度さえ見せれば、もっと魅力的になるだろうに。

「これまで八つ裂き狐に殺された女性三人は、いずれも今様美女三十六歌仙に姿を描かれていたんですよ。あなたも三十六歌仙のひとりでしょ。しかもただの美女じゃない。その中でもさらに美しいと言われる六人のひとりじゃないですか。もしかしたら次に狙われるのはあなたかもしれない。だから身の回りに注意するよう、警告するためにやってきたんですよ」

「そいつはどうもご親切に」

お美代は口ではそう言ったものの、ちっともありがたそうではない。それが証拠に、すぐにまた憎まれ口を叩いた。

「で、それがあんたになんの関係があるってんだい?」

「知り合いをみすみす殺されてしまったから、もうこれ以上犠牲者を出したくないんだよ。君の命を心配しているんだ。わからないかな」

「ふうん。あんた、ずいぶん奇特な人だね。長生きしないよ」

ばたばたと団扇を動かしながら、お美代はそんなことを言う。私はあまりの返事に、絶句してしまった。

「ぼくが長生きしようがしまいが、そんなことはどうだっていいんだよ。でももういい。真剣に心配しているのに、君がそんな態度ならもういいんだ。警告はしたからね。後で後悔しても知らないよ」

さすがに投げやりな気分になり、私はそう言い放った。そのまま葦簀をよけて、外に出ようとする。すると戸の辺りに先ほどの女たちが群がっていて、私を見ると蜘蛛《くも》の子を散らすように逃げていった。まったく、なんという長屋か。

「ちょっと待ってよ。悪かったよ。別に馬鹿にしたつもりじゃないんだ」

背後から、お美代の声が追ってきた。声だけでなく、自分自身も腰を上げて土間に降りてくる。私は先ほどのお返しとばかりに、お美代を頭から足までじろじろと眺め渡した。

お美代の着ているのは、いかにも安そうな絣《かすり》だった。だが何を着ていようと、生来の美しさは曇らない。むしろ、そのちぐはぐさがかえって人目を惹きつけるのではないか。私はそんなふうに観察した。

「八つ裂き狐のことは知ってたよ。わざわざ教えてもらうまでもなく、大評判さ。うるさいったらありゃしない。心配だのなんだの、いろいろかこつけて寄ってくる野郎が多くてさ。あんたもそういう馬鹿野郎かと思ったんだよ。まさか見ず知らずの人が、本気で心配してくれるとは思わないじゃないか」

怒んないでよ、と言いながらお美代は、団扇で私を扇ぐ。頭を冷やせという意味だろうか。そんな態度があまりに幼く見えたので、私も思わず苦笑してしまった。足場を突然失ったように、怒りが宙吊りになってしまう。

と同時に、お美代の説明で先ほどからの態度の意味も理解できた。井戸端の女たちも、私をお美代の不幸につけ込む下衆《げす》な男のひとりと思ったのだろう。誤解されたのは心外だったが、これを好機とお美代に近づいてくる男の気持ちはわからないでもなかった。先ほどはよほど勇気のある男しか寄ってこないのではないかと考えたばかりだが、世の中私が思うよりずっと向こう見ずな輩が多いらしい。

「でも、わかっているならもっと警戒していないと危ないじゃないか。こんな開けっ放しのところにいたら、いつ何時襲われるかわからないよ」

私は少し口調を和らげて、お美代の無防備さを指摘した。周囲には男もおらず、これでは殺してくれと言わんばかりではないか。

「そんなことないよ。ここにいるのが一番安全なんだ。だって、いきなり押し込んできてあたしを連れ去ろうとしたら、その辺にいる人たちが黙ってないよ。ひとりでどっかに引き籠っているより、ここにいた方がよっぽど心強いんだよ」

「でも、女の人しかいないじゃないか。あのおばさんたちだけで、君のことを守れるとは思えないけどな」

「大丈夫。この長屋は暇を持て余した野郎どもが大勢いるんだよ。なっ！」

最後は外に向かって呼びかけた声だった。すると、それに応えて長屋中の戸ががらがらと開く。中からは剣呑な気配の男たちがわらわらと溢れ出した。

「ほら」

お美代は得意そうに胸を反らした。男たちはゆっくり集まってきて、私とお美代を囲む。

ある者は坊主頭の悪相だったり、ある者は前歯が欠けた口をぱっくり開けていたり、ある者はもじゃもじゃの頭髪をかきむしってそこから何かをバラバラと落としたり、いかにも凄味がある。正直私は腰が引けたが、なるほどこれならばお美代の身も安全かもしれないと思い直した。なかなかどうして、ここは化け物みたいな奴らの巣窟だ。

「そんなわけでさ。せっかく親切で来てくれたみたいだけど、見てのとおり頼もしい奴らがいるんで、あたしは大丈夫なんだよ。どうせなら、他の女のところにも回ってあげな」

励ますつもりか、お美代はこちらの肩をぽんぽんと叩いた。それを見て男たちが、ひひひと笑う。どうしていいかわからず、私も取りあえず引きつった笑みを浮かべた。

「そ、そうしよう。でもぼくは、君以外に三十六歌仙に選ばれた女性を知らないんだ。他の女性について、何か知らないか？」

かろうじてその点を尋ねることができたのは、自分でも感心した。お美代はだが、「さあ」と首を傾げる。

「知らないなぁ。会ったこともないよ」

「春永の仕事場では一緒にならなかったのか」

「ならないね。あたしひとりだったから。そんなにいっぺんに何人も描けないだろ」

それはそうだ。私は納得する。それならば、後はやはり警視庁の働きに期待するしかないだろう。私ができることはここまでだ。

「ところで、君はどうして春永に姿を描かれることになったんだ?」

「金くれるって言うからさぁ。別に体売るわけじゃないし、いいよって引き受けたんだ」

「向こうから訪ねてきたんだね」

板橋のお菊の場合を思い出し、私は確認する。案の定、お美代はこくりと頷いた。

「そうだよ。けったいなおっさんだよな。わざわざこんなところまで来るんだから。あっ、そりゃあんたも同じじゃか」

失言をしたと思ったたか、お美代は舌を出してへへへと笑う。最初は印象が悪かったお美代だが、そんな素振りを見せられるとやはりかわいらしいと思う。八つ裂き狐にむざむざ殺させるわけにはいかないと、私は決意を新たにした。

「まあ、こんな頼もしい人たちが守っているとわかって、ぼくも安心したよ。それでも、絶対に油断するんじゃないよ。じゃあ、ぼくはこれで」

そう言い残し、家を後にしようとした。戸口を囲んでいた男たちは、こちらの動きに合わせて道を空けてくれる。左右に居並んだ男たちに頭を下げながら、そのまま帰ろうとした。

「ちょっと待って。せっかくだから、あんたにお礼をするよ」

ふたたびお美代の声が私を引き留める。お礼とはいったい何かと、私は振り向いてお美代の顔を見た。お美代も外に出てきて、「悠太《ゆうた》!」と声を張り上げた。

「出といで!　びた一文《いちもん》自分の懐に入れるんじゃないよ。全額耳を揃えてお返しするんだ！」

お美代が何を言っているのか、私には見当がつかなかった。だが周囲の男たちは、そんな私の反応が面白いのか、やはりにやにやとする。私ひとりだけが何もわかっていないようだ。

しばらくそのまま何も起こらなかったが、やがて男たちの後ろから子供が姿を見せた。先ほど私にぶつかって消えた男の子だ。これが悠太なのだろうか。

男の子は少しふてくされたような顔をして、両手を後ろに隠していた。お美代はそんな悠太を睨みつけ、「その顔はなんだい」と言う。

「なんか文句があんの？　あるんならはっきり言ってごらんよ」

「これはおれの稼ぎだよ。どうして返さなきゃならないのさ」

「この人のなりを見てみなよ。世間のことなんか何も知らないお坊ちゃんが、本当に親切心からこんなとこまで足を運んでくれたんだよ。失礼なことしたら罰が当たるからね」

「ちぇっ」

悠太は不満そうに足許の小石を蹴る。私は未だになんのことやらわからなかった。

「ほら、出しな。早く」

促されて、悠太はようやく手を前に出した。私はその手に握られている物を見て、思わず目を丸くする。それは私の財布だったのだ。

19

数寄屋橋《すきやばし》の警視庁に帰り着いても、川辺警部はそのまま落ち着くことなくすぐにまた出発した。先ほど九条から聞いたばかりの、今様美女三十六歌仙なる錦絵についての情報が気がかりだったのだ。もし本当に下手人がその錦絵に描かれている美女を順番に殺しているのなら、どこかで食い止めない限り三十六人もの死者を出すことになってしまう。すでに三人の犠牲者を出している今でさえ、警視庁の権威は失墜したも同然なのである。この上新たな死者を出すことだけは、なんとしても防がなければならなかった。

川辺は今回の事件を、警視庁への挑戦と考えている。死者がふたりになった時点で、警視庁は市中に厳重な警戒態勢を敷いていた。にもかかわらず下手人は、やすやすと三人目の美女を手に掛けた。警察の裏をまんまとかいたことで、下手人はほくそ笑んでいることだろう。それを思うと、川辺は抑えがたい苛立ちを覚える。

下手人はいったい、どんな輩《やから》なのだろうか。そして美女を次々に切り刻み、捨てるその目的は何か。川辺は巷間《こうかん》噂されているような、祟りだの妖怪だのといった世迷《よま》い言《ごと》には耳を貸さない。妖怪が出没して人を殺して回るなら、警察の仕事など無意味になってしまうのだ。

これはあくまで、妖怪の仕業に見せかけた人間の所行だ。残虐で冷酷ではあるが、ひとつひとつの事件は決して人間に不可能なことではない。祟《たた》りなどといった非文明的な妄説を持ち出した時点で、下手人の思う壺であろう。警視庁としては一刻も早く下手人を逮捕し、市民の蒙《もう》を啓《ひら》かなければならない。

単純に考えるなら、下手人は美女たちに恨みを持っていたと推測される。だが実際には、美女たちと共通の知り合いはひとりもおらず、殺したいほど三人の女を憎んでいる者はいくら捜しても見つからない。まして、屍体を切り刻まなければならない理由など、女たちの周囲にはひとつとしてありはしないのだ。下手人の目的すら見当がつかない状態では、すべては五里霧中も同然だった。

だからこそ川辺は、これは警視庁への挑戦ではないかと疑うのだ。結果的にそうなっているという意味ではない。下手人の狙いは、実は警視庁の権威失墜にこそあるのではないかと川辺は睨んでいる。

警視庁は前身の警保寮時代を含めても、設立されて未だ数年しか経っていない。東京の市民の中には、かつての奉行所の方が有能だったと考える者も少なくないだろう。特に薩長出身の士族が大勢を占めている現政府に不満を持つ旧幕臣などは、大事件が起きて警視庁が対応に苦慮している今の様子に喝采《かっさい》の声を上げているかもしれない。いや、上げていて当然なのだ。

かつて薩摩藩は、徳川幕府を混乱させるために、江戸市中に御用盗を放ったことがあった。略奪、殺戮を繰り返す御用盗を、江戸町奉行所はどうすることもできなかった。奉行所の信頼は地に落ち、幕府の治世の無力さを天下に知らしめるという薩摩の目的は充分に達せられたのだった。

あれと同じことを、幕府の残党が仕掛けてこないと誰が断言できよう。少し目端《めはし》の利く者であれば、絶対実行に移すはずだ。川辺は維新後に東京に出てきたので、御用盗のことはすべてが終わった後で知った。あの大西郷《だいさいごう》がそのような姑息《こそく》な真似をしたのかと、愕然としたものだった。そして同時に、報復を恐れた。自分ならば必ずやるはずと、反射的に確信したからだ。

だから川辺は、警視庁の警部の職を預かって以来、ずっとそれを案じてきたのだった。いつそれが起こってもおかしくないと覚悟を定め、日々治安維持に奔走してきた。そうした努力の甲斐もあってか、東京は維新騒ぎの傷跡も残さず、今や文明国の首都として恥ずかしくない町に変貌しつつある。だがそれは未だかりそめの姿に過ぎず、何かきっかけがありさえすれば脆《もろ》くも崩れ落ちる厚化粧に過ぎないのではないかという思いが、川辺の裡《うち》に抜き去りがたく存在する。何もかも忘れたように振る舞っている江戸以来の市民たちが、実は薩長出身者に対して深い恨みを抱いているのではないかという恐怖がある。小綺麗なこの町並みは、あくまで上辺《うわべ》だけの見せかけに過ぎないのだ。御用盗を始めとする多くのならず者たちが猖獗《しょうけつ》を極め、無惨に打ち捨てられた屍がそここに転がっていた血風の時代は、つい数年前のことでしかない。

これは〝江戸〟の逆襲なのだ。川辺は改めてそう思う。〝東京〟に浸食され歴史の彼方に消え去った〝江戸〟が、雌伏《しふく》の時を経て今ようやく牙を剝き始めたのだ。もし薩摩の地が遠方からの侵略者に平定され、その名まで変えられたとしたなら、おそらくそのまま服従することなどあり得ないだろう。何年何十年経とうと恨みは忘れず、いつか侵略者を打ち払うはずだ。薩摩でさえそうなのだから、この長い歴史を持つ町並みがこのままあっさり薩長の膝に屈するわけがない。川辺は固くそう思い込んでいる。

もちろんこんな考えは、誰にも話せることではなかった。薩摩は侵略者などではない、帝のご下隷《かれい》としてこの日本国の舵取《かじと》りを任されているのだ。かつての戦国時代のように、国と国との合戦併呑の末に天下を得たのとはわけが違う。薩摩出身の者ならば、皆口を揃えてそう主張するだろう。

もちろん川辺とて、東京を侵略したという意識は毛頭ない。あくまで徳川将軍は自主的に大政を奉還したのであり、江戸もまた話し合いによって無血開城された。決して武力によって旧勢力を追い落としたわけではないのだ。そのことはよくわかっている。

しかし、それはどこまで行っても薩摩の理屈でしかないことも、明敏な川辺には見えてしまっていた。地位を失い落魄《らくはく》して駿府《すんぷ》に下った幕臣はむろんのこと、徳川に今も愛着を覚え続ける市民たちの意識は、薩摩を侵略者と見做《みな》しているはずだ。そのことは、制服を着て小一時間も市中を歩けば、ありありと肌で感じることができる。決して川辺の考え過ぎなどではないのだ。

川辺の裡には、残虐な殺戮を繰り返す下手人に対する怒りと同時に、負債に追い立てられるような負い目もまた存在する。薩摩は維新以来、〝江戸〟に対して莫大な負債を背負ってきた。これはいつ取り立てられても文句の言える筋合いではない。できることは、言われるままに負債を払うか、あるいは開き直って踏み倒すかどちらかしかないのだ。そして川辺は、警視庁の警部である限り負債を払うわけにはいかない。あくまで強者としての理屈を押し通し、負債など踏み倒さなければならない。それが川辺に、引け目を覚えさせる。

八つ裂き狐なる異名をとっている下手人は、なんとしても逮捕せねばならない。その決意は、警視庁の人間である限り動くことはない。だがこの事件の下手人を捕まえたところで、すぐに第二第三の八つ裂き狐が現れるのではないだろうか。薩摩と〝江戸〟のどちらかが消え去るまで続く、これは長い長い鼬《いたち》ごっこの始まりだ。川辺はそんな危惧を抱いてしまう。

自分が弱気になっていることを、川辺は自覚する。これではいけない。こんなことで警視庁の警部が務まるものか。川辺は一度激しく首を振り、己の弱気を振り払った。考えるべきことは、下手人逮捕のことだけでいい。現場の者は難しいことを考えすぎてはいけない。そう自戒する。

まず手を着けるべきは、殺された女たちを結ぶ唯一の糸である美女三十六歌仙だ。女たちに共通の知り合いはいないと目されているが、実はそれにも例外がある。女たちの姿絵を描いた鈴木春永こそ、紛れもなく殺された女全員と面識のある者ではないか。もしかしたら春永こそ、この事件を引き起こした張本人かもしれない。

むろん、川辺はそこまで短絡的に考えているわけではなかった。自分の描いた姿絵に沿って女たちを殺し続ければ、誰よりもまず真っ先に疑われてしまう。そんなこともわからないほど春永が愚かであれば、いっそ話は早いのだが、川辺にそんな楽観はない。春永が何も知らない公算の方が、遥かに大きいだろう。

それでも川辺は、春永に会わずに済ますことはできなかった。捜査はできることからひとつひとつ片づけていかなければならない。手繰《たぐ》るべき糸が美女三十六歌仙しかないのであれば、いくらその先に何もないことがわかっていようと、手繰らないわけにはいかないのだ。

川辺は無言で腕を組み、ただ馬車に揺られる。

数寄屋橋から京橋までならば、歩いたところでさして時間はかからない。まして馬車ならば、あっという間のことだ。御者《ぎょしゃ》はうまく細い道を通り抜け、春永の仕事場近くまで寄せた。だがある地点から、馬車ではとても進めなくなってしまった。大勢の人が群がっていて、通るに通れなかったからだ。

「どけ！　こら！　警視庁の警部様が通るぞ！」

御者は大声を張り上げるが、いっこうに埒《らち》が明く様子もない。川辺が小窓を開けて外を見てみると、人々は動こうという気持ちを見せているものの、奥の方にはそれが伝わらずにどうにもならない様子が窺えた。いったいこれはなんの人だかりかと、川辺は御者に問いかけた。

「へえ、どうやら目指していた絵師の仕事場に群がっている野次馬のようです」

「野次馬？　覗いて何が見えるというんだ。女の絵でも描いているのか」

川辺の質問を受けて、御者が手近な者に話しかける。しばし会話が続いて、御者が川辺に答えた。

「別に何も見えないそうですが、《呪いの三十六歌仙》などという評判が立って、それで物珍しさから人が集まっているようです」

「《呪いの三十六歌仙》だと。馬鹿馬鹿しい」

案の定、望ましからぬ風評が立っているようだ。川辺は吐き捨てて、腰を浮かせた。

「降りるぞ。これでは日が暮れても辿り着けん」

同乗している巡査ふたりに声をかけて、川辺は先に降り立った。髭を生やした川辺の風貌に威圧されたか、野次馬たちはじりじりと後ずさる。川辺はそんな様子はまったく意に介さず、巡査を引き連れて人々の群がる中に歩を進めた。野次馬たちは互いに押し合いながら、川辺のために道を空ける。

警視庁の制服がものを言い、さして苦労することなく仕事場の入り口に辿り着くことができた。「ご免」とひと声発し、返事も待たず戸に手をかける。心張り棒が支《か》ってあるかと予想したが、案に相違して戸は抵抗なく開いた。

「警視庁の者だ。少々尋ねたいことがある。誰かおらぬか」

入ってすぐの広い板の間には、誰の姿もなかった。絵を描くときに使うらしき道具が、乱雑に散らかっている。なんとなく荒廃した印象があるのは、表の騒ぎのせいだろうか。これが今をときめく高名な絵師の仕事場とは、少々違和感があった。

しばらく三和土《たたき》に立ったまま待っていると、奥からごそごそと人の動く気配が感じられた。やがてがらりと戸が開き、四十絡みの中年の男が姿を見せる。男は川辺の制服姿を見ると、萎縮《いしゅく》したように跪《ひざまず》き、手を床に着いた。

「お前が鈴木春永か」

「へえ、左様でございます」

男は頭を下げたまま答える。川辺はひとつ頷いて、靴を脱ぎ板の間に上がった。付き従う巡査ふたりも、それに続く。

「これは取り調べではない。そんなに畏《かしこ》まることはない。こちらに来て、少し話を聞かせて欲しい」

「へえ」

春永は頷いたものの、なかなか顔を上げようとしなかった。しばし逡巡した末に、身を屈めたまま膝で躙《にじ》り寄ってくる。美人絵を描く絵師などというから、よほどりゅうとした色男なのではないかと想像していたが、それはどうやら完全に的を失していたようだ。どちらかというと春永は貧相な体格で、小男といってもいい。顔は猿に似ていて、今春信というより今秀吉《ひでよし》だ。川辺は渋面のまま、相手のそんな容姿を見て取った。

「お前が今様美女三十六歌仙なるものの作者だな」

「左様でございます」

春永はこのまま連行されることを覚悟しているのか、あくまで平伏したまま応じる。これだけの騒ぎになってしまえば、徳川の治世下であれば風紀紊乱《びんらん》の廉《かど》でお縄になっているだろう。だが今は、文明開化の世だ。そんな野蛮なことはできないし、川辺の矜持も許さない。あくまで川辺は、事件解決の一助として春永に質問を向けているに過ぎないのだ。

とはいえ、眼前の怯えた男にそれを伝えるのは難しい。このまま質問を畳みかけるより他に、話を進めるすべはなさそうだった。

「お前に姿を描かれた女が、次々と残虐に殺されていることは知っているか」

「噂で、それは」

声が小さくなる。いよいよ質問が自分にとって不都合な方向に向かい始めたと、身を竦《すく》める思いなのだろう。恐れる気持ちはわからなくもないが、どうやらかなり小心者のようだ。

こんな臆病な小男が、東京中で評判をとるほどの美しい錦絵を描くのだから、人の才とはわからないものだ。

「なぜだと思う?」

川辺は直截《ちょくせつ》に尋ねた。春永に理由の心当たりがあるのなら、是が非でも聞かせてもらわねばならない。春永は今のところ、最も犯人に近い人間かもしれないのだ。些細《ささい》なことでもかまわないから、何か捜査の手がかりになることを教えて欲しかった。

だが春永は、「さあ」と首を傾げるだけで、いっこうに歯切れのよい返事を寄越《よこ》さない。

「あたしは血腥いことにはとんと縁のないただの絵師でして、なぜと尋ねられましてもこちらの方が伺いたいくらいで……」

「考えてみろ。お前にしかわからないことがあるのではないか」

突き放すように言うと、春永はしばし思案しているような顔はする。だが実際には、ひたすら神妙にしてこちらの怒りを買わないよう汲々《きゅうきゅう》としているだけではないかと思える。川辺は難しい顔をして、眼前の小男を睨み続けた。

「いやぁ、でも改めて考えてみましても、やはりどうしてなのかさっぱりわからない始末でございます。あたしとしましても、こんな大それたことが起きるとはまったく思わなかったものですから、ただひたすら仰天しているような状態で」

「お前が美人絵など描かなければ、こんな事件は起きなかったとは思わないか」

聞いても詮《せん》ないとはわかっていつつ、のらりくらりとした小男の答弁を聞いているとつい
そんな咎《とが》め立てめいたことを口にしてしまう。言いがかりだということは自覚している。だが存外、それは真実なのではないかという気もする。もちろん春水の筆が美女たちの命を吸い取ったなどと主張するわけではないが。

「あたしがいけないんでございましょうか」

逆に春水は、憐れみを乞うように問い返してきた。川辺としては、確たる証拠もなく「そうだ」とは言えない。言葉に詰まり、もう一度角度を変えて質問する。

「世間では、お前の描いた錦絵を《呪いの三十六歌仙》などと言っているらしいぞ。そんなふうに言われて、腹が立たないのか。下手人を挙げられない限り、ずっとそのように言われ続けるのだぞ」

「もちろん、心外でございます。あたしが描いたのはただの錦絵。呪いも恨みもいっさい込めてはおりません。ただ美しい女の姿を、美しいままに筆に乗せたかっただけのことで、それがどうしてこんなことになってしまったのやら……」

「あくまで見当もつかないと言うのだな。ではそれについてはよい。ところでお前は、どうして美女三十六人を選び出したのだ」

とぼけているわけではなく本当に途方に暮れているらしいことはわかるので、川辺も諦めた。事件のことはここまでにして、錦絵の成り立ちについて確認する。

「それはただ、春信の美女三十六歌仙にあやかったまでで」

「それはわかる。そうではなく、三十六人の美女をどうやって選んだのかと尋ねているのだ」

「ああ、それはでございますね」ようやく話題が自分の日常に戻ってきたせいか、先ほどまでよりは多少得意げな調子が口振りに混じる。「もともとこの話は版元から出たことでして、版元の方が東京で評判の美女を何人か選び出したのでございます。そうした美女の許にあたしが自分で足を運んで、選びました。その他に、あたし自身が見初《みそ》めて口説き落とした女もおります」

「三十六人は、すんなり選び出せたのか。描いている途中でもっと美しい女が見つかり、差し替えたなどということはないのか」

「いえ、残念ながらそんな嬉しい悲鳴を上げるようなことはございませんでした。三十六人の美女を揃えるだけでもなかなか難儀でして、最後のふたりは多少迷ったほどです。世の中、そうそう美しい女などいないということでございますよ」

「そんなものなのか。では版元から紹介されても、お前の眼鏡に適《かな》わなくて選ばれなかった女もいるわけだな」

「それはまあ、大勢おりました。春信の美女三十六歌仙を再現しようというのですから、なまなかな美女を選ぶわけには参りません」

「すると、選ばれなかった女が、選ばれた女に嫉妬することもあり得るわけだ」

「えっ？　とおっしゃいますと、下手人は選ばれなかった女だと……？」

「美女たちに恨みを持つ者がいないか、それを探っているのだ。お前の話を聞いて、恨みを持ってもおかしくない者が少なからずいることがわかった」

「しかし、女たちは手足を切断されていたと聞きますが。たかが女の嫉妬で、そこまでできるものでございましょうか」

「知らん。女のことはお前の方が詳しいだろう。三十六歌仙に選ばれなかったというだけでは、あんな残虐なことはしないか」

「どうでしょう」春永は考えあぐむように首を傾げる。「確かに女の嫉妬とは、思いもかけず激しく根深いものでございます。しかし俗に男の嫉妬の方が恐ろしいと申しますように、女はあれで割り切りがよい面もございます。男を寝取られたとかいうことであればともかくも、姿絵を描かれなかったというだけでああも残酷なことができますでしょうか。はなはだ疑問ではございますが」

「なるほど、そうか」

川辺は頷いたものの、しかしこの線はもう少し調べてみる必要があるなと心の中で留意した。己の容姿に強い自信を持っていた女ならば、三十六歌仙に選ばれなかったことは傍《はた》が思うより屈辱かもしれない。それが死にも勝る屈辱であるなら、何をしでかしたとておかしくないだろう。女の気持ちはわからない。わからないからこそ、調べてみる必要があるのだった。

「で、ひとり目を描いてから、三十六人全員分を完成させるまで、時間はどれくらいかかったんだ」

「そうですねぇ。一年ほどでしょうか」

「一年か」

「あたしはけっこう筆が早いですし、版元に急《せ》かされたってこともありますのでね。普通なら、二年や三年は軽くかかる仕事でしょう」

春永の言葉はいかにも自慢げであった。こんな事態に至ってもなお、絵師にとって己の仕事は誇らしいものなのだろう。川辺には理解しにくい感覚だった。

それよりも大事なのは、着手から完成までに一年という長い月日が流れていることだ。もし選ばれなかったことへの怒りが事件を引き起こしたのであれば、それは最近のことでなければならない。一年も前の恨みを、今になって突然晴らし始めるとは思えないからだ。完成間近に、選ばれかけて結局選に漏れた女は、果たしてどれほどいるのか。

「では、お前が選ばなかった女の名前をすべて教えてもらおうか。遺漏《いろう》なく、全員だ」

「全員でございますか。それは無理というものでございます。申し上げましたように、いちいち憶えていられないほど大勢の女に会いましたから」

「無理などではなかろう。実際にお前が足を運んで、ひとりひとりに会ったのだろ。思い出せ。そして紙に書いて提出しろ」

「しょ、少々お待ちください」

春永はあたふたと腰を上げると、ふたたび奥へと戻っていった。別の部屋でなにやら長い間言葉を交わす。この仕事場には春永しかいないのかと思っていたが、どうやら他にも人がいたようだ。誰なのだと訝《いぶか》ったが、川辺の坐るところからは床に延べてある布団の端しか見えなかった。

苛立ちを覚えるほど待たされた挙《あ》げ句《く》、ようやく春永は戻ってきた。手には字を認《したた》めた紙を持っている。もうひとりの者と記憶を付け合わせ、一覧を作っていたようだ。

「これがすべてでございます。遺漏はないかと思います」

春永が差し出した紙を受け取り、目を通す。そこにはどこそこの誰という表記形式で、ずらずらと女の名が並んでいた。ざっと数えたところ、四十人近くはいそうである。三十六人を選び出すのに、その倍以上の女と面会していたというわけか。仕事とはいえ、熱の籠ったことだ。川辺は密かに感心する。

「これは、会いに行った順番か?」

「左様で。最初の方ほど、古いことになります」

ではこの一覧の後ろから当たっていけばいいわけだな。これはいいものを作らせた。川辺は紙を丁寧に折り畳み、懐に入れた。

「手間をかけさせたな。これはもらっておく。他に何か思い出したことがあったら、即刻警視庁まで報告するのだ。よいな」

「へえ。承知しました」

これで尋問も終わりだということを察したのか、春永はふたたび平伏した。立ち上がりかけて、川辺は最後に尋ねた。

「奥にいる者は誰だ。お前の妻女か」

「いいえ、あたしに妻などとんでもない。女とは目で愛《め》でるもの。所帯など持ちたいとは思いませぬ」

「では誰なんだ」

「弟子でございます」

「弟子だと。弟子の分際《ぶんざい》で、客の応対を師匠に任せ、自分は寝ているのか」

「なにやら先日から高熱を発しておりまして、流行《はやり》病やもしれませぬからそのまま寝かせてあります。ご挨拶もさせませなんだこと、まことに申し訳ございません。これ、春朝、春朝」

「よいよい。病で臥せっている者を起こす必要はない。では、その弟子にも思い出したことがあったら報せるよう、言い聞かせておくのだぞ。邪魔をした」

川辺は言って、三和土に降り靴を履いた。春永は小柄な体をさらに縮こまらせ、「ご苦労様でございます」と低頭した。

20

珠子の通夜は、手足が発見されたその日に執り行われた。体すべてが見つかるまで葬儀は待つべきではないかという意見も親戚から上がったらしいが、珠子の死自体は動かしがたい事実であるし、何より埋葬しないことには手足も腐る。そこで、通常どおりに葬儀を済ませ、後で首と胴体が見つかったなら改めて埋葬し直すことにしたようだ。遺体すべてが揃わぬうちに死者を送るのは、残された者たちにとってさぞや後ろ髪を引かれる思いであろう。私は実基を始めとする家族の皆に、強い同情の念を覚えた。

藤下家はその名のとおり遡れば藤原《ふじわら》氏に連なる、いわゆる三十六藤のひとつである。我が九条家がそうであるように、ひとたび事が起これば多くの親類縁者が集まってくる。だから通夜といえども私などが手を貸す必要などないことはわかっていた。早く押しかけてもいたずらに面倒をかけるだけである。そのため私は、なるべく遅い時間に通夜に列席した。私が俥で到着したときには、そのような次第で弔問客もほとんどいなくなっていた。帰りがけの客と表門ですれ違っただけで、後に続く人もいない。私は藤下家の下男に導かれるまに、祭壇を設置してある大広間まで進んだ。僧の読経もとうに終わっているらしく、屋敷の中は静まり返っている。

大広間には、実基と両親、そして顔だけは知っている藤下家の親戚が数人いた。私が挨拶をすると、皆いっせいに低頭する。その表情は一様に沈鬱で、それを見ただけでこちらも胸が痛んだ。珠子のあまりに早すぎる夭折《ようせつ》が、今後藤下家に暗い翳を落とし続けることは間違いなかった。

私は身を屈めて祭壇の前まで行き、焼香を済ませた。そして遺族に頭を下げ、そのまま座敷を出ようとした。とても声をかけられる雰囲気ではないと考えたからだ。

ところが、思いがけないことに実基の方から私に話しかけてきた。少し話がしたいと言う。通夜もそろそろ終わりにする頃合いだろうから、私も承知して実基とともに座敷を出た。実基は私を、別の部屋へと連れていく。

「久しぶりに会ったというのに、結局迷惑ばかりかけてしまったな。本当に申し訳ない」

小部屋に落ち着くなり、実基はそんなふうに言って頭を下げた。私は首を振り、実基の言葉に応える。

「こちらこそ、珠子さんから不安を訴えられていたのに、助けることができなかった。なんと詫びたらいいのかわからない」

「詫びてもらう必要などない。そなたができるだけのことをしてくれたのはわかっている。自分で危険を感じていながら、無防備に出歩いたりした珠子がいけないのだ。そんな馬鹿な奴とは思わなかった。父上も私も、珠子の無思慮には腹を立てている」

妹を喪ったばかりで混乱しているからだろうが、実基は心底苛立っているようにそう言った。私は今朝の神社でのひと幕を思い出す。あのとき実基は、珠子の死を秘匿しなければならないなどと口走っていた。実際にはそんなことなど不可能で、現にこうして通夜を執り行っているわけだ。それでもやはり、珠子の死を藤下家の恥と感じているのは変わらないようだった。

私も公家の家に生まれついた者である。そうした感覚をまったく理解しないわけではない。この種の反応は、幼い頃からいやというほど目の当たりにしてきたからだ。

つい先日にも、公家の出の女が亭主を殺した後で己の喉を突き、果てたという事件があった。その理由がいかにも不可解なので、しばし巷《ちまた》で評判になったものである。おそらく町人にしてみれば、亭主を殺した妻女の気持ちは理解を絶していただろう。何しろ妻女は、知人に亭主の出自を馬鹿にされたというそれだけのことで、連れ合いを殺して己も自害したのだから。

亭主の身分は、一介の紺屋《こうや》に過ぎなかった。公家の女が町人の許に嫁ぐのは、四民平等の世といえどもかなり珍しい。当然そこには様々な葛藤があり、うんざりするほどの障害があったことだろう。それを乗り切って添い遂げたのだから、互いを思う気持ちはよほど強かったに違いない。

にもかかわらず妻女は、亭主の出自を馬鹿にされたことに耐えられなかった。亭主が紺屋に生まれついた町人であり、家格を云々するのが笑い話でしかないことくらい、妻女とて祝言を挙げる前から承知していたはずである。それなのに妻女は、ただ身分を嗤《わら》われただけで無理心中を図るという暴挙に出た。人は妻女の行動を、愚かと罵った。殺された亭主を憐れむ声は上がっても、妻女の心情を察する者はひとりとして存在しなかった。町人はもちろんのこと、士族の者すら首を傾げて当惑を示した。

だが公家の家に生まれた人間ならば、妻女のとった行動はなんら不思議に思わないはずだった。理屈ではない。公家にとって恥辱とは、死にも勝る耐えがたいことなのである。家族よりも、己の命よりも、名をこそ惜しむ。それが、公家の発想なのだ。実基の考え方は、私にとってうんざりするほど当たり前のことだった。

しかしそれでも、私の耳には実基の言葉が無慈悲に響く。身内を喪った悲しみよりも先に、家の体面の方が先に立つとはいかにも無情だ。私は珠子を憐れに思った。

「珠子さんの気持ちはよくわかるんだ。誰よりも辛い思いをしたのは珠子さんのはずだ。そんな責めるようなことは、どうか言わないでくれないか」

私はよけいなこととは思いつつ、そのように言わずにはいられなかった。町中を出歩きたいという欲求は、私も日々感じていることだ。それを軽率と咎められては、こちらも立つ瀬がない。確かに無防備だとは思うものの、私は珠子の気持ちを我が事のように理解することができた。

「珠子は万事に不作法な女だった。自分がどのような家に生まれたのか、まったく理解していなかった。だから錦絵などという下賤なものに姿を描かれるような真似をしでかしたのだし、ひいてはこのような事件に巻き込まれて天下に恥を曝すことになったのだ。珠子は藤下家の体面を汚してくれた。私も父上も、絶対に珠子を許さない」

「どうしてそんなことを言うんだ。死んだ人をいまさら責めて何になる。それにこう言ってはなんだが、今の時代に家の体面だの格式だの、そんなことにどんな意味があるというんだ。ご一新がなければ、藤下家も九条家も着る物にさえ困る貧乏公家だったじゃないか。格式などを口にしても、片腹痛いだけだぞ」

「何を言うんだ!」

思いがけず実基は大声を張り上げた。眦《まなじり》を吊り上げ顔を紅潮させ、強く握った拳をぶるぶると震わせている。私の言葉が必要以上に実基を刺激してしまったようだ。しまった、と内心で後悔したが、もはや手遅れだった。

「それが公家の血を引く者の口にする言葉か。そなた、九条家の者として恥ずかしくないのか。片腹痛いだと。誰が嗤うというのか。藤下を嗤う者など、この私が許さない。確かに藤下は貧困に喘いでいた。それは否定しようのない事実だ。だがだからといって、格式までは失っていなかったぞ。貧乏だからこそ、家名が何よりも大事だったんだ。体面を失って、何が公家か。矜持を失って、何が公家か。我々公家は、たとえ実権を武家に握られようと、誇りだけは失わずに生きてきたのだ。誇りを胸に抱いているからこそ、長い間の忍従生活にも耐えられた。耐え忍んだ長い日々があるからこそ、今のようにふたたび政《まつりごと》の表に出ていくときを迎えることができたのだ。そうしたことをそなたは、まったくわかっていないのか。それほど愚かだったのか」

激烈な実基の言葉は、かつて私の怠惰を糾弾《きゅうだん》したときの調子とまったく同じだった。声を張り上げたくらいではとうてい収まらない激烈な怒りが、胸の内で渦巻いているのだろう。実基にとって公家としての誇りは、何物にも代えがたい至高のものなのだ。それを否定されれば、存在自体を否定されたも同然と捉える。そんなことは自明だったはずなのに、私はうっかりと禁を犯してしまった。自分の迂闊《うかつ》さに舌打ちしたくなる。

「ちょっと言葉が過ぎたようだ。言いたかったのは、珠子さんをあまり責めないで欲しいということなんだ。かわいそうじゃないか」

「いや、そなたは聞き捨てならないことを言った。そなたは以前からそうだった。九条家に生まれたという誇りなど毛頭なく、父上や兄上たちを困らせてきた。どうしてそなたはそうなんだ。先祖たちが築いてきた多くのものを、どうしてあっさりと否定できる。私にはそなたの考えることがまったく理解できない」

それはそうだろう。私は言葉に出さず皮肉に答える。実基は藤下家のたったひとりの男子だ。跡を継ぐことは生まれたときから決まっていて、それこそ下にも置かず大切に育てられた。対照的に私は、存在自体がお荷物になる三男坊である。時代が変わったから息をつけるものの、かつてのままであれば養子縁組の相手を探すために父上は奔走しなければならなかったことだろう。長男次男ならいざ知らず、三男などただの穀潰《ごくつぶ》しに過ぎないのだ。そんな自分の立場を自覚しながら、どうして公家としての矜持など持てるだろう。私と実基では、決定的に背負うものが違うのだ。

だがそれを指摘したところで、実基が納得するわけもなかった。しょせん価値観が違うのだ。私は実基が口にする体面などには、毛ほどの価値も見いださない。そして実基は、私が抱えざるを得なかった鬱屈《うっくつ》など何年経っても理解しないだろう。このことについて話し合うのは、ただ互いの徒労感を深くするだけのことだった。

「悪かった。このとおり謝るよ。でもひとつだけ言わせて欲しい。珠子さんが無惨に殺されたからといって、世間の人は誰ひとり嗤ってなどいないよ。それだけは理解して欲しい」

「だからそなたはわかっていないと言うのだ。そなたと珠子は同類だ。公家の娘が錦絵などに姿を描かれ、挙げ句下賤の者たちと同じように殺されれば、それだけで大いなる恥辱なのだよ。世間の者がどう感じるかなど問題ではない。公家としての矜持が、珠子の軽率さを許さないのだ。そなたにはわからないだろうが」

「わからないな。わかりたいとも思わない。ぼくはそういう窮屈な考え方が嫌いなんだ。四民平等、大いにけっこう。未だに武家だの公家だの、そんな意味のないことにこだわる方がおかしいんだ。どうして公家の娘が殺されたら恥なんだ。悪いのは殺した奴で、殺された者にはなんの罪もないだろう。君の理屈はさっぱり理解できない」

「そんな言葉を、他の人間ならいざ知らず、九条家の男子から聞かされるとは本当に驚きだ。そなたの父上が嘆かれるのも無理はない。九条家の三男は親兄弟に似ず不出来な息子だと、世間で言われているのを知らないのか」

「世間が言っているんじゃない。無意味な出自にこだわっている公家の間でのことだろう。ぼくは元武家の人とも、町人とも農民とも親しく付き合っている。京の町しか知らないで育った自分が、どんなに世間知らずだったか教えてもらった。公家などという家柄から解放されて、本当によかったと思っているよ」

「帰ってくれ。そんな話がしたかったわけじゃないんだ。不愉快極まりない。もう二度と会いたくないから、そちらもそのつもりでいてくれ」

「残念だが仕方がない。いずれぼくの言っていることを理解して欲しいと思うよ。君の考えは古すぎる。開化の世には、害悪以外の何物でもないんだ」

「帰れ」

実基は短く言い放つだけだった。私は故人を偲ぶためにやってきたのに、こんな言葉を投げつけられて引き上げることが残念でならなかった。しかしこれは、迎えるべくして迎えた決裂なのだろう。本来ならば、七年前に終わっていた我々の関係なのだ。今改めて、互いに終焉《しゅうえん》を再確認したに過ぎない。

「珠子さんを殺した奴は、警視庁が必ず捕まえてくれる。そのためには、ぼくも協力を厭《いと》わないつもりだ。死んでなお悪《あ》し様《ざま》に言われてしまう珠子さんが、あまりに憐れだからね」

立ち上がりながら最後にこちらの所信を告げたが、実基は顔を背けたまま応じようとしなかった。私は索漠としたものを胸に抱えながら、藤下家を後にした。

21

喜八郎が本郷の藤下邸のそばまでやってきたのには、確たる理由があるわけではなかった。どうにも長屋で燻《くすぶ》っている気分になれず、傘の山から逃れたくて外に飛び出し、気づいてみれば足が本郷界隈に向いていたのだった。しかし自分が無意識のうちに本郷に向かっていたことに気づくと、喜八郎は昼間耳にした話をはっきりと思い出した。そして、瞬時に気持ちを定めた。

藤下邸の所在は、尋ね歩くまでもなくすぐにわかった。夜だというのに、皓々《こうこう》と明かりが灯っている屋敷があったからだ。殺された娘の通夜をやっているのだろう。まれに通りを急ぐ駕籠や俥があるかと思うと、それらはすべて明かりの方角を目指していた。

恐る恐る屋敷に近づいてみると、表門には赤々と篝火《かがりび》が焚かれていた。駕籠や俥から降りた人々は、門の中に続々と飲まれていく。遠目に見ただけでも、弔問客たちの身分が相当高いことが窺えた。着ている物、物腰、秘めやかに交わされる会話、すべてが上流階級の香りを漂わせる。喜八郎は落ちぶれ果てた我が身を省み、密かに歯噛みした。

表門の斜め前には、大きな銀杏《いちょう》の木があった。根元には古ぼけて輪郭も定かでなくなった石地蔵がある。喜八郎はその石地蔵を踏み台にして、銀杏の木に登った。太い枝を跨《また》ぐように坐ると、青々とした葉がちょうど体を隠してくれる。そしてその間から、塀の中を覗くことができた。

敷地内は、人の出入りこそ多かったものの、慌ただしい雰囲気はなかった。むしろ無惨な死を迎えた若い娘を悼《いた》むかのように、沈鬱《ちんうつ》な気配に支配されている。忙しく走り回っている者などひとりもおらず、誰もが物静かに屋敷の中へと入り、出ていった。

喜八郎はしばらく木の上からそうした様子を眺めていたが、何ひとつ興味を惹くことは起きなかった。やがて弔問客の姿もまばらになり、絶えた。どうやら通夜も終わりのようだ。屋敷の明かりが消え始めたのを見て、喜八郎も木を下りた。

そのまま真っ直ぐ長屋に帰り着くと、すでに老母は寝ていた。貼り終えた傘はさすがに閉じられ、部屋の隅に積み上げられている。それに嫌悪の一瞥をくれて、喜八郎は煎餅《せんべい》布団に潜り込んだ。胸の内には埋み火《うずび》のような高ぶりが潜んでいた。

明くる朝は、大道芸で日銭を稼ぐ気もなくなっていた。もの言いたげな母を残して早々に長屋を飛び出し、ふたたび本郷に向かう。昨日と同じ銀杏の木に飛びつき、また屋敷の中を眺め続けた。

今日は本葬が執り行われるだけあって、昨日よりも遥かに弔問客の数は多かった。昨夜は見られなかった女子供も散見される。若い女の姿が多いのは、やはり故人がまだ若い年齢だったからだろう。女たちは皆、手巾《しゅきん》を目許に当てていた。

徐々に日差しが強くなってきて、今日もまた耐えがたい暑さが続くことを予感させた。だが銀杏の木の上にいる限り、木の葉が日差しを遮《さえぎ》ってくれて存外心地よい。用便や食事の不自由さえ我慢するなら、見晴らしもよくなかなか快適とすら言えた。喜八郎はここがすっかり気に入り、飽かず居座り続けた。

一度小便をするために木を下り、ついでに屋敷の周辺をぐるりと回った。昨日と違い人が多いので、門前で立ち止まり言葉を交わしている者もいる。通りすがりにそれらの人の会話に耳を傾けると、どうやら出棺は夕七つ頃のようだ。それまでには暇があるので、喜八郎はこのまま腹ごしらえをすることにした。

近くに出ていた屋台の蕎麦屋で盛り蕎麦を掻き込み、また銀杏の木に戻った。樹上から見える屋敷の様子に変化はない。喜八郎は幹に寄りかかり、しばしうたた寝をした。目を閉じただけで、殺された娘の白いふくらはぎが脳裏に甦った。

ふと、気配が変じたように感じて、目を開いた。屋敷に人の動きがある。弔問客が屋敷の入り口から門にかけて群がっているところを見ると、どうやらいよいよ出棺のようだ。喜八郎は身を乗り出したいのをこらえ、じっと眼下の様子を見守り続けた。

娘が入っているはずの棺は、一族らしき者たちの後に続いてしずしずと屋敷から出てきた。大きな樽状の棺は、紐を掛けられ棒からぶら下がっている。棒の両端を肩に背負っているのは、粗末な身なりの男ふたりだった。

列の先頭に立つ僧侶のすぐ後ろにいるのが、娘の父親だろう。遠目にも、父親が激しく憔《しょう》悴《すい》している様が見て取れた。うなだれたまま、一度も顔を上げようとしない。

手足しか見つかっていないと聞いていたので、棺もそれに合わせて小さいのではないかと喜八郎は予想していた。だがそんなことはなく、大の大人が入ってもなお余裕があるほど、棺は大きい。中で手足が転がらないのだろうかと、喜八郎は現実的な心配をした。

あの中に娘の脚があるのだ。そう思うだけで、喜八郎の性器は屹《きつ》立《りつ》した。どうにも抑えがたい強い衝動が身裡《みうち》から湧き起こり、喜八郎の体を激しく揺さぶる。耐えがたくなり、喜八郎は己で己を慰めた。高貴な身分の者たちが大勢集う頭上で、おれは浅ましい真似をしている。そのように自分の有様を客観視すると、それもまた喜八郎の興奮を煽ることとなった。頂点に達したときには、手近な葉を数枚むしり取って後始末した。だが精を放っても喜八郎の胸の奥に滾《たぎ》るぬるぬるとしたものは、収まるどころかかえって激しく渦巻いた。このまま永久に精を放ち続けることさえできるのではないかと、自分自身の抱える醜い欲望に恐怖した。

棺はゆっくりと、正門をくぐり抜けた。一族の者たちと弔問客の多くは、列となって棺の後に続く。このまま墓地まで向かうのであろう。喜八郎は列がかなり動いた頃を見計らって、木から下りた。下半身に力が入らず、水中を動いているかのような頼りなさを覚えた。

列の最後尾に取りつき、そのまま何食わぬ顔で一行に加わった。列の後方ほど身分の低い者たちになるので、大した身なりをしていない喜八郎が混ざっても奇異な目を向けられることはない。葬儀の列ということもあり、ひとりとして無駄口を叩こうとはしないので、それも喜八郎には幸いだった。長い列は、無言のまましずしずと進む。

向かう方角から見当がついていたが、やはり列の先頭は谷中《やなか》を目指していた。京から来た公家であれば先祖伝来の墓など東京にはないはずだから、今回の事件があって急遽《きゆうきよ》用意したのだろう。火葬が禁止されてから東京一帯の墓地は死者でいっぱいになってしまったと聞くが、こうして歩いて向かえる距離に埋葬できるのはやはり身分の高さがものを言ったに違いない。何にしろ、喜八郎には好都合だった。

しばし歩いた末に、列の先頭は墓地に到着したようだった。仙額寺《せんがくじ》という名を掲げた寺門が、前方に見える。僧侶を先頭にして、一族と棺は門に入っていった。喜八郎の周りにいる身分の低い者も、順番を待って墓地に足を踏み入れた。

ざっざっ、と土を掘る音が聞こえる。どうやら早々に埋葬を始めたようだ。喜八郎は近くに寄らず、遠巻きにその様子を窺う。埋めた場所さえわかるなら、埋葬の一部始終など見守る必要はないのだ。むしろ周囲の光景を目に焼きつけ、夜中でも迷わないようにしなければならなかった。

土を掘る音が止まると、先ほどからわずかに聞こえていた読経の声が大きくなった。棺が墓穴に埋め込まれようとしているのだろう。ここまで来ればもう用はないと、喜八郎はゆっくりと後ずさった。そして誰からも見咎められないことを確認してから、踵を返す。一度長屋に帰って、また出直してくるのだ。夜中に起き出すためには、早めに床に就いた方がいい。

帰路は遠回りをして、畑がある一帯を通った。忍び込みやすい農家がないか物色し、当たりをつけておく。一軒だけ周囲と離れてぽつんと建ち、納屋も別棟となっている家があった。人目を気にしながら納屋に近づいてみると、どうやら鍵もかかっていない。喜八郎はほくそ笑んで、その場を立ち去った。

そして深夜。ひと寝入りしてから目覚めると、やはり喜八郎の性器は痛いほど屹立していた。今度は自分で慰めたりせず、すぐ行動を開始する。隣で寝る母を起こさぬように長屋を抜け出し、提灯にも灯を灯さずに道を進んだ。幸い月が出ている夜で、見通しはよい。喜八郎は小走りに、夕方目をつけておいた農家まで急いだ。

納屋には、期待どおりの物があった。喜八郎は鍬《くわ》を一本摑み、勝手に持ち出す。夜が明けるまでには返しておくつもりだった。

墓地までの道のりは、幸いなことに誰ともすれ違わなかった。警視庁の夜回りなどに出くわしていれば、面倒なことになる。夜中に鍬を持って歩いていたら、これ以上怪しい者もない。見咎められたなら、どんな言い訳も通用しそうにないのだ。誰ともすれ違わないに越したことはなかった。

墓地に入るときだけは、それまでよりも神経を配った。夜中の勤行《ごんぎょう》などで、坊主が起きているかもしれないからだ。だが案ずるまでもなく、寺社には明かりひとつ灯っていない。文字どおりの丑《うし》三《み》つ時《どき》では、起きて動き回っているのは喜八郎のようによからぬことを企んでいる者だけのようだ。

喜八郎は身を屈め気味にして、藤下の娘が埋葬された辺りまで急いだ。夜目にも真新しい卒塔婆《そとば》が立っているので、迷うこともない。近づいてみると、やはり墓石も未だ風雪に曝《さら》されず美しいままだった。墓前の土は、掘り返されたばかりであることを物語って、水気を含んでいる。

喜八郎はもう一度周囲を窺ってから、やおら鍬を土に振り下ろした。静まり返った巷に、思いもかけぬ大きな音が響く。驚いて首を竦めたが、寺社で人が起き出す気配もなかった。それを確認してから、今度は慎重に鍬を振るった。

土は軟らかかったので、掘り返すのにさほど時間はかからなかった。汗だくにはなったが、それもまた心地よい。喜八郎は無意識のうちに笑みを浮かべながら、ひたすら作業に没頭した。やがて、埋めたばかりの棺の蓋が見えてくる。

ある程度鍬で土をどけてから、最後は手で蓋の上を綺麗にした。そして棺と蓋の間に鍬を差し込み、力を込める。めきめきと音を立てて釘が抜け、ゆっくりと蓋が開いた。喜八郎は期待を抑えきれず、隙間から中を覗く。

内部には、布でくるまれた長い物が並んでいた。四つとも、中央部分でくの字に折れ曲がっている。間違いない。これがあの娘の手足だ。喜八郎の胸は、まるで初恋の女に出会ったかのように高鳴った。

蓋を完全に開け放ち、棺の中に飛び込んだ。そして長い方の包み二本を手に取り、もどかしい思いで布を取り去る。案の定、中からは月光を照り返して怪しく光る女の肌が現れた。夢にまで見た、あの娘の脚だ。脚だけが、今喜八郎の腕の中にある。歓喜のあまり、喜八郎の気は遠くなりかけた。これほどの喜悦は、かつて味わったことがなかった。

女の脚は、井戸の底に沈められていたかのようにひんやりとしていた。得《え》も言われぬ美しい曲線を描く大腿部に、喜八郎は頰を寄せる。重労働で火照りきった喜八郎の頰に、女の脚の感触は心地よかった。肌理《きめ》細かい肌は、死してなお頰に吸いつくかのようであった。

ああ――。信じられないほどの快美感が身裡を貫き、声となって漏れる。今度はもう一方の脚にも顔をよせ、大胆にも唇をつけた。冷たい腿に、舌を走らせる。爆発的な快感のうねりがその瞬間に押し寄せ、喜八郎は激しく精を放った。何度放ち続けても、体の奥から滾々《こんこん》と欲望が湧き出し、留まるところを知らなかった。喜八郎は全身の力を失い、棺に倒れ込んだ。両腕に女の脚を抱えたまま、いつ果てるともなく射精し続けた。

我に返ったのは、ふと自分以外に動く者の気配を感じたからだった。愕然として飛び起き、穴の縁から周囲を見渡す。こんなところを見つかろうものなら、それは即、身の破滅に繋がる。己の命などもはや何ほどの価値も見いださないが、しかし得たばかりの宝を手放すことだけは肯《がえ》んじたくなかった。喜八郎の声が大きすぎて、寺の中の坊主を起こしてしまったのだろうか。自分の不用意さに、舌打ちしたくなる。

だがどうしたことか、物音はいっこうに近づいてこなかった。犬畜生の類ではなく、間違いなく人間の歩く音がする。しかしその歩む音はどこか散漫で、まるで夢遊病に罹《かか》った人間のそれであるかのようだ。喜八郎は恐る恐る穴から這い出て、今度は墓石の陰から周囲を見渡した。

いた。白い人影が、墓地から抜け出ようとしている。その向かう方角は、喜八郎のいる場所とは正反対だ。どうやら人影は、喜八郎を咎めるためにやってきたのではないらしい。それがわかり、喜八郎は安堵の吐息をつく。

しかし一瞬後には、訝しい思いも湧いてくる。こんな時刻に白い人影は、いったい何をしているのだろう。墓参のわけがないし、かといってあの茫洋とした足取りは墓暴《あば》きとも思えない。喜八郎は奇異に思い、人影が完全に視界から消えた後に動き出した。脚を両腕に抱えたまま、人影が立ち去った辺りを目指す。もし供え物でもあれば、どんなに奇妙であろうがやはり墓参だったのだろう。もしかしたら変種のお百度参りかもしれない。

だが実際は、喜八郎の予想のいずれとも違った。喜八郎は掘り返された土を前にして、しばし立ち尽くした。長《なが》の埋葬から呼び起こされた棺は、喜八郎が女の棺に対してそうしたように、蓋がこじ開けられている。そして中はもぬけの殻だった。

22

翌日には珠子の本葬が執《と》り行われたのだが、あんな諍《いさか》いを起こした後では当然のことながら列席するわけにはいかなかった。私はなんとも収まりの悪い心地を味わっていたが、いかんともしがたい。珠子への申し訳なさは募《つの》るものの、実基があんな調子では葬儀など出してもらっても浮かばれないのではないかと思われた。ますます哀惜の念は強まる。

その日はどうにも屋敷に居続ける気分になれず、私はあてどなく市中を散策した。方々の顔馴染みと言葉を交わしたが、皆図ったように八つ裂き狐の話題しか出してこない。これほどひとつの事件が市民の関心を集めるのは、官軍が江戸に向けて上ってくるとき以来ではなかろうか。私は複雑な思いでそれらの話に耳を傾けたが、単なる噂話の域を出るものはなく、新たな情報は得られなかった。

驚くべき話を耳にしたのは、さらにその翌日のことである。私はその日もぶらぶらと市中を歩き回り、挙げ句暑さに閉口して飴屋で涼を取った。縁台に落ち着いて飴湯を啜《すす》り、ようやく人心地つく。何が楽しくてこんな暑い盛りに出歩くのかと自分の神経を疑いたくなるが、要はじっと腰を落ち着けていることができないからなのだ。何かに急《せ》き立てられるようなじりじりとした焦慮に胸を焼かれ、ただ闇雲《やみくも》に屋敷を飛び出してしまう。自分にできることなど何もないのに、何かをしなければならないという焦りだけが私を責めるのだ。どうにも辛い気分だった。

飴湯は、そんな私の焦りをいっ時とはいえ癒してくれた。渇いた喉に飴湯の柔らかな喉越しが優しい。ようやく汗が引いた頃に、すでに馴染みとなっている店の娘に声をかけた。

「お光《みつ》ちゃん、生姜《しょうが》をちょうだいよ」

「はい、ちょっと待ってください」

年の頃は十七、八の、元気な笑顔が愛らしい娘だ。私はお光とのたわいないやり取りが楽しみで、よくこの飴屋にやってくる。

「はい、どうぞ」

お光は生姜の入った壺を私の前に差し出した。私は逆に自分の湯飲み茶碗を突き出して、言う。

「お光ちゃんのかわいい指で入れておくれよ」

こちらのこんな戯《ざ》れ言《ごと》にもお光はすっかり慣れているので、「もう」と頬を膨らませながらも私の飴湯に生姜を入れてくれた。

「九条さんのすけべ。そんなことばっかり言って女子をからかってるから、いつまでもお嫁さんが来てくれないんですよ」

「そりゃ参ったな。ははは」

痛いところを突かれ、私は苦笑する。客が他にいないせいもあり、お光は生姜の壺を持ってその場に留まった。

「ところで九条さん。谷中の墓地で墓暴きが出たって知ってます？」

「谷中で？　知らないな」

谷中といえば、珠子が埋葬された場所でもある。何か事件に関係あることが起きたのではないかと、私は神経を尖らせた。

「やっぱり知らないか。こういう話、好きでしょ。きっと九条さんなら喜ぶと思って、来ないかなあって待ってたんだ」

「聞かせておくれよ。誰の墓が暴かれたの?」

「本所の大店の奥方らしいわよ。なんだかわからない病気でどんどん痩せ細って、ついには死んじゃったんだって。それでおととい墓地に葬られたんだけど、夜中のうちに掘り返されて遺体がなくなっちゃったって話よ。ひどいことをする人もいるもんねぇ」

「どうして墓を暴かれたってわかったのかな。墓を掘り返した奴は、元どおりに埋め戻さなかったの?」

「そうらしいわ。朝になって寺のお小姓さんが、掘り返されて蓋が開いている棺桶を見つけたんだって。何事かと恐る恐る中を覗いてみると、屍体なんかなくってもぬけの殻だったそうよ。ねえ、どうして屍体なんて盗むのかしら」

「さあなぁ。まともな神経じゃ考えられないことだよね」

とっさに私は、臓物を薬にするために盗んだのではないかという、以前にも考えた説を思い浮かべた。だがあまりに不気味な話なので、眼前の少女には告げずにおく。

果たしてこの話は、八つ裂き狐となんらかの関係があるのだろうか。それともまた別口《べつくち》の事件なのか。消えた屍体が八つ裂きにされて見つかったならともかく、今の段階では確たることは何も言えそうになかった。

「谷中といえば、先日八つ裂き狐に殺された人も葬られたばかりだろ。そっちの墓では何も起きてないんだろうね」

「そういえばそうよね。でもなんにも聞いてないわよ。お気の毒にねぇ。なまじ綺麗に生まれついたばかりに、呪いの三十六歌仙なんかに選ばれちゃうんだから。あたしはまだまだ長生きしたいから、選ばれなくって本当によかったわ」

「お光ちゃんはまだ子供だからな。もう二、三年後なら、充分三十六歌仙に加われるだけの器量好しになっているだろうけどね」

「どうせ子供ですよーだ。九条さんなんて嫌い」

「おいおい、誉めてやったんだよ」

「フンだ、嫌い」

つんと顎を反らせて、お光は店に戻ってしまう。私はにやにやしながらその後ろ姿を見送ったが、すぐ我に返って顔を引き締めた。

これから私は、いったい何をしたらいいのだろう。警視庁の川辺警部は果たして、極上六歌仙の残り三人に警告を与えてくれただろうか。できるなら警告だけでなく、身辺の警護まででして欲しいところだが、警視庁も人手不足の感がある。続く悲劇だけはどうしても食い止めて欲しいものだと、ただ祈ることしかできない。

こんなときは朱芳が相談に乗ってくれればいいのに。このときほど年少の友人の助力を乞い願ったときはなかった。だが体調が優れないのではどうしようもない。無理をして状態を悪化させては、あまりに申し訳なかった。

　思えば朱芳は、知り合ったときからすでに健康を崩していたのだった。お時の言によると、病を得てから食が進まなくなったという。雀がついばむほどしか食事を摂らなくなり、そのせいで体力がどんどん落ちていく。体が弱るからよけいに病も進行し、ついには日の光さえ避けなければならないほど虚弱になり果ててしまったのだという。食い道楽の私にしてみれば、なんとも気の毒でならない。

　付き合いができて四年になるが、その間病状は一進一退といった感じだった。少し調子がよくなったかと思えば、またすぐに寝込んでしまう。それでも知り合ったばかりの頃は屋敷内を自由に歩き回っていたくらいだから、今よりは遥かにましだった。振り返ってみると、年々病は重くなっているような気がする。まったく日に当たらないから肌は女と見まごうばかりに白く、透き通るほどだ。そのせいで儚《はかな》げな雰囲気がいっそう強まり、今にも消え入りそうな風情がある。心なしか最近は、影さえも薄くなってきつつあった。

　朱芳の病とは、いったいなんなのだろう。知り合ったばかりの頃、私は遠慮しながらも尋ねてみたことがある。しかし朱芳は、説明してもわからないはずと取り合ってくれなかった。確かにこちらは医術に関しては素人だ。かの高名なヘボン先生の許で医術を学んでいた朱芳と、同じ土俵で話をする知識はない。だから結局病の正体は知らずに今に至っているが、もしかしたらこちらの想像以上に深刻な病かもしれないと、最近思い始めている。不治の病であるなら、朱芳の命は遠からぬうちに絶えてしまうのだろうか。その日が存外近いような予感があり、私をひどく滅入《めい》らせる。なんとか健康を取り戻して欲しいものだと、神仏に祈りたい思いに駆られる。

そんな私の心配を晴らしてくれたのは、朱芳の使いを仰せつかって私の屋敷を訪ねてきたお時だった。お時は先日門前払いを食わせてしまったことを朱芳が詫びていると告げて、少し体調がよくなったので遊びに来ないかと誘っている旨の伝言を伝えてくれた。私の方に否やはない。飛び上がらんばかりに喜んで、すぐにお時とともに屋敷を出立した。

「体調がよくなったって、どの程度快復したんだい。もう床は上げたのか」

私はお時と並んで歩きながら、そう話しかける。お時は少し難しそうな顔をして、小さく首を振った。

「いいえ、それがまだなんですよ。ようやくお布団の中で体を起こすことができるようになっただけです。若様ももう少し食べてくださると、精がついて治りも早くなるんですけどねえ」

「食べることができないとは、なんともかわいそうだよな。どんなものでも食べないのか」

「いいえ、なるべく柔らかい、お腹にもたれないものを召し上がっておられます。豆腐とか、おからとか、がんもどきとか」

「豆腐におからにがんもどき？　なんだ、全部同じじゃないか」

「その他にもお肉は召し上がらないこともないんですけど、むしろお肉よりも肉汁を好んで飲まれますね」

「肉汁、ねぇ。まあそんなものでも飲まないよりは精がつくだろうけど、その程度か」

「はい。後はお吸い物ですかね。お味噌汁がいけなくって、飲んでもすぐ戻されてしまうんです。野菜もほとんど駄目ですね」

「それは困ったもんだな。厨房を預かるお前も大変だろう」

「いいえ、あたしのことなんかどうでもいいんですよ。若様がどんどんお痩せになっていくのが、どうにも心配で心配で」

　ふだんは跳ねっ返りのお時だが、こと朱芳の健康の話となるととたんに神妙になってしまう。主人思いの下女を持って朱芳も幸せだが、しかしお時ならずともそんな話を聞かされては心配だ。先日は枇杷《びわ》を少し食べていたが、果物ならば口に入るのだろうか。

「そうですね。この前いただいた枇杷は、おいしく召し上がっておられました」

　尋ねると、お時は思い出して頷く。私もそれを聞いて、多少は安堵した。

「そうか。なら今日も何か買っていこう。スイカはどうかな」

「お召し上がりになると思いますよ。お部屋を閉め切って暑いので、暑気《しょき》払いできる食べ物は喜ばれます」

「じゃあ、途中で八百屋に寄ろう」

そんなふうに言うと、お時は抑えきれず嬉しそうな顔をする。なんのことはない、お時自身がスイカを食べたかったようだ。喜んでもらえるなら私も嬉しいが。

「ところで、朱芳の病もずいぶん長いよな。いったいいつから今みたいな状態になったんだ」

これまで一度も尋ねなかったことが、我ながら不思議だった。朱芳が答えてくれないなら、お時に訊けばよかったのだといまさら思いつく。お時も朱芳の話題ならば歓迎だろう。

「横浜にいらっしゃる頃ですよ。ある日突然寝ついてしまわれて、びっくりしました」

「もしかして、外国から悪い病でももらったのかな」

横浜は当時も今も、新たな時代の最先端に位置する町である。多くの外国人が訪れ、様々なものを残していく。たいていそれまでの日本にとって有益なものだが、中には思いがけない置きみやげをしていく者もいる。それは日本にはなかった病が、その最たるものだ。

そうか、外国の病だったか。私はようやく腑に落ちた。病にしては聞いたこともない病状だし、患っている期間も長い。いったいどんなたちの悪い病なのかと訝っていたが、外国から持ち込まれた疾病ならばそれも納得できることだ。横浜にいた当時、朱芳はヘボン先生の手伝いをして多くの病人に接していたという。おそらくそのときに、日本にはなかった病をもらってしまったのだろう。

しかしそれならば、東京になど居を移さないで、ヘボン先生の治療を受け続ければよかったのにと、新たな疑問も湧いてくる。この日本には、ヘボン先生以上の名医は存在しない。その先生のそばにいながら、どうして朱芳は治療を受けることなく虎ノ門に引き籠ってしまったのか。まるで己の死期を悟って隠遁《いんとん》した老人のようではないか。

そう考え、私は愕然とした。それは比喩などではなく、事実ではないかと思い至ったのだ。私が知る限り、虎ノ門の朱芳家下屋敷に医者が出入りしている様子はない。私はそれを、朱芳自身が医術を修めているからだと考えていたが、もしかしたらそうではなくもはや手の施しようがないからなのではないだろうか。朱芳はただ、坐して死を待つことを覚悟しているのだ。私は卒然と、そう思い至った。

やはり朱芳は不治の病に罹《かか》っているのか。私は打ちのめされる思いだった。なるほど朱芳は、決して愉快な友人というわけではない。笑うこと自体が少なく、お世辞にも朗《ほが》らかな性格とは言いがたい。だがそれも、お時に言わせれば病のせいだという。横浜時代の朱芳は、快活で他人の面倒見がよく、誰からも好かれる性格だったそうだ。そんな快男児が病のせいで陰に籠り、今のような皮肉屋になってしまったのだとしたらあまりに気の毒だ。

しかも朱芳は、当代一と言ってもいい知識と知力を持っている。性格の善し悪しについては棚に上げても、あれだけの逸材を若くして失うのは日本国にとっても大いなる損失だ。天は才ある者を愛するあまり、その命を早く召し上げるのだという話を聞いたことがある。朱芳もまた、天に愛されたが故に早世する運命にあるのだろうか。そんな運命になど、あらん限りの力で逆らって欲しかった。

だがこちらのそんな悲壮な思いなど知らぬげに、朱芳はいつものように無表情だった。あまりに変わりがないので、拍子抜けする。寄り道して買ってきたスイカを見せても、口では礼を言うものの、喜ぶ顔などいっこうに見せようとしなかった。あまりのかわいげのなさに、こちらの同情や心配も一瞬で吹き飛んだ。

「この前はすみませんでしたね。わざわざいらしていただいたのに」

布団の中で上体を起こし、朱芳は淡々と言う。とてもすまないと思っている口振りではない。しかしそれはいつものことなので、私も安心した。息も絶え絶えで気弱になっていたりしたなら、そちらの方がかえって不安だ。

「なに、具合が悪いのなら仕方がない。少しはよくなったのか」

「まあ、多少は」

確かに見た目は、窶《やつ》れた様子もなかった。頬が痩《こ》けているのはもともとなので、痛々しさもない。少なくとも今日明日に死ぬような状態でないことは確かだ。私は自分の考えすぎに内心で苦笑した。

「あまり、ものを食べられないんだってな。お時に聞いたよ。病気のときは食欲が落ちるのもわかるけど、無理してでも食べないと体力が戻らないぞ」

「それはよくわかってますよ。これでも元医者ですからね」

「医者の不養生という言葉もあるだろう。自分のことは自分が一番よくわかっているなどと思い込んでいると、それが大きな間違いだったりするんだぞ」

「まったくですね。肝に銘じておきますよ。でもね、九条さん。この病を治したいと願っているのは、誰よりもぼく自身なんですよ。ここの座敷に積み上げてある書物はすべて、病を治すために読んだ本と言っても大袈裟ではないんだ」

「そうだったのか」

それは初耳だった。単に私は、屋敷に籠らざるを得ない境遇故に、書物を読んで無聊《ぶりよう》を慰めているのだとばかり思い込んでいた。朱芳の座敷は、床の間といわず畳の上といわず、大量の書物で埋め尽くされている。これらすべてが勉学の痕跡なのだとしたら、なるほど朱芳は大した学究の徒だ。

「しかし、そんなに調べものをしなければならないのなら、君の病も簡単には治らない重病ということか」

「そうですね。重い病であることは間違いないですよ。何しろヘボン先生でさえ、どうすることもできなかったんだから」

「――そうなのか」

やはりそうだったのか。だから朱芳は、横浜を離れてこの地に隠遁していたのだ。どうやら私の推測も、まんざら的外れではなかったらしい。当たっていても、少しも嬉しくない推測だが。

「それでも君は、諦めずに自力で治療法を見つけようとしているわけだね」

「そうです。ちっとも快復していないように見えるでしょうが、これでも成果がまったく上がっていないわけじゃないんですよ。もし何もしないでいたなら、ぼくはとっくに死んでいたでしょうから」

「放っておけば死んでしまうような病なのか。そんな……」

「大丈夫。簡単には死にませんし、九条さんにうつすこともありませんから安心してください」

「ぼくは自分の身を心配しているんじゃないよ。君の病を憂《うれ》えているんじゃないか」

「簡単には死にませんよ」

　朱芳は同じことを繰り返して、不敵に笑った。そんな笑みはいかにも朱芳らしかったので、私は多少救われた気分になる。朱芳がそのように言うからには、何か目算《もくさん》があるのだろう。そう信じるしかなかった。

　ちょうどそこに、お時がスイカを切って運んできた。私たちの前にスイカの載った皿を差し出すと、先日と同じように朱芳の後ろに控えて団扇で扇ぎ始める。なんとも献身的な働きぶりだ。改めて、私は感心する。

「ところで、この前来たときに話した八つ裂き事件のことは憶えているよな。君が寝込んでいる間に、さらに大変なことになってしまったんだよ。聞いてくれないか」

「また首を突っ込んでるんですか。懲《こ》りないですね」

朱芳はからかうように言う。そんなことじゃないんだと、私は首を振った。

「ぼくだって関わりたくて関わったわけじゃない。実は知人が殺されてしまったんだよ」

そして私は、合間合間にスイカにかぶりつきながら、長い話を語って聞かせた。朱芳はスイカの果肉をほとんど口に含むことなく、種をほじくりながら黙って耳を傾けている。珠子に不安を訴えられていたにもかかわらず殺されてしまったくだりを話したときだけ、朱芳は微妙に眉を動かした。

「――というわけで、ぼくとしてはなんとも忸怩《じくじ》たる思いを抱えているわけなんだよ。もちろんなんの権限もない穀潰《ごくつぶ》しのぼくに、何ができたわけでもない。それでも助けを求められていたのにみすみす死なせてしまったことが、どうにも悔しくて仕方がないんだ。君はこれまでの話から、何か思いつくことはないか」

「三つ目の、手足だけが見つかった屍体ですが、それは本当に珠子さんの手足だったんですか？」

私の懇願に対し、朱芳は思いがけないことを問い返してきた。意表を衝かれてしばし言葉に詰まったが、私はすぐに大きく頷く。

「当たり前じゃないか。どうしてそんなことを訊くんだ」

「首が見つかっていなければ、別人かもしれない。死んだと見せかけて、実は珠子さんは生きているのかもしれない」

「すると何か、君は珠子さんこそが一連の事件を引き起こした下手人だとでも言うのか。そんな馬鹿なことがあるか。どうして珠子さんがこれほどひどい真似をしなければならない？しかも、嫋《たお》やかな女子ひとりにできることじゃないだろう」

「理由や手段は、この際後回しだ。曖昧な部分はすべてはっきりさせなければならないので訊いているのです。本当に手足は珠子さんのものだったんですか」

「珠子さんは、右肘と右膝の内側にほくろがあったそうだ。そんなはっきりとした印があれば、まず間違いないだろう」

「しかしほくろは入れ墨だったかもしれない」

「そこまで疑うのか！　疑い始めればきりがないぞ。いいか、手足を見て珠子さんだと認めたのは、身内の者なんだ。身内ならば、できる限り生きていて欲しいと思うのが普通だろう。それでも手足を珠子さんだと認めたのだから、それはもう間違いないんじゃないか。ほくろという印がなかったとしても、身内なら区別がつくものだろう」

「まあ、そのとおりですね。顔ほど歴然としていなくても、手足もこれで意外に個性がある。指の形、爪の形は、ふだん意に留めていなくても存外憶えているものです。九条さんの言うとおり、身内が確認したのならやはり手足は珠子さんのものだったんでしょうね」

「ようやく納得してくれたか。しかし君も相変わらず突飛なことを考えるな」

「ぼくは珠子さんを知りませんからね。だからこそ、頭の中だけでそんな可能性を思いつくことができるわけです。昔からの知り合いだった九条さんには、不愉快な推測だったでしょうね。謝ります」

「別に謝ってもらう必要はないさ。いろいろな意見を聞かせて欲しいんだ。ともかくこの事件には不可解な点が多い。どうして屍体を切り刻むのか。屍体の一部を持ち去るのはなぜか。なんのために屍体をお稲荷さんに捨てるのか。美女三十六歌仙との繋がりは本当にあるのか。下手人はなぜ美女たちを殺すのか。ざっと挙げただけでも、これだけの疑問が浮かんでくる。これらについて、君は何か思いつくことはないかい?」

「先日指摘した点は確認しましたか? 屍体の切り口はどのようになっていたかということですが」

「ああ、それは忘れていたよ。切り口が綺麗かどうかという点だったな。今度川辺警部に会ったら確かめてみよう」

「くれぐれも忘れないようにね」

朱芳は念を押す。この前の説明で切り口の問題が大事だということは理解していたが、朱芳がそこまでこだわる理由はもうひとつ納得できなかった。たとえ手足が綺麗に斬り落とされていたとしても、それで下手人が特定できるわけでもない。単に下手人が武家の者である可能性があるというに過ぎないだろう。朱芳の考えていることはよくわからなかった。

「それからもう一点、はっきりしないことがありますね」

続けて朱芳は、そのように言う。私はなんのことだかわからなかったので、「えっ？」と尋ね返した。

「他に何かあるか？　これでもいろいろ考えてみたんだが、何も思いつかなかったよ」

「前提が間違っているのかもしれませんが、もし下手人が極上六歌仙の女を順番に殺しているのだとしたら、どうして珠子さんの正体を知ることができたんでしょう。錦絵では、珠子さんの素性は伏せられていたんじゃないんですか」

「——そうだな」

指摘されてようやく、そのことに気づいた。なんと迂闊《うかつ》だったのだろう。そもそも私自身、仮に三十六歌仙の美女が順番に殺されているのだとしても、身許を伏せている珠子だけは安全だと考えていたのではないか。それなのになぜ、その点に思い至らなかったのか。自分の浅慮がもどかしくなる。

「確かにそのとおりだ。下手人はどうやって珠子さんのことを知ったのだろう。もともと珠子さんを知っていたのか、それとも偶然に珠子さんを町で見かけたのかな」

「偶然である可能性は排除しきれないですね。もともと絵師も、珠子さんを町で見かけて声をかけてきたんでしょう。美女揃いの三十六歌仙の中でも飛び抜けて器量が好かったのなら、ただ歩いているだけでも相当に目立つはずだ。下手人がどこかで珠子さんを見かけていても、決して不思議ではないですね」

「それはそうなんだ。でもそうではなくて、珠子さんの身辺に下手人がいる可能性も否定できないよな」

「あるいは、絵師の周辺にね」

「ああ、そうだな」

私は春永の弟子だという、美形の男を思い浮かべた。あの男もまた、珠子の素性を知るひとりだったのだなと思い至る。こう考えると、謎の美女の正体を知る者はそれほど限られていないかもしれなかった。春永や春朝が下手人でなくても、誰か他の人に珠子のことを話している可能性もあるのだ。その点も、確認しなければならないことだった。

「今思いついたんだが、下手人の本当の狙いは珠子さんだけで、他のふたりはその目的を隠《いん》蔽《ぺい》するために殺されたとは考えられないかな。美女が立て続けに三人も殺されれば、それぞれを結ぶ糸をどうしても探してしまう。しかし今のところ、三人を結ぶ糸など見つかっていない。殺されなければならない共通の理由など、どこにも存在しないんだ。殺される理由がわからなければ、下手人も探しようがない。それこそが、下手人の本当の狙いだったとは考えられないか」

ちょっとした閃きだったが、話しているうちに悪くない推測のような気がしてきた。今のところ下手人探しは袋小路に入っている。それはひとえに、三人を殺す理由が見つからないからだ。逆に言えば、殺す理由さえはっきりすれば下手人は特定しやすくなる。袋小路に入っているなら、見方を変えてみることが大事かもしれない。

しかし朱芳は、私の意見に感心したような様子もなかった。小首を傾げ、淡々と反論する。

「悪くないとは思いますが、その説では屍体を切り刻む理由まではわからない。単に殺す理由を隠蔽するために、利害関係のない相手を殺すというだけでも心理的負担は大きい。それなのに、さらに屍体を切り刻むとなると、それは想像を絶する苦痛のはずだ。なんとなく切り刻んでみた、などというわけがない。切り刻むからには、そうしなければならない積極的な理由があるはずなんです」

「下手人は頭がおかしいのかもしれない。美女の体を切り刻むのが好きなんだよ」

「もちろん、そういうこともあり得るでしょう。でもそれならば、自分の身の安全を図るために犠牲となる女を増やすという発想などしないんじゃないかな。どうもそうした計算高さと、屍体を切り刻む異常性は水と油のような気がする」

「じゃあ、ひとまずこの説は撤回しよう。他にぼくは、こんなことも考えたんだ」

屍体を切り刻む異常性を問題にするなら、先日考えたような「食べるため」という理由は充分に成立するはずだ。朱芳は今度はしばし考え込む。

「なるほどね。異常者には異常者なりの理屈があるというわけですか。そういう考え方は、存外有効かもしれませんよ」

「君もそう思うか」

意見を述べて朱芳に認めてもらうことなどめったにないので、かえってこちらの方が面食らってしまった。すぐに否定の言葉が続くのではないかと、変に身構えてしまう。

「その推測が当たっているかどうかは、今後殺される女のどこの部位がなくなっているかではっきりするでしょうね」

「どういうことだ」

「ひとり目が殺されてから今回の珠子さんまでで、なくなっている体の部位はひととおり網羅されました。味を確認するためなら、どこが一番旨いか把握できたことでしょう。つまり今後は、その一番旨い部位だけがなくなっているはずなのです。同じところばかり欠けている屍体が見つかるなら、九条さんの推測は的を射ていたことになるでしょうね」

「うーん、考えるだにおぞましい話だな。ちなみに君は、食べるならどこが一番旨いと思う？　医術を学んだ者の観点から、想像がつかないかな」

「どうでしょうね。調理の仕方にもよるとは思いますが、肉ならば太腿が食べやすいでしょう。内臓も手の加え方次第では食べられないこともないですね。逆に頭部などは、食べるにはよほど勇気がいるのではないかな。耳や目玉、それから脳味噌などは充分に食べられるはずですが」

「うへえ、勘弁してくれ。胸がむかむかしてきた」

「九条さんが尋ねるから、こちらも思いつくままに答えたまでです。ぼくだって気持ち悪いですよ」

「悪かった。自分で言い出しておいてなんだが、やはりこんな推測は外れていて欲しいね。本当に下手人が屍体を食べていたなら、殺された女たちがあまりに憐れすぎる」

「そうですね。これは勘ですが、屍体を切り刻む理由はそんな動物的な衝動のせいではないような気がしますよ。必ず屍体の残りを稲荷に捨てていることにも、なんらかの必然があるはずです」

「稲荷、ねえ。稲荷といえば、この東京にはずいぶんとお稲荷さんが多いよな。都からやってきて驚いたことはいくつもあるが、お稲荷さんの数の多さもそのひとつだよ」

「伊勢屋《いせや》、稲荷に犬の糞、と言われるくらいですからね。それほど江戸の市中には稲荷が多かったということです」

「どうしてこんなに東京にはお稲荷さんが多いんだろう。西国では、稲荷神社と言えば伏見《ふしみ》稲荷のことを指すくらいで、あちこちにあるものじゃないように思うんだが」

「そうですね。ご一新以降東京にやってきた人の話を聞くと、西国では八幡宮《はちまんぐう》と天満宮《てんまんぐう》ばかりで、稲荷はほとんど見かけないようです。安芸《あき》にひとつ、長崎《ながさき》にひとつくらいですか」

「そもそもお稲荷さんとは、いったいなんなのだろう。なぜ狐を祭るのかな。人を化かすかららなら狸も同じように扱われなければならないはずなのに、どうして狐だけなんだろうか」

「狐は古来、農耕の豊凶を予言すると考えられています。なんとなく意味ありげな挙動や目つきが、霊能があるかのように思わせるのでしょう。つまり稲荷信仰とは、もともと農耕の無事と豊年を祈るものだったのでしょうね。現在では形骸化して、人を騙すいたずら者で、油揚げさえ上げておけば無害だという程度にしか認識されていませんけど」

「なるほどね。愛嬌がある狸より、いかにも小狡《こずる》そうな動きをする狐の方が霊能があるように見えるわけか。しかし農耕神としての側面が根底にあったとしても、それだけでは東京での数の多さは説明できないだろう。農民が祈念する対象であったなら、全国的に存在していてしかるべきじゃないかな」

「稲荷信仰で面白いのは、はやり廃《すた》りがあるという点なんです。麻疹《はしか》がはやるといっせいに稲荷社が増える。江戸の住人にとって、お稲荷さんは身近な存在であるが故に、人心の動揺と密接に関わっていたのでしょう。ともかくなんでもいいから祈っておけ、といったようなお手軽な信仰の対象が、稲荷だというわけです。だから稲荷の来歴も様々ですよ。農耕神や土地神としての性格を持つものから、狐に憑かれた人間の名前をそのまま付けている社、子育てや安産、病気平癒を願うための稲荷、火災よけ、長寿祈願、タニシやこんにゃくなど即物的な名前が付いた稲荷、なんでもあります」

「タニシ稲荷なんてものもあるのか。おかしいな」

「それでね、これまで屍体が捨てられた三つの稲荷には、来歴で共通項があるのではないかと一度は考えたんです。でも、どうもうまくいきませんでした」

「笠原、宮坂、それと榊稲荷だろ。それぞれ来歴はなんなのだろうね」

「榊稲荷は、そのまま神樹の名を冠しただけの稲荷でしょう。同じような名前に、銀杏稲荷、椿山稲荷、梅の木稲荷、柳稲荷、椎《しい》稲荷、柾《まさき》木稲荷なんてものがあります。笠原と宮坂は、農耕神か土地神でしょう。名前から判別するのは難しいでしょうね」

「なるほど。確かに来歴に共通項はなさそうだね。じゃあいったい、稲荷に屍体を捨てる意味はどこにあるのかな」

「何かを見落としている気がするんですよね。答えは目の前にあるのに、それに気づかず見過ごしているような感覚がある。どうにももどかしいですよ」

「ぼくにはさっぱりわからないな。君ほど豊富な知識を持っているわけじゃないから」

「知識の問題じゃない気がするんですが、なんとも言えません。それさえわかれば、下手人の行動の理由が理解できるはずなんですけど」

朱芳は眉根を寄せてじっと考え込む。掌《たなごころ》を指すが如くどんな疑問にでも即答してくれる朱芳にしては、珍しいことだ。私は朱芳が何か思いつくことを期待しながら待ったが、しかし結果ははかばかしくなかった。「駄目ですね」と首を振るだけである。

「体力がなくなったせいか、根気が続かない。そのうち何か思いつくかもしれませんから、そのときにはお時か岩助をまた使いにやりますよ」

「無理はするなよ」

本当ならばこれ以上死者を出さないためにも朱芳の尻を叩きたかったが、いかにも病人然とした本人を目の前にして、そんなことなどできるわけもなかった。朱芳は私の言葉に、淡い微笑を浮かべて小さく頷いた。

23

喜八郎は墓地から持ち去った女の脚を、街道筋から離れている朽ちかけた廃屋に持ち込んだ。脚を盗み出したはいいものの、母のいる長屋に持ち帰るわけにもいかないことに気づき、そのまま当てもなくさまよううちに廃屋を見つけたのだ。壁が破れ屋根には穴が空いているが、夏の盛りの今はかえって風通しがよくて快適なくらいである。腐りかけてはいるものの一応畳もあるので、筵《むしろ》を敷けば立派な寝床になった。喜八郎はいたくこの廃屋が気に入り、しばしここに居を定めることにした。

喜八郎にとって、以後の数日は蜜月期間だった。この数日ほどの目眩《めくるめ》く陶酔の日々を送った経験は、かつてない。喜八郎は食べることさえ忘れ、ただ愛しい脚を撫でさすり、口を付け、頬を寄せた。そんな単調な行為にも飽きることなく、むしろ時間が経つにつれどんどん脚への執着は強まっていくほどだった。至福、という言葉はまさにこのような心持ちを表現するために存在するのだと、喜八郎は初めて実感した。

　喜八郎は腿を撫で、膝の裏を吸い、指を一本一本口にくわえた。己の唾液で脚がまみれると、近くの井戸から水を汲んできて丹念に洗った。寝るときにはむろん、両脇に脚を置いて眠りに就いた。最初の夜は寝ている間に脚が消えてしまうのではないかと不安だったが、目を覚ましても依然手の届くところに脚があることを確認すると、それまでに倍する幸せを味わうことができた。喜八郎は脚に恋し、そしてその恋を実らせたと言える。喜八郎にとって二本の脚は、まさに思い人以外の何物でもなかった。

　だがそんな蜜月期間は、あまり長くなかった。両者を隔てたのは、現在の季節だった。連日の酷暑は、あっという間に脚から瑞々《みずみず》しさを奪い、腐敗を進行させた。美しい状態で脚を愛でていられたのは、たった二日に過ぎなかった。

　喜八郎は脚の腐敗をなんとか食い止めようと努力した。冷たい井戸水に浸けておけば腐らずに済むのではないかと、ひと晩盥《たらい》に両脚を入れておいた。だがその結果は、単に皮膚がぶよぶよと弛《たる》み、美しさを損なうだけに終わった。己の手で脚を醜くしてしまったことを知り、喜八郎はひたすら絶望した。

やがて脚は、不快な臭いを放つようになった。肉が腐れゆく臭い。かつて上野の山で嗅いだあの腐臭が、ふたたび喜八郎の鼻を襲った。腐敗臭を嗅ぐたび、喜八郎は頭痛を覚える。あのとき死骸の間を這いずり回っていた小さな虫たちの立てる、かさかさという音が頭の中でこだまする。耐えられず、頭を抱えて喜八郎は七転八倒した。この痛みから逃れるためならば、己の頭を斬り落としたってかまわないとすら思った。

それでも喜八郎は、なかなか脚を捨てる気になれなかった。こんなものが手に入る機会はめったにない。万にひとつの幸運で入手したこの美しい脚を、腐り始めたからといって簡単に捨てられようか。脚への執着はそのまま未練となり、喜八郎の思考を停止させた。だが無情にも、脚の腐敗はその間にどんどん進行していった。

四日目に、腐敗臭は耐えがたいまでに強くなった。肌は土気色から緑に変じ、ところどころ皮膚が緩んでいるかと思うと、ある箇所では裂けている。腿の断面には蛆《うじ》が湧き、醜く蠢《うごめ》いていた。そんな有様では、さすがの喜八郎も愛しく撫でさする気になれなかった。

喜八郎はようやく気持ちを定めた。もともと長く手許に置いておけると考えていたわけではない。いつかは別れが来ると覚悟していたのだ。その日の来るのが思いの外に早かっただけで、何も事改めて衝撃を受けることはない。腐れゆくものに便々《べんべん》と未練を覚え続けるのは、いかにも見苦しい。己をそう叱咤《しった》し、なんとか喜八郎は脚を手放す決意を固めた。

だがそうはいっても、そのまま塵《ごみ》として捨ててしまうのはいかにも惜しかった。そこで喜八郎は、脚を食べてしまうことにした。腹に収めてしまえば、己の血となり肉となる。愛しいものと一体になれる幸福は、何にも代えがたいのではないだろうか。喜八郎はそう考え、脚の解体にかかった。

まず骨から肉を削ぎ落とし、その肉を火で炙《あぶ》って食べた。脂が多くて少し閉口したが、食べ続けるうちに美味と思えるようになった。一度に両脚の肉すべてを食べることはできず、足かけ二日に亘ってようやく胃の腑に収めた。食べ終えるときには、惜しいという気持ちが沸々と湧いた。

足首はそのままでは食べられないので、煮ることにした。幸い廃屋には大鍋もあったので、それに水をいっぱいに張り、ぐつぐつと煮続ける。真夏に火を焚き続けるのはなかなかの苦行だったが、足首から徐々に程良い出汁《だし》が出ているかと思うとそれにも耐えられた。こちらも丸二日、ただひたすらに煮続けた。

脚を食べること自体は、存外簡単なことだった。問題は、食べ終えた後のことだ。腐り始めていた肉は、覿面《てきめん》に喜八郎の腹を壊したのだ。完全に食中《あ》たりを起こし、喜八郎は用を足すために何度も外に駆け出さなければならなかった。横になっても歩いていても辛く、やがて肛門も痛み始めたので坐っているわけにもいかなくなった。一番楽な体勢は、腹を抱え込むようにして蹲《うずくま》っていることだった。それを発見してからは、なんとか痛みにも耐えられるようになった。

　幾度も排泄を繰り返すうちに、やがて便は水のようになった。蛆が湧く肉を食べたのだから、当然の結果だ。喜八郎は己の愚かさを嗤ったが、しかし後悔はしなかった。脚が自分に対してなんらかの作用を加えてくれることが、今は嬉しく感じられた。

　だから喜八郎は、その後も肉を食べ続けた。さすがに生焼けでは怖かったので、かちかちになるまで肉片を焼いた。柔らかさを失った肉はなかなか喉を通らなかったが、それでも精神的には逆に充実していた。足首で出汁をとった湯を飲みながら肉を腹に収め、そしてまた激烈な腹痛に苦しむ。そんな繰り返しが、奇妙な陶酔を喜八郎に与え始めていた。終《しま》いには、脚と一体になるために肉を食べているのではなく、苦痛を味わうために胃に収めているような状態だった。

　肉をすべて食べ終えた後も、まだ足首汁が残っていた。喜八郎は汁はもちろんのこと、柔らかくなった足首も余さず口に入れた。小刀を使い肉を少しずつ刮《こそ》ぎ落とし、ゆっくりと嚙む。こちらもまた、焼いた肉とは趣が違いそれなりに美味と感じられた。喜八郎は二度の食事で、足首汁を平らげた。

　そうした飽食の果てに残されたのは、骨と足指の爪だけだった。さすがにそれはどうしようもなく、土を掘って埋めた。埋葬という行為は永遠の別れに繋がる。至福の時を与えてくれた対象との別離に、喜八郎は思わず涙した。

すぐに母のいる長屋に戻りたかったが、激しい下痢を繰り返した後では歩く力も残っていなかった。また蹲って過ごす日々を送り、体力の回復を待つ。何も食べないでいるうちに下痢は収まり、やがて間欠的に襲ってくる腹痛も間遠《まどお》になった。喜八郎は適当な木切れを杖として、ほとんど這うように長屋に帰り着いた。

　無断で数日もの間いなくなってしまった喜八郎を、母は気も狂わんばかりに案じていた。窶《やつ》れ果てて帰ってきた息子に抱きつき、号泣する。喜八郎はすぐにも横になりたかったので、そんな母を邪険に追い払った。今日ばかりは母も、部屋中に広げていた傘を畳んで喜八郎を迎え入れた。

　母の看病は、掛け値なしに献身的だった。冷たい水で絞った手拭いを額に当て、団扇で扇ぎ、腹に優しい粥《かゆ》を作ってくれる。それらのことを母は、明らかに嬉々として行った。どうやら母は、喜八郎がまだ幼なかった頃のように何くれとなく世話を焼けることが嬉しくて仕方ないらしい。そんな母の心持ちは鬱陶《うっとう》しいばかりだったが、今は拒絶する体力もなかった。母の過剰すぎる世話を、喜八郎はただ黙って甘受した。

　とはいえ喜八郎も、どこか心の底で安堵していたのだろう。長屋に帰り着いた翌日に、また発熱した。一度熱が出てしまうと、体温は止めどもなく上がる。額の手拭いを頻繁に替えてもらわないと、すぐに生ぬるくなってしまった。

熱のせいか、顔には吹き出物もできた。吹き出物は痒《かゆ》く、無意識に掻いてしまう。そのせいで表面に傷ができ、吹き出物は膿《う》んだ。じくじくと膿《うみ》を吐き出す吹き出物はどうにも不快だが、塗り薬を買う金もない。ただひたすら意思の力で手を固定し、掻いてしまわないようにしなければならなかった。

高熱のために、ともすれば意識は混濁した。夏の暑さがそれに拍車をかける。喜八郎は自分が眠っているのかそれとも目覚めているのか、まったく自覚できなくなった。夢と思えばうつつであり、うつつと思えば夢の中だったなどということをしばしば繰り返す。しかしそのふたつにはさしたる違いなどなく、どちらも不快でならないことには変わりなかった。暑さ、痒み、そして音。依然として屋根裏では鼠が動き回るかさかさという音がして、神経を苛立たせる。寝ても覚めても、音は耳につきまとって離れなかった。

かさ。

喜八郎は苛立ちのあまり、布団の中で絶叫した。「うるさい！」と声を張り上げると、鼠だけでなく長屋中の物音が一瞬静まる。一心に傘貼りをしていた母は慌てて立ち上がり、どうしたのだと喜八郎の顔色を窺った。お願いだから静かにしてくれと、頭を卑屈に下げて懇願する。そんな素振りも喜八郎の気をささくれ立たせた。うるさいうるさいうるさい。喜八郎は布団を頭から被って絶叫し続ける。

数日前はおれにとってこの世の桃源郷だったのに。喜八郎は回想する。あれほど幸せだった日々は、どうして短く終わってしまうのだろう。そして今は、ありとあらゆる事象が総力を挙げておれを苛立たせる。お願いだ、このかさかさという音だけでも止めてくれ。この音を聞かされ続ければ、やがておれは気が狂う。どうしてだ。どうしてこんな音が耳から離れないんだ。

脚が恋しい。美しい脚と一緒に暮らしていた日々の、なんと甘美だったことか。脚さえ手に入るなら、こんな苛立ちもすべて綺麗に消え去るのだ。脚さえ、脚さえあれば――。

喜八郎にその天啓が訪れたのは、意識が混濁していたが故かもしれない。一心に念じ続けた成果かもしれない。いずれにしても喜八郎は、あることに卒然と気づいた。そして気づいた瞬間、己の洞察が正しいことを悟った。間違いない、それが真実なのだ。おれは今、誰も気づいていないある事実を見抜いた。次に脚が捨てられる場所を、おれは言い当てることができる。

喜八郎の身裡《みうち》を、歓喜が走った。強い達成感が、喜八郎を哄笑させる。布団に蹲ったまま急に笑い出した息子に、母はまたおろおろと心配げな声をかけた。だが喜八郎はそんな母に取り合おうとはせず、いつまでも大声で笑い続けた。

24

悠太がその大きな男に初めて会ったのは、夏の盛りのある昼下がりのことだった。いつもなら長屋の悪ガキたちとつるんで走り回っている悠太だが、その日に限って仲間たちは親の手伝いだの小銭稼ぎだので皆いなくなっていた。仕方なく、ひとりで街道筋に出て往来をぼんやりと眺め、時間を潰していた。山出しの田舎者でもいたなら、少し懐を探って小遣いを稼ごうとも思っていた。この前は、いかにもいいところのぼんぼんといった風情の間抜け面をした奴からまんまと財布を掏《す》り取ったものの、わけがあって返さなければならなかった。あの損を取り返すためにも、いい鴨を見つけられたらいいのだが……。

「おい、坊主。ちょっと道を尋ねたいんだが」

木陰に腰を下ろして涼んでいた悠太の視界が、突然壁のようなものに閉ざされた。驚いて見上げると、それは壁ではなく大柄な男だった。悠太が子供だからことさら巨大に見えるのかもしれないが、それでも少なく見積もっても六尺はありそうだ。しかし大きいのは背丈だけではない。肩幅、胸板、二の腕、どれをとっても太く、厚い。まるで小山のようで、黙って立っているだけでも威圧感があった。

「な、なんだよ」

悠太は気圧されて、思わず声を震わせた。だが恐れる必要などないことは、すぐに感じ取れた。男の表情はその大きな体軀とは釣り合わず、至って穏和だったからだ。目尻が下がり口許は軽く微笑み、どちらかといえば愛嬌がある顔立ちと言える。月代《さかやき》が綺麗に剃り上げられていて、身なりも立派だ。出自の良い元武士だろうと悠太は観察した。

「この辺りに、観音長屋というところがあるはずだが、知らないか」

男は悠太を見下ろしたまま、そう尋ねる。悠太はそれを受けて、跳ねるように立ち上がった。

「観音長屋！　知ってるに決まってるさ。だって、おいらが住んでるところだもんな！」

取り立てて威張ることでもなかったが、大の大人に尋ね事をされてそれに答えられるのが嬉しかった。悠太は顎をしゃくり、偉そうに続けた。

「観音長屋に行きたいのかよ。じゃあ、おいらが案内してやるぜ。ついてきな」

「いや、そうではなく、そこにお美代さんという人がいるかどうか知りたかったのだ。お前が観音長屋の住人なら、もっけの幸いだった」

「お美代さん？　いるよ。それがどうしたんだよ」

最近、なにやらお美代を巡って男たちがうるさいのは知っていた。お美代はそんじょそこらにはめったにいない器量好しだ。お美代の気を惹こうと近寄ってくる男は、もともと掃いて捨てるほどいた。だがなんとかという錦絵に姿を描かれて以来、それまでの比ではなく男が群がってくるようになった。若いのから年寄り、金持ちから貧乏人まで、あらゆる男たちが長屋にやってくる。金持ちは貢ぎ物を携え、そうでない者はなんとか弁舌を労して近づこうと奮闘した。

そうした男たちを、お美代はただ煩《わずら》わしいとしか感じていないようだった。言い寄ってくる男のひとりとして、お美代の気持ちを動かせた者はいない。しつこい者も諦めのよい者も、皆揃って玉砕しているのが実状だった。密かにお美代に憧れている悠太としては、まさに小気味よいばかりの対応だった。

だからこの大男も、お美代の美貌に迷った馬鹿な男のひとりだろうと悠太は考えた。それならば、わざわざ案内などしてやるものか。さんざん方向違いの道を引きずり回した上に、日が暮れた頃に放り出してやる。いい退屈凌《しの》ぎができそうだと、悠太は内心で舌を出した。

ところが男は、悠太の予想とは違う返事を寄越《よこ》した。お美代に会いたいわけではないと言うのだ。

「お美代さんに会う必要はないのだ。ただ観音長屋にお美代さんが今でも住んでいることを確認したかっただけだ」

「住んでたらどうだって言うんだよ」

男の考えていることが、悠太にはよくわからなかった。お美代のことを口にする男は、皆った。

お美代に会いたがるものだ。そうした思い込みがあったので、思いがけない返事にただ戸惑った。

「いいのだ。それがわかれば」

そう言って、男は踵を返そうとする。悠太は呆気にとられ、ぽかんと口を開けた。

「ちょ、ちょっと待てよ。怪しい奴だな。お美代姐《ねえ》になんの用なんだよ」

「特に用はない」

「用がねえってことはねえだろうよ。本当は姐ちゃんの綺麗な顔が拝みたかったんだろ。なっ。わかってんだよ」

「まあ、顔を見てみたくないわけではないな」

男は笑いを含んだまま、そんなふうに答える。それを聞いて悠太は、誇らしい気持ちになった。そうだろ、男なら誰だって姐ちゃんのことが好きなんだ。何しろ、姐ちゃんほどの器量好しは、東京中探したっていやしないんだからな。お美代姐は天下一の美人なんだ。悠太は自分のことのように、胸を張った。

「無理すんなよ。男はみんな別嬪《べっぴん》が好きなんだからさ。案内して欲しいってんなら、連れってやるぜ。ただし、ただってわけにはいかねえな」

男は軽装だが、品のいい紬《つむぎ》をまとっている。金もたんと持っていることだろう。そう見て取って悠太は、からかうよりも実利を求めることにした。腰の辺りで掌をひらひらさせて、金を要求する。

　男はそれを見て、苦笑を浮かべた。そして懐に手を入れ、財布を取り出す。財布は中身がたっぷり詰まっていることを物語って、大きく膨れていた。やはり読みどおりだなと、思わず悠太はほくそ笑む。

「しっかりしているな、坊主。だがこの金は、案内をして欲しくてやるのではないぞ。ひとつ、頼み事をしたいのだ」

「頼み事？　なんだよ」

　膨らんでいた期待が、一気に萎《しぼ》んだ。どんな無体な要求をされるかと、身構える気持ちが先に立ったのだ。例えばお美代を長屋から呼び出して、ふたりだけで会えるようにしろなどという要求であれば、絶対に呑むことはできない。遠目からひと目見させるくらいならかまわないが、お美代の不利になるような取引には応じるわけにいかないのだ。

「簡単なことだ。もしかしたらお美代さんは、遠からず熱を出すかもしれない。もし熱を出したら、それを私に教えて欲しいのだ」

「熱を出す？　どうしてそんなことがわかるんだよ」

「私は医者だからな。わかるのだ」

「どうして？　あんた、お美代姐に会ったこともないんだろ」

「会ったことはないが、噂は聞いている。だからわかるんだ」

うか。

　男の言っていることは、悠太にはさっぱり理解できなかった。なぜ噂を聞いただけで、熱を出すなどということがわかるのか。もしわかるのであれば、それは医者ではなく占い師の領分ではないか。それとも西洋の医術ならば、そんなことも事前に知ることができるのだろうか。

「もしお美代さんが熱を出したら、すぐに治療しなければならない。私は医者だから、お美代さんの病を治すことができる。だから熱を出したら教えて欲しいのだ」

「出任せ言ってんじゃないだろうな」

「出任せなどではないが、もしそうであっても別にいいではないか。出任せだったら、お前は何もせずに小遣いを得ることができるのだから」

　確かにそれはそのとおりだった。悪くない申し出かもしれないと、悠太は考え直す。それに男の言っていることが本当だったなら、医者にすぐ診てもらうのはお美代のためにもなるのだ。承知しても悪いことはなさそうだった。

「わかったよ。なんだかよくわかんねえけど、一応わかった。引き受けてやるよ」

「そうか。それは助かるな」

　男はニッと笑って、財布から金を取り出した。ほれ、と促すので手を出すと、そこに十銭硬貨を置く。予想よりも遥かに多い金額に、悠太は思わず目を剝いた。

「こ、こんなにくれるのかよ」

本当なら相手の気が変わらぬうちにしまい込むべきなのに、ついそんなふうに確認してしまった。男は悠太の反応を面白がるように、目許を綻《ほころ》ばせる。

「ああ、大事な用を引き受けてくれるのだからな。その代わり、責任を持ってお美代さんの様子を窺っていてくれよ。もし手遅れになったら、それはお前のせいだからな」

「う、うん」

なにやら恐ろしげなことを言われ、悠太は素直に頷く。手遅れとは聞き捨てならない。お美代姐はそんな重病に罹《かか》るかもしれないのか。それは大変だ。

「それから言っておくが、このことはお美代さんにも他の者にも絶対に内緒にしておいてくれよ。もしお美代さんの耳に入ったら、それだけで気が動転して病になってしまうかもしれない。気持ちを安らかにしておくことが、何よりも大事なんだ」

「わかった。絶対内緒なんだね」

「そうだ。お前もお美代さんが病気で苦しむのは見たくないだろ」

「そりゃあ、そうだ」

当たり前だとばかりに、悠太は大きく頷く。そして握り締めていた硬貨を、絶対に返すものかと褌《ふんどし》の中に突っ込んだ。硬貨が褌の隙間から落ちないことを確認して、改めて男を見上げる。

「ところで、あんたはどこに住んでるんだよ。もしお美代姐が熱を出したら、どこに報せに行けばいいんだ」

「そうだなぁ」男は顎に手を当てて、撫でさすりながら周囲を見回した。「ああ、あれがいい。あそこに見える地蔵のところまで行こう」

そう言うと、悠太の返事も待たずさっさと歩き出す。悠太は慌ててその後を追った。

「ちょうどいいな。この地蔵を合図に使おう」

男は街道筋にぽつりと立っている小さな石地蔵の前に立って、悠太に顔を向けた。悠太は男の後ろから地蔵を覗き込む。風雪に曝《さら》され続けている地蔵は、鼻も右の耳も欠けていた。

「もしお美代さんが熱を出したら、この地蔵の前垂れをふたつに裂いてくれ。そうしたら、私がそれを見て駆けつけるから」

「なんだよ、それ。そんなことで急場に間に合うのかい」

「大丈夫だ。心配することはない。いいな、前垂れをふたつに裂くんだぞ」

「うん」

不得要領なまま頷くと、男は莞爾《かんじ》として笑った。悠太の頭に大きな手を置いて、「頼んだぞ」と言葉を添える。それで用が済んだとばかりに、男は悠太を残して立ち去った。男の大きな背中は、遠ざかっていくのにいつまでも小さくならなかった。

25

朱芳の屋敷を訪ねた翌日、私は奇妙な話を耳にした。これもまた、爺やがいち早く仕入れた情報だった。爺や自身は、出入りの野菜売りから聞いたことらしい。

「一度死んだ人が生き返り、また死んだなどということがあると思いますか」

お茶を運んできた爺やは、私に恭《うやうや》しく湯飲みを差し出した後、そんなふうに尋ねてきた。爺やの方からそうした話題を持ち出してくるのは珍しい。そうでなくても神奇な話には目のない私である、爺やの言葉に目を輝かせたのは当然だった。

「なんだ、それは。どういうことなんだ」

「まあ、怪談の類ではなくて、おそらくは不幸な見立て違いということだとは思いますが」

そう言って爺やは、詳細を語り始める。なるほどそれは、己の身に置き換えれば恐ろしくはあるが、決して信じられない奇妙な話というわけではなかった。

その発端は数日前に遡る。とある大店の妻女がある日を境に急に痩せ細り始め、終いには消え入るように息を引き取った。病であることは間違いないが、どんな医者に診てもらっても病名がはっきりしなかったという。結局治療の甲斐もなく死んでしまったわけで、残された夫は大いに悲嘆に暮れたそうだ。妻女は大々的な葬儀の後、谷中の墓地に手厚く葬られた。

　ところが、その妻女の墓が何者かに掘り返されるという事件が起こった。発見したのは寺の小姓で、墓暴きなどめったにないことだから大騒ぎになった。当然遺族にも、墓が暴かれたという報告が行った。遺族たちにしてみれば、死者を冒瀆《ぼうとく》されたようなものである。さなきだに騒ぎになっているものに、さらなる油を注ぐことは必定と思われた。

　つまりここまでは、私が飴屋のお光に聞いた話そのままである。ここから先が、新たに聞く情報だ。

　遺族の許に報告に行った寺の者は、そこで驚くべきことを知らされる。なんと、死んだはずの妻女が生き返って、夜のうちに戻ってきたというのだ。そんな馬鹿なと疑ってみても、遺族は事実だと言い張るばかり。すったもんだの挙げ句、座敷に寝ている妻女の姿を垣間見せてもらった。眠りに就いている妻女は、死者も同然の透き通るような顔色だったが、しかし静かな寝息を立てていた。生きていることは間違いなかった。

「要は、死んだと見做《みな》された最初の診断が間違っていたわけでございます。死んだように見えて実は生きていた妻女は、生きながらにして土の下に葬られてしまったのですね。埋葬されて後に、棺桶の中で息を吹き返した。気づいてみれば、そこは暗い土の中。慌ててもがき、なんとか棺桶から脱出して、放心したまま自分の家に帰り着いたという次第でございます。なんともまあ、恐ろしい話でございますねぇ」

「それは医者がひどいな。そんな医者には絶対に診てもらいたくないものだ」

「左様でございますな。遺族も烈火の如く怒ったものの、生きて帰ってきたことは何よりと、複雑な心地だったとのことでございます」

「しかしせっかく生還したのも束の間、結局また死んでしまったわけか」

「左様でございます。もともと尽きる命の火であったのでございましょう。とはいえその死に様も、なんとも無惨というか、奇妙というか……」

「どんな死に方をしたんだ」

「焼けるように熱いと悶え苦しみまして、己の喉から胸から掻きむしり、血塗《ちまみ》れになって悶死したそうでございます。今度こそ息を引き取った妻女の肌は、まさに焼いたように黒ずんでいたそうで」

「やっかいな流行病ではないだろうな。コロリという死病が西洋にはあるそうではないか。残された者たちには別状ないのか」

「はい、今のところは。ですが惟親様と同じように考える者も多く、誰も好きこのんで近寄ろうとはしていないそうです。客商売の店を構える者にとって、泣いても泣ききれないことでしょう。踏んだり蹴ったりとは、まさにこのことで」

爺やはそう言いながらも、同情した様子はかけらもなかった。声の調子を変えることなく、いつものようにただ淡々と言うだけである。思えば私が幼少の頃から、爺やが声を荒らげたり取り乱している様など見たことがない。どんなときでも平然としているのが、爺やの取り柄だった。

「そうか。世の中にはいろいろなことがあるものだな。爺、ぼくが死ぬときにはしっかりと確認してくれよ。生きたまま埋められるのはかなわない」

「何をおっしゃいます。先に冥途《めいど》に向かいますのは、この爺めでございましょう」

「爺は殺しても死にそうにないからな。きっとぼくの方が先に死ぬよ」

「それはお褒めいただいているのでしょうか」

「もちろん、そうさ。長生きしてくれよ」

「ありがたき幸せにございます」

爺は顔の筋ひとつ動かさず応じて、下がっていった。私は改めて、爺やが運んできた茶を啜《すす》る。

そんなやり取りがあった日の午後に、私は警視庁に足を運んだ。むろん、川辺警部に会ってその後の捜査の進展状況を聞くためである。爺やを介して伝えた伝言がどのように受け止められているか、それも確認したかった。

汗だくになりながら数寄屋橋の警視庁に辿り着いてみると、あいにくなことに川辺警部は外出中だった。それはそうだろう。帝都を揺るがす大事件の下手人を未だ捕縛していない状態なのに、安穏と屋敷の中で茶を飲んでいるわけにもいくまい。いずれ戻ってくるというので、私はそのまま待たせてもらうことにした。

幸いなことに、さほど待たされることなく川辺警部は戻ってきた。私が待っているのに気づくと、少し意外そうに眉を吊り上げる。話がしたいのだがと切り出す私に、少し待ってくれと応じて奥へと姿を消した。

警部の顔には、いささか疲れが見えた。炎天の下、手がかりを求めて東奔西走しているのだろう。それが少しでも報いられれば疲労も消し飛ぶことだろうが、どうやらあの顔つきでは何も進展はなさそうだった。

すぐに川辺警部は戻ってきて、改めて挨拶をした。忙しい警部を長く煩わせるわけにもいかない。私は無駄話を抜きにして、すぐ本題に入った。

「それで、いかがですか。その後何か、新たな事実は判明しましたか」

「残念ながら」川辺警部は重苦しい面もちで首を振る。「今のところ、はかばかしくありませんな」

「先日、使いの者をやってお伝えしたことは、お耳に届いていますか」

「はい、伺っております。ご忠告に従い、身辺警護の者を派遣しました。ですがひとりだけ、どうにも素直でないというか、警察官を忌み嫌う娘がおりまして、その娘だけには護衛をつけられないでおりますが」

「それは、観音長屋のお美代という娘ではないですか」

私が確認すると、川辺警部は初めて興味を惹かれたようにこちらをまじまじと見る。

「ほう。どうしてそれをご存じなんです？」

「ぼくも一度会いに行ったんですよ。警告を与えるためにね。ところがさんざんからかわれて脅かされて、ほうほうの体で逃げ出してきました」

「なるほど。お美代に会いに行った者も、同じような目に遭ったようですな。他のふたりはまだしも、そのお美代だけはどうしたものかと考えあぐねております」

「大丈夫でしょう。あの長屋には屈強な男たちが何人もいる。あんな不気味な男たちに守られているなら、たぶんお美代は安全ですよ」

「しかし、それでは警視庁の面子《メンツ》が立ちません」

「とはいっても、本人が拒否しているのに無理矢理警護の者を身辺に置くわけにもいかないでしょう。お美代がいやだと言えば、長屋中が敵に回りそうですしね。しょうがないんじゃないですか」

「ううむ」

納得はできないようで、川辺警部は難しい顔で腕を組む。私は極上六歌仙の、残りふたりの美女の話が聞きたかった。

「それで、お美代以外のふたりからは何かめぼしい話は聞き出せなかったですか」

「いや、まったく。さすがに極上六歌仙の女三人までが殺されたことは知っていまして、次は自分だと怯えていました。ふたりとも、なんの心当たりもないそうです」

「簡単に何かが聞き出せるようなら、苦労はありませんね。おそらく本当に何も知らないか、あるいは知っていても些細なことだと思って事件とは結びつけていないのでしょう。その些細なことこそ大事だという気がしますが、当人が重大と思っていないことを喋らせるのは至難の業でしょうね」

「まさにそうなのです。美女たちにはなんらかの殺される理由があるはずなのに、当人はなんの自覚もない。そこが一番頭を抱えるところです」

「共通項はどう見ても美女三十六歌仙しかないわけですよね。姿絵を描いた当人である春永は、何か今度のことに関して言ってないんですか」

「春永も同様ですよ。さっぱりわからないと首を傾げるばかりだ。しかし春永からは、少し気になることを聞き出しているんです」

そう言って川辺警部は、春永が三十六人の美女を選び出す際に選から漏れた女が多数いることを語った。警部はそうした女が嫉妬に駆られて美女たちを殺して回っていると考えているらしい。その推測は私も思い浮かべないでもなかったので、興味深く聞いた。問題は、なぜ屍体の一部を持ち去るのかという点だ。

「頭がおかしいのですよ。美女として認められなかったからといって、逆恨みして他の女たちを殺すなんて、すでに頭がどうかしているのです。頭のおかしい者が何をしようと、常人が理解できるわけもないでしょう」

私の疑問に、川辺警部はあっさりと答える。私はそれでも納得できず、控え目に反論した。

「それは確かにそうなんですが、でも狂人には狂人なりの理屈があると思うんですよ。その理屈さえわかれば、すっきりするんだけどなぁ」

「理屈など、下手人を捉えてみれば遠からずわかります。今は美女たちを逆恨みしている者がいないか、一刻も早く探し出すことが先決です」

「では、選に漏れた女全員を調べて回っているんですか」

「ええ。警視庁の者全員を動員して、探索しております」

四十人にもなる女全員を取り調べるとは、警視庁始まって以来の大がかりな捜査ではないだろうか。それが実を結んで欲しいものだと、心から願わずにはいられない。

「それともうひとつ、これは朱芳から確かめて欲しいと頼まれていることなんですけど、屍体の四肢はどうやって切断されていたんでしょう」

「どうやって、と申されますと？」

この質問はわかりにくかったらしい。警部は不可解そうに眉根を寄せる。

「どんな刃物を使って切断しているのか、ということです。例えば鉈《なた》のような物で何度も斬りつけているのか。あるいは刀で一刀のもとに斬り捨てているのか」

「なるほど、そういうことですか」

警部はこちらの質問の意図をすぐに理解してくれた。警部などという重責を担うだけあって、決して頭の回転が鈍い人ではない。

「鉈ではありません。傷口はそんなに乱れていませんから。しかし一刀のもとに斬り落とされているとは言い切れませんね。これは経験から言えるのですが、刀傷であればもう少し断面が平らなはずだ。屍体はどれも、斬り落としたというよりも切り離したような感じでした」

「斬り落としたというよりも切り離したような感じ？　それはいったいどういうことです？」

警部の説明は、血腥いことには無縁の生活を送っている私にはいささかわかりにくかった。だが警部も、きちんと理解した上で口にした言葉ではないらしい。説明に苦慮するように顔を曇らせた。

「うまく説明できないんですが、ともかく名のある使い手が斬り落としたという切り口ではないのですよ。なんといいますか、見事な包丁捌《さば》きの職人が捌いた、とでも言いますか」

「しかし、だからといって割烹《かっぽう》の板場に勤める者の仕業だと考えているわけじゃないですよね。いくらなんでも、そんな……」

魚を捌くように人体を捌いていたなど、考えたくもない。これればかりは警部の見立て違いではないかと考えた。

「もちろんそうです。うーん、本官も自分で言っていることがよくわからなくなりました」

「朱芳が妙にこだわるのですよ。あいつに言わせると、人間の体はそんなに簡単にバラバラにできるものではないそうです。それなりにこつがいる、なんて言ってましたよ」

「まあ、そうでしょうね。骨はむろんのこと、筋肉も存外硬いものですから。首を斬り落とす際などは、うまく首の骨の間を斬り落とさないと、そこで刀が引っかかってしまうそうです。あの首切り朝右衛門《あさえもん》でさえ失敗することが何度かあったと言いますから、やはり簡単なことではないでしょう。しかし、そんなふうに考えると、女の仕業ではないような気もしてきますね。やはり下手人は男か……」

「殺す理由を持つ者が女でも、実行に移しているのはその情夫ということも考えられます。ともかくいずれにしろ、女たちを殺したいと思っている者を探し出すのが一番大事でしょうね」

「まったくおっしゃるとおりです。虱潰《しらみつぶ》しに当たっていますから、遠からず見つけられるものと信じております」

川辺警部は強く言い切った。私はその言葉に安堵して、引き上げることにした。無惨な死に様を晒す女は、三人でも多すぎる。この上は次なる犠牲者が出ぬよう、警視庁の奮闘に期待するだけだった。

26

驚いたことに、大男に会った日から数日とおかず、お美代は本当に熱を出して寝込んだ。突然焼けるばかりの高熱を発して倒れ、うんうんと唸る。下駄職人をやっているお美代の父親はただおろおろするだけで、看病はもっぱら母親がやっていた。長屋の女たちも、何くれとなく世話を焼く。

といっても、大した手当ができるわけでもなかった。ただ井戸から冷たい水を汲み、額に当てる手拭いをそれで絞り、こまめに替えてやるだけだ。お美代の病状は風邪にしては突然で、なにやらたちの悪い病ではないかと思われた。お美代は竹を割ったような気っぷのよさを長屋の者たちに愛されている。誰もがお美代の身を案じ、気を揉んだ。

悠太ももちろん例外ではなかった。むしろ長屋の誰よりも心痛を味わっていたといっていい。兄弟のいない悠太にとって、お美代は実の姉も同然だった。このような長屋に住んでいるのだからお美代の家も決して裕福ではないのに、飴だの団子だのといった菓子を与えてくれた。お美代がいなければ悠太は、この年になるまで一度も甘いものを口に入れられなかっただろう。お美代を慕う気持ちは、ほとんど敬慕の念にまで昇華されていた。実の母に向ける気持ちよりも強かったかもしれない。

何よりお美代は、母よりもずっと美しかった。母が特別醜かったわけではない。お美代が美しすぎたのだ。物心ついた頃から悠太は、その際立った美しさを感じ取っていた。同じ女のはずなのに、自分の母親を含めた長屋の女たちとお美代が、どうしてこうも違って見えるのかと不思議でならなかった。やがてその違いとは美醜の差なのだと学んだ。なるほど、美しい女とはこういう人のことか。そう悟って以来、お美代は悠太にとって別格の存在となった。美しさにおいて、お美代と比肩しうる者など悠太は一度たりとも見かけたことがなかったからだ。

それは悠太の初恋だった。むろん、悠太にそのような自覚はない。姉のようにお美代を慕い、長屋外の者にその美しさを誇るだけのことだ。それでも悠太は、ともすればお美代の美しい顔《かんばせ》にただ見とれていることがある。明らかに悠太は、お美代の美しさに魅せられているのだった。悠太にとってお美代は、特別であるが故にただひとりの異性となり得た。まだ幼いために、それを恋愛感情と自覚できていないだけのことである。

そんな対象が高熱を発して寝込んでしまった。心配のあまり、悠太は身を切られるような思いを味わった。なんとかしてお美代の病を癒してやりたい。高名な医者を連れてきて、適切な処置を受けさせてやりたい。そう痛切に願ったものの、しかし当然のことながら悠太にそのような経済力はなかった。お美代の両親や長屋の他の者でさえ、医者を呼ぼうという発想はない。この貧しい長屋では、高い金がかかる医者はほとんど縁のない存在なのだ。寝ついた者はただ、病が癒えるのをじっと耐え忍ぶことしかできない。

お美代が苦しんでいる様を、悠太は長く見続けることはできなかった。いても立ってもいられなくなったのである。何もすることができない悠太が、先日の大男の言葉をすぐに思い出したのは当然のことだった。大男は自分のことを医者だと称した。お美代が熱を発したらすぐに治療しなければならないと言っていたではないか。これが、大男の言っていた症状のはずだ。一刻も早く大男を呼び寄せ、お美代を診てもらわなければならない。悠太がそう心を決めるまでには、さして時間はかからなかった。

悠太は長屋を飛び出し、街道へと向かった。ずっと走り通し、息を切らして石地蔵まで辿り着く。そして手近な石を拾い、尖った角を使って前垂れをふたつに裂いた。こんな手段でしか大男に連絡をとれないことがどうにももどかしくてならなかった。すぐにこの合図を大男が見つけてくれるよう、強く念じるだけだった。

悠太の願いは、ほどなく叶えられた。その日の夕方に、大男は長屋に姿を現したのだ。容貌魁偉《かいい》な男たちの多い長屋だが、この大男ほど上背のある者はいない。ふらりと現れた大男を見て、誰もが驚きのあまりしばし息を呑んだ。

「お美代さんはどちらかな」

大男は、井戸端に群れていた女に問いかけた。口許には、見る人を安堵させる微笑が刻まれている。あまりの巨軀《きょく》に肝を拉《ひし》がれていた女たちも、その表情を見て緊張を解いたようだった。「あんたは？」と、相手の身許を確認する。

「私は医者です。お美代さんが病に倒れられたと聞いて、やってきました」

悠太はそのやり取りを、家の窓から遠目に眺めた。自分が医者を呼んだのだと、周囲に誇る気にはなれなかった。悠太は純粋にお美代の身を案じたから、医者を呼んだのである。だがそんな気持ちとは別に、悠太は金をもらってしまっていた。その疚《やま》しさが、飛び出していって真っ先に男を案内しようという気を削《そ》いだのだ。悠太が息を詰めて見ているうちに、大男は女たちに案内されてお美代の家へと入っていった。

たちまち、お美代の家を囲んで人だかりができた。男の巨大な体だけでも、長屋の者たちの好奇心を刺激するに充分である。そこにお美代の容態を案ずる気持ちも加わっているのだから、群れ集うなと言う方が無理だ。悠太もようやく家を飛び出し、人だかりの中に混じった。

しかし、若い女の体を診察するのだからと言って、大男は戸も窓も閉め切ってしまった。覗けなくなって残念がる長屋の者たちは、口々に不平を漏らす。しかしその不平も、安堵を伴っているので激しくはなかった。男の物腰には、なるほど医者と思わせる信頼すべき何かがあった。悠太も含めた長屋の者たちは、敏感にそれを感じ取っていたのだった。

締め切った家の中でどんな治療が行われているのか、外にいる者たちには窺い知れなかった。耳をそばだてても、なにやらぼそぼそと語る男の声は聞こえるものの、その内容まではわからない。時間が経つにつれ一同の好奇心は膨れ上がり、どうにも我慢できない雰囲気が醸成されていった。気短な者がたまりかねて、戸を少しだけ開けて中を覗き込もうとしたときだった。

突然内側からがらりと戸が開き、そこに大男の体が立ち塞がった。野次馬たちは慌てて後ずさる。驚いたのは悠太も同じだった。

「お美代さんの病状は思いの外重い。このままでは命に関わりかねないので、私の庵《いおり》に運んで、特別な手当をする必要があります。どいてもらえませんか」

大男は一同に説明するように言い、身を捩《よじ》って自分の背中を見せた。男の広い背中には、ぐったりしたお美代が負われている。男の後ろには、心配げな表情の母親が立っていた。

野次馬たちは言われるままに飛びすさり、道を空けた。その間を大男は、頭を下げながら通り過ぎる。悠々とした男の足取りに、一同はただ圧倒された。声をかけることも忘れ、そのまま見送る。

そんな凍りついた雰囲気を最初に打ち破ったのは、他ならぬ悠太だった。「待って！」と声を上げ、男の後を追う。お美代がどこに連れていかれるのか、見極めないではいられなかった。ふと、このまま二度とお美代に会えないのではないかという、謂《い》われのない恐怖を覚えたのだ。

悠太に続いて、他の野次馬たちもぞろぞろと動き出した。家事の途中だった女たちを除いて、暇を持て余していた長屋の者全員が男についていく。大男は己の後方を気にするでもなく、悠然と歩を進めた。負《お》ぶわれたお美代は、顔を上げる気配もない。

男は中山道まで出て、しばし旅人に混じって歩き続けた。その後を追うみすぼらしい身なりの長屋の者は、悠太も含めて十人余り。それが列をなして歩いているのだから、傍目《はため》にはずいぶん奇妙に映っただろう。ぽかんと口を開けて列を見送る旅姿の者も少なくなかった。

やがて男は、不意に街道を離れた。ためらうことなく土手を降り、さらにどんどんと進む。そして林の中に入っていったかと思うと、やがて前方には茅葺《かやぶ》きの小屋が見えてきた。そこが、男の言っていた庵らしい。

医者にしてはずいぶん辺鄙《へんぴ》な場所に住んでいるものだと、悠太は奇異に感じた。長屋の者たちも、同じようなことを口にし合う。しかしそんな後方のやり取りには頓着《とんちゃく》せず、大男は戸を開けて小屋の中に入っていった。建て付けの悪い戸を苦労して閉め、悠太の視野から消えてしまう。

長屋の者たちは、慌てて小屋に取りついた。窓から中を覗き、様子を窺う。悠太は背が届かなかったので、戸を細めに開けてそこに目を当てた。内部は外観のみすぼらしさとは裏腹に、思いの外小綺麗に整頓されていた。

男は敷いてあった布団に、優しくお美代を寝かせた。そして不意に外に顔を向けると、顔を綻《ほころ》ばせる。

「心配しなくても、このとおりきちんと治療しますよ。安心してください」

その言葉はもっぱらお美代の両親に向けられたものらしい。長屋の者たちに交じってついてきていた両親は、窓の桟《さん》越しにぺこぺこと頭を下げた。男はそれに頷きかけ、机に向かうとそこに置いてあった様々な器具をいじり始めた。どうやら薬を調合するらしい。大男の手に収まると、調合のための擂《す》り粉木《こぎ》がまるで子供の玩具のように見えた。

「ちゃんとした医者のようじゃないか。これでひとまず安心だな」

大男の手つきは、確かに熟練した医者のそれであった。その様子を見た長屋の者が、安堵したようにお美代の父親に話しかける。父親は「ああ」と放心したように頷いた。

「しかし、治療代はどうすんだよ。払う当てはあるのか」

すぐに、現実的な質問が飛ぶ。それに対して父親は、再度「ああ」と答える。

「いつでもかまわないっておっしゃってくださったんだよ。ありがたいことだ」

母親などは半分涙ぐみながら、相手には見えもしないだろうに手を合わせて拝んでいる。

長屋の者たちは、皆一様に「ほう」と感心した声を上げた。

「今どき奇特なお医者さんだな。おれたちみたいな貧乏人を相手にしてくれるのか」

「仏様みたいな人だなぁ」

「まったくだ」

この小屋を見たときに兆《きざ》した不安など綺麗に忘れ、一同は口々に大男を褒めそやした。悠太もまた、お美代の病状は気がかりながらもひとまず安堵した。それでもまだ、医者を呼び寄せた己の手柄を誇る気にはなれなかった。

一同はしばらく小屋の周辺に屯《たむろ》していたが、何も起きないことを見て取るとひとりふたりと引き取っていった。悠太はお美代の両親とともに最後まで残っていたが、日が完全に落ちて帰り道が怖くなったので、諦めて引き返した。家に帰ると、こんな遅くまで何をしていたのだと、母から大目玉を食らった。いつもならそうした小言に反発する悠太だったが、今日ばかりはおとなしく怒られるに任せた。夕食を食べて、お美代の身を案じながら床に就いた。

翌日には、目覚めてすぐに家を飛び出した。お美代の容態が急変していないだろうかと、気が気ではなかったのだ。全力で疾走し、街道を急ぐ。そして道を逸れ、見憶えのある林に飛び込んだ。

小屋は簡単に見つかった。戸に飛びつき、「ごめんよ！」と声をかけながら開ける。横になっているお美代の姿が、すぐにも目に飛び込んでくるはずだった。

だが悠太は、戸に手をかけたままその場で立ち尽くした。己の目に映る光景の意味を理解しかね、ただ戸惑う。頭の中で嵐が吹き荒れているように、考えが千々に乱れてまとまらなかった。

小屋の中には誰もいなかった。それどころか、昨日は確かにあったはずの生活の跡が、綺麗さっぱり消え失せている。お美代が寝ていた布団も、男が手にしていた薬を調合するための器具も、一切合財なくなっていた。小屋の様相は一変し、住む人もいない荒れ果てた廃屋としか見えなかった。

そんな馬鹿な……。呆然として、悠太はただ呟いた。こんなことがあるものか。お美代は確かにここに寝ていたのだ。高熱のために動くこともできなくなっていたお美代が、いったいどこに消えるというのか。お美代をここに連れてきたあの大男は、幻などではなかったはずだ。

自失の後には、全身の血が冷えるような恐怖が押し寄せてきた。もしかしたら自分は、とんでもないことをしでかしてしまったのではないか。若い女が次々に殺される事件が世間を騒がせている今、どうして素性も知れない男を簡単に信用してしまったのだろう。なぜ男の言葉を鵜呑《うの》みにして、お美代を置き去りにしてしまったのか。己の愚かさにいまさらながら愕然とした。

もしお美代の身に何かあったなら、それはすべて自分のせいだ。わずかな金に目が眩み、お美代の命を危険に曝してしまった。悔やんでも悔やみきれない。我が身を切り刻んだとて、とうてい許されることではなかった。

足許からがたがたと震えが這い上ってきた。しでかしてしまったことの重大さに恐れおののき、思わず失禁しそうになる。だが悠太は、歯を食いしばって泣きたいのをこらえた。今は泣いている場合などではない。お美代を助け出すために、長屋の者たちに急を報せなければならないのだ。

悠太は踵を返し、往路に倍する速さで長屋に向かって駆け出した。血の滲《にじ》むような絶叫を耳にしたが、それが己の口から発されているという自覚もなかった。

27

体調が戻ると喜八郎は、また以前のような生活に戻った。神田明神の境内にて抜刀術を披露し、日銭を稼ぐ日々である。数日休んでいただけなのに、隣に屋台を出す熊手屋の親父は喜八郎を見て嬉しそうな顔をした。姿が見えないから心配していたと、まんざら愛想とも思えないことを言う。他人からそのように言われたことなど初めてなので、喜八郎は大いに戸惑った。返す言葉に詰まり、ただ頭を下げる。すると、その態度の何がおかしかったのか、熊手屋は声を上げてからからと笑った。あんたらしいや、という言葉の意味は、喜八郎にはさっぱり理解できなかった。

日中はそうして通常の生活に復帰した喜八郎だったが、夜はそれまでと違う行動をとった。母のいる長屋には帰らなかったのだ。といって、脚と蜜月を過ごしたあの小屋に戻ったわけではない。とある場所で、ひたすら野宿をすることにしたのだ。

そこは麹町《こうじまち》にあるちっぽけな稲荷社だった。名を公魚《わかさぎ》稲荷という。喜八郎はこの稲荷社を、わざわざ地図を購入して探し出した。他にもいくつか候補となる場所はあったが、順番から推してこの公魚稲荷こそ一番可能性が高いと考えた。

この稲荷が、次に屍体の捨てられる場所だ。喜八郎はそう推測していた。根拠は先日気づいた、とある共通点だけである。だが喜八郎は、己の推測が的を外しているとは思わなかった。今や八つ裂き狐の考えることは、まるで自分の思考のように見通すことができた。

問題は、いつ捨てられるかということだった。他の者に見つけられ、騒ぎになってからでは遅い。八つ裂き狐が屍体を捨ててすぐに、脚だけを持ち去らなければならないのだ。だから喜八郎は、連日徹夜を覚悟でこの稲荷に泊まり込んでいる。八つ裂き狐が現れるなら、それは日中ではなく夜だろうという読みもあった。

公魚稲荷は、周囲に住む人々からも忘れられ、朽ち果てるのを待つばかりといった寂《さび》れた場所だった。人目を憚《はばか》らなければならない八つ裂き狐にとっては好都合だろうが、それは喜八郎にも同じことが言えた。目立つ場所で何日も野宿を続けていれば、必ず誰かに見咎められる。喜八郎が待ちかまえていることが知れたなら、八つ裂き狐も現れないかもしれないのだ。八つ裂き狐を待ち伏せするには、人気のない場所の方がいい。

小屋と形容した方がしっくりするようなちっぽけな社殿の床下に、喜八郎は己の身を隠した。真夏のこととて、野宿も辛くない。床下に隠れると敷地内を見渡すことは難しかったが、それでも物音を聞き取ることはできた。誰かがやってきたなら、気配だけで察することができるはずだった。喜八郎は八つ裂き狐がやってくるまで、何日でもここで辛抱し続けるつもりだった。

これが、脚をふたたび手にするための最善の策だった。喜八郎は腐れゆく脚を食べてしまって以来、ただ一心にそのことだけを考え、そして結論した。他の手段も考えなかったわけではない。最も簡単に思いつくのは、やはり墓暴きだ。埋葬されたばかりの屍体を掘り返し、脚だけを持ち去ることができたなら、それが一番よい。

だが実際には、どこで誰が死んだなどという噂をいち早く入手することは難しい。平素から付き合いが多く、人に頼られる立場ならば情報にも聡《さと》くなろうが、喜八郎も母もそういうたちではない。いまさらそれを改めようとて、遅すぎるというものだ。葬儀の噂を聞いたときには、すでに日も経ち、墓を掘り返したところで腐敗が進行している屍体を見つけるだけだろう。

それともう一点、墓を暴いて脚を手に入れようと思えば、喜八郎が屍体の脚を切断しなければならない。しかしこれが存外困難な話だ。その場で切断すれば墓守りに見つかるだろうし、屍体ごと持ち去るのは骨が折れる。どちらにしろ、現実的でないことに変わりはなかった。

女を拐《かどわ》かし、己の手で脚を切り取ることも考えないではなかった。しかしこの危険は、墓暴きの比ではない。女をうまくさらう自信はないし、まだ生きている女の脚を切断するのも胸が悪くなる。殺してから脚だけを斬り落とすのは、いかにも寝覚めが悪い。人殺しにだけは手を染めたくないものだという禁忌が、喜八郎の裡《うち》にも存在する。

やはり一番理想的なのは、女を殺害し四肢を切断する作業を、他の者に肩代わりしてもらうことだ。幸いにも今は、八つ裂き狐なる者がせっせとそれを実行しているではないか。しかも八つ裂き狐は、特に脚に執着があるわけではないらしい。どうせ捨ててしまうなら、喜八郎がもらったとて不都合はないだろう。そうした結論に行き着くまでには、さして時間もかからなかった。

八つ裂き狐の行動規準を理解できたのは、やはり天啓だと思う。天が美しい女の脚を授《さず》けてくれるために、喜八郎に道を示したのだ。これを無駄にしてはならない。古ぼけた稲荷の社殿の下で、全身を蚊に食われて閉口しようと、その程度は何ほどのことでもないのだ。喜八郎はただ、八つ裂き狐が一日も早く次の女を切り刻んでくれることを祈念し続けた。

喜八郎の願いは、野宿を始めて四日目に叶えられた。夜間はなるべく眠らずに気を張っていようと心がけているが、ともすれば意識が眠りの坂を転げ落ちていることがある。その夜も、そろそろ日が昇り始めようかという時分には、ついとろとろとまどろみかけていた。

　そんな喜八郎の意識をはっきりと覚醒させたのは、土を踏みしめるかすかな音だった。気配を殺そうとしていても、どうしても立ってしまうわずかな足音。それが喜八郎の神経を刺激し、睡魔を追い払った。喜八郎は身を起こしこそしなかったが、意識はこれ以上不可能なほど研ぎ澄ましていた。

　足音は、決して軽やかとは言いかねた。ゆっくりとだが毅然とした足取りで、何者かは近づいてくる。喜八郎のいる床下からその姿を見ることはできなかったので、おそらく正面からではなく裏から敷地内に忍び入ってきたのだろう。その一事をもってしても、足音の主が単なる稲荷詣でに来たわけでないことは察せられた。ましてこんな明け方近い時刻である。喜八郎は来訪者が八つ裂き狐であることを確信していた。

　足音は、社殿の真裏辺りで止まった。すぐに、どさどさとなにやら重たい物を落とす音がする。担いできた屍体を捨てているのだろうと喜八郎は推測した。すぐにも飛び出して脚を奪い去りたい誘惑を、必死に抑えつける。八つ裂き狐と顔を合わせてしまえば、こちらの命まで危うい。喜八郎がここに隠れていることは、なんとしても相手に知られてはならないのだった。

　重い荷を降ろしたことに安堵するように、「ふう」と息を漏らす声が聞こえた。声は間違いなく男のものだった。なるほど、世間を騒がせる八つ裂き狐は、やはり男だったのか。それを知っているのは今のところ自分だけなのだと思うと、喜八郎は優越感に満ちた笑みを浮かべたくなる。どうせなら顔も拝みたいところだったが、身を乗り出して相手に見つかる危険は冒せないのが残念だった。

そのまま来た道を辿って裏手に消えるかと思いきや、男の足音は喜八郎の方へ近づいてきた。まさか喜八郎の存在に気づいたわけでもなかろうが、反射的に身が竦《すく》む。じっと息を凝らし、男が行き過ぎるのを待った。荷を捨てて身軽になった男は、今度は堂々と正面から帰っていくつもりのようだった。

足音は近づいてきて、ついに喜八郎の視野に現れた。草履《ぞうり》を履いた男の足が、喜八郎の眼前を通り過ぎていく。男の歩幅は広く、歩く速度は速かった。足は見る見る遠ざかり、それにつれて男の全身像がはっきりしてきた。

男は大柄だった。それも並大抵の大きさではない。巨軀と形容しても決して大袈裟ではないほど、男の体は巨大だった。

相手が遠ざかっていくにもかかわらず、知らぬ間に喜八郎は男の体軀に威圧されていた。男が夜の闇の中に消えていって初めて、体が緊張のあまりがちがちに強張《こわば》っていることに気づいた。喜八郎はひと息ついて緊張を解き、そして音を立てぬように床下から忍び出た。逸《はや》る気持ちを抑え、万全の注意を払いながら社殿の裏に向かう。

果たしてそこには、喜八郎の望むものが積み上がっていた。バラバラになった女の体。それを見た瞬間、喜八郎の感情は爆発的な歓喜に塗り潰された。女の生白い脚が、無造作に捨てられている。まるで喜八郎に拾われることを望むが如く、脚は艶めかしく膝を曲げている。その肌の色は、つい今し方命を失ったばかりのように輝いていた。

　喜八郎は脚に飛びつき、抱き締めて感触を味わった。その様は、生き別れていた恋人と再会した風情にも似ていた。

28

　川辺は瞑目していた。警視庁を出立《しゅったつ》して以来、一度も目を開けていない。馬車の内部は重苦しい沈黙に満たされ、同乗している他の巡査が居心地悪そうにしているのには気づいていたが、口を開いて雰囲気を変えてやるつもりは毛頭なかった。ひと言でも言葉を吐こうものなら、口汚い罵声になってしまいそうな気がしたからだ。罵《ののし》る相手もわからぬ、空しい罵声だ。そんな八つ当たりの言葉を浴びせられるよりは、少しくらい居心地の悪い思いを味わっていた方が部下たちにとっても幸せだろう。だから川辺は、喚《わめ》きたい気持ちを極力抑え込み、沈黙を保ち続ける。

　信じがたいことだった。またしても八つ裂き狐にしてやられた。こんなことが立て続けに起きるようでは、帝都の治安など単なるお題目に過ぎない。無法が罷《まか》り通り、仮借《かしやく》ない暴力に市民が日々怯えている町が、今の東京だ。こんな町が一国の帝都であっていいのか。この世の正義とは、いったいどこにあるのか。

正義は、他ならぬ川辺たちが具現しなければならないことなのだ。警視庁以外に、法を犯した者を取り締まる機関はない。それなのに警視庁は、危険極まる悪人を捕縛することができず、さらなる犠牲者が出るのを許してしまった。これはもう、威信や面子《メンツ》の問題ではない。警視庁の存在意義に関わる、許されがたい無能ぶりだった。

警視庁とて、八つ裂き狐の跳梁《ちょうりょう》を手をこまぬいて見過ごしてきたわけではない。労を惜しまず、できる限りの手は打ってきた。だが新たな死者が出ることを食い止められなかった今となっては、そんなことはまったく意味を持たない。何もせずただ寝ていたに等しいのだ。そうした自覚が、川辺を激しく苛立たせる。己の無力に、強い腹立ちを覚える。

今回屍体が見つかった場所は、麹町にある古ぼけた稲荷だった。またしても稲荷だ。なぜ下手人は、美女の四肢を切断して稲荷に捨てるのか。狂人の仕業だということは間違いないにしても、狂人なりの理屈があることもまた確かだろう。その理屈さえ読み取ることができたなら、次なる事態は防げるかもしれない。しかしいくら頭を捻っても、川辺には下手人の行動の理由がわからない。

この事件は、愚直な捜査では決して解決できないのかもしれない。そんな弱気な予感が、ふと川辺の頭をよぎる。凡人には不可能な発想の飛躍をもって初めて辿り着ける何かを、この事件は孕《はら》んでいるのではないか。ならば、川辺たち警察官がいくら奔走しようが、事件解決にはなんら寄与しないだろう。川辺はただ無意味な努力を積み重ねる、愚かな道化だ。そんな自覚が、さらに川辺を沈鬱にさせる。

おそらくこうした事件には、九条とその友人である朱芳のような者たちの力こそ有効なのだろう。だが今のところその九条も、川辺と変わらず五里霧中のようだ。九条が何か思いついてくれるかもしれないという期待をどうしても抱いてしまうが、しかしそれは警察官としての義務を放擲《ほうてき》することでもある。市民から頼られるべき立場にある警察官が、外部の者の助力を待つようでは度しがたい。川辺は己の中に存在する依存心を嫌悪する。

下手人の行動の理由などわからなくても、捕まえてしまえばそれで事件は解決するのだ。改めて川辺は、己自身を鼓舞する。逮捕した下手人の口を割らせることなど、決して難しいことではない。屍体を切り刻む理由や、それを必ず稲荷に捨てるわけは、下手人自身が説明してくれることだろう。悲観的になるのは、下手人を利する行為以外の何物でもない。

川辺の自信は激しく揺らいでいたが、しかし状況に絶望して自暴自棄になることだけはなかった。表面上は、己の力を恃《たの》むところが大きい人物のように泰然としている。それが部下たちに安心を与えていることを、川辺は充分に自覚していた。だから川辺は、内心を語らずただ寡黙であり続ける。

馬車はいつしか、屍体発見現場である麴町に近づいていた。御者は器用に馬を操り、馬車を稲荷に近づけていく。早くも稲荷には人だかりができていたが、混乱している気配はなかった。誰もが皆、恐れるように稲荷から距離を保っていたからだ。人だかりができている割に、その中心に位置する稲荷は静寂に包まれていた。

川辺は馬車を降り、先頭に立って野次馬たちを掻き分けながら進んだ。八つ裂きにされた屍体は、社殿の裏にあるという。参道を足早に突っ切り、古ぼけた社殿を回り込んだ。とたんに、すでに嗅ぎ慣れた独特の臭いを鼻に感じた。鉄錆《てつさび》にも似た非日常の臭い。大量の血液が発する臭いが、社殿の裏には充満していた。

八つ裂きにされた屍体は、一見したところ人体とは似ても似つかなかった。残っているのは胴体と左手だけだったのだ。四肢と頭部を欠落させた胴体は、奇怪な肉塊でしかない。人間の尊厳を剝ぎ取られた屍体は、生前の姿がいかに美しかろうと、ただひたすらに醜悪だった。人間をただの物に貶《おとし》めずにはいられない下手人の悪意を、川辺はそこにありありと見て取った。

「発見したのは近所の子供だと言ったたな」

屍体のそばに立って現場保存に努めていた巡査に、川辺はそう確認した。巡査は青ざめた顔で、「はい」と答える。

「ここに遊びに来た子供ふたりが、この有様を見つけたそうです。子供は動転して親に報告し、親もまた実際に自分の目で確認すると町長の家に飛び込みました。そして町長が、それがしに通報したというわけです」

「屍体はむろん、誰もいじっていないのだろうな」

「はい。最初に見つけた子供たちを含め、誰も手を触れていないそうです」

「そうか。ならばやはり最初からこれしかなかったということか」

川辺が奇異に感じたのは、これまでの三件に比べ捨ててある人体の部位が少なすぎるということだった。過去三件のうち二件は、屍体の部位のうちふたつが欠けていた。三つ欠けていたのは、一度だけである。ところが今回は、頭部、右腕、両脚と、四つもの部分が欠落している。この違いには、何か意味があるのか。

川辺は改めて、屍体を確認した。胴体は俯《うつぶ》せになっていたが、その細さと肌の肌理《きめ》から女性だということは明らかだった。四肢の断面は、未だ生々しさを留めて赤黒い。切り口はこれまで同様、乱れたところもなく滑らかだった。

「起こしてみたい。仰向けにしてくれ」

川辺は付き従ってきた巡査ふたりに、そう命じた。すぐにふたりの巡査は、左右から胴体を抱えてひっくり返す。そしてゆっくりと、屍体の背中を地面に横たえた。胴体の前面には、豊かな乳房が見られた。

だが川辺を含めたその場の者たちの注意は、乳房に向かなかった。臍《へそ》の下、下腹部に一同の視線は集中する。むろん、それは下卑《げび》た興味からではない。そこにあるべきものが存在しないことに、川辺たちの目は奪われたのだ。

屍体の女陰は、白い骨が見えるまで深く抉《えぐ》り取られていた。そこにぽっかりと開いた大きな穴は、赤黒い血溜まりだった。

「ひどい……」

思わずといった様子で、巡査のひとりが声を漏らした。ただでさえ酸鼻《さんび》な様相の屍体である。いまさら新たな傷口を見つけたところで、それをもってひどいと慨嘆するのは奇妙なはずだ。にもかかわらず巡査の呟きは、その場の一同共通の思いでもあった。徹底的に屍体を蹂躪《じゅうりん》する何者かの狂気に、警察官たちは慄然とした。

「こんなことは、初めてだな」

わかってはいても、確認せずにはいられなかった。川辺の問いに、三人の巡査たちは一様に頷く。これまでの屍体は、四肢を切断されてはいても女陰を抉り取られるようなことはなかった。消失した体の部位が多いことに加え、これもまた新たな変化のひとつだ。

「なぜ下手人はこんなことをするんでしょう。そんなに殺すだけじゃ飽き足らないんでしょうか」

答えられる者などいないことはわかっているはずなのに、ひどいと呟いた巡査は言葉を発した。その両拳は強く握られ、憤りに必死に耐えている様が窺える。川辺は頭を振り、周辺を隈《くま》なく捜索するよう命じた。下手人の遺留物を探すのは、捜査の鉄則である。いかに常軌を逸した事件であろうと、鉄則を崩すわけにはいかなかった。

問題は、屍体の身許確認だった。三人目の珠子も頭部がなくなっていたが、あの場合はいなくなったことがすでに騒ぎになっていたため、すぐに確認ができた。今回もまた、身内の者が騒いでくれるだろうか。もし娘が行方不明になったという報せが警視庁の方に届かなければ、美女三十六歌仙のひとりひとりに当たって無事を確かめなければならない。そんな迂《う》遠《えん》なことをしている間に、何かが決定的に手遅れになってしまう恐れもあった。

周辺には、これまでと同様何もめぼしい物は落ちていなかった。遺留物を残すほど、この事件の下手人は間が抜けていないのだ。それを確認して川辺は、屍体を搬送するよう部下たちに命じた。身許がわからない今は、ひとまず近くの交番に運び込むしかないだろう。

部下たちは戸板を用意し、そこに屍体の胴体と左腕を載せ、布で覆った。戸板の両端をふたりで抱え、ひとりが先頭に立ち誘導する。憐れな屍体にせめてもの尊厳を与えようとでもいうように、巡査たちの足取りは厳粛だった。

川辺は屍体が運ばれていくのを見送ってから、馬車に戻った。ずっと待機していた御者に、大塚まで行くよう命じる。もちろん行く先は、極上六歌仙のひとりであるお美代が住む観音長屋だ。残っている極上六歌仙のうち、ふたりには警視庁の警護がついている。無惨な屍体となっている可能性が最も高いのは、警視庁の庇護下になかったお美代だ。当人がどんなにいやがろうと、無理矢理にでも警護をつけておくべきだった。いまさら後悔の念が湧いてきて、川辺の責任感を苛《さいな》む。川辺はひたすら、歯を食いしばってそれに耐えた。

観音長屋には、直接馬車で乗りつけるわけにはいかなかった。路地が狭く、幅の広い馬車では入っていけないからだ。川辺は適当なところで馬車を停めさせ、後は徒歩で長屋に向かった。初めて足を踏み入れる地域だったが、長屋の名を口にすれば誰かが道を教えてくれるだろうと考えていた。

ところが、人に問うまでもなく川辺は長屋に辿り着くことができた。なにやら騒がしい気配がするので、そちらに足を向けるうちに自然に長屋に到着したのだ。長屋は殺気立った気配が充満していた。屈強な男たちが群れ集い、ぼそぼそと相談している。井戸端には女子供が集まり、子供たちのほとんどは喉も裂けよとばかりに号泣していた。変事があったことは一目瞭然だった。

長屋の者たちは、制服姿の川辺を見かけただけでどよめいた。だがすぐに駆けつけてこようとする者もいない。警官が現れることなど予想外だったように、対処に戸惑っている様が窺えた。川辺は自分から声を発して、緊張した気配に一石を投じた。

「ここにお美代という女が住んでいるはずだが、今でも息災《そくさい》でいるか」

大声で問いかけたのでその場にいる者全員の耳に届いているはずだが、反応は鈍かった。誰もが音の聞こえぬ人のように黙り込み、ただ剣呑《けんのん》な目つきで川辺を見る。川辺はもう一度同じ言葉を繰り返し、近づいていった。川辺の堂々たる物腰に、群れ集っていた者たちも多少気圧《けお》されたような様子を見せる。

「お美代が、いなくなっちまったんだよ」

一同を代表して、比較的身なりのきちんとした男が答えた。ぼろ布に等しい着物をまとった者がほとんどの中、男だけは着流しに兵児帯《へこおび》を結んでいる。男は一歩前に進み出ると、逆に川辺に問い返してきた。

「お美代の行方を知ってるのか」

「八つ裂き狐の話は知っているな。今様美女三十六歌仙なる錦絵に姿を描かれた女を、次々に無惨に殺している者の通称だ。その八つ裂き狐の手に掛かったらしき女の屍体が、今朝発見された。首がないので、どこの女とも知れない。だからまず、お美代の無事を確認に来たのだ」

川辺の言葉に、長屋中がどよめくような反応があった。一瞬泣くのをやめていた子供たちは、それまでに倍する泣き声を張り上げる。男たちは「畜生」「やられた」と口々に罵りの声を上げ、女たちは天を仰いで顔を覆った。事態は長屋の者たちにとって、最悪の様相を呈しているようだった。

「お美代の身内の者はいるか。屍体を確認してもらいたい」

声を張り上げると、すぐに人々の輪の奥から夫婦者が進み出た。男は小柄な職人ふう、女はみすぼらしい身なりながら、若い頃にはそれなりに整った顔立ちだっただろうと思われる容姿だった。なるほど、この母にして東京でも指折りの美しい娘が生まれたのか。川辺は内心で納得する。

「すぐに一緒に来てもらいたい。お前たちならば、娘かどうか体を見ればわかるな」

確認を求めると、夫婦は互いに顔を見合わせた。夫は首を傾げ、妻がおずおずと答える。

「右の脇腹にほくろがありますから、たぶんわかると思いますが……」

「そうか。よし、一緒に来るんだ」

促して、待たせてある馬車まで急いだ。夫婦は馬車に乗るのなど初めてらしく、最初はかなり抵抗を示した。だが川辺が急ぐのだと一喝して無理矢理に乗せると、身の置き所がなさそうに車内で縮こまっている。いささか気の毒に思い、川辺の方から話しかけた。といっても、それはあくまで事件に関することだったのだが。

「お美代は、長屋の者たちが守ってくれるから警察の警護など必要ないと豪語していたそうじゃないか。それなのになぜ、拐《かどわ》かされてしまったのだ」

「へえ、それが……」

お美代の父親は、まるで己の罪を咎められているかのように、おどおどとした態度を崩さなかった。川辺は黙って耳を傾ける。

お美代が熱を発し医者と称する大きな男が連れ去ったという説明は、川辺を唸らせた。そのまま行方不明になったのならば、その大男は善意の医者などではなかったのだろう。男自身が、八つ裂き狐であったと見做すべきだ。ついに下手人は、その姿を人目に曝したというわけだ。

おそらく下手人は、極上六歌仙の生き残りたちへの警護が厳しくなったので、やむを得ず姿を現したのだろう。それだけ相手も切羽詰《せっぱつ》まっているというわけだ。そうまでして美女たちを殺さなければならない理由は依然不明だが、少なくとも川辺たちの努力が無駄ではなかったことだけは確認できた。下手人は追いつめられているのだ。

しかも男は、なんの特徴もない平凡な容姿だったわけではない。六尺を超える大男など、そうざらにいるものではなかろう。これは大きな手がかりと言える。東京中の大男を捕まえ、この夫婦に会わせて首実検してもいい。遠からず、下手人に行き着くはずだ。

いつまでも先手を打たせてはおかない。川辺は無表情の下で、改めて決意を強くした。

29

なんの変哲もない稲荷だった。ここに美女の無惨な屍体が放置されていたという痕跡も今はまったくなく、ましてや妖怪の住まう場所といった鬼気迫る雰囲気は微塵《みじん》もない。この稲荷もまた、すでに訪れた笠原稲荷や榊稲荷と同じく、新しい手がかりなど何も与えてくれそうになかった。

私は社殿の前に立ち、形ばかり油揚げを供えた。だがすでにそこには、異常とも言える数の油揚げが積み上がっている。八つ裂き狐の災禍を恐れる市民たちが、こぞって参拝に来たのだろう。それはここや笠原稲荷など屍体が見つかった場所だけでなく、事件とは無関係の稲荷でも起きている現象だそうだった。帝都を騒がす八つ裂き狐は、時ならぬ稲荷詣でばやりを引き起こしたのだった。

市民の気持ちは我が事のように理解できる。一連の事件はとても人間の仕業とは思えず、地震や火事といった天災も同然に受け止められているのだ。狙われる相手が美女三十六歌仙に選ばれた女だけだという事実も、市民にとっては慰めにならない。いつ何時八つ裂き狐が矛先を変え、三十六歌仙以外の女を狙うか知れない。若い女だけでなく、老女も幼女も、果ては男までも油揚げを稲荷に捧げているのが実状だった。油揚げ一枚で命を落とさずに済むなら、誰でもそうするのではないだろうか。むろん、油揚げを供えれば八つ裂き狐から狙われないと保証されるわけではないのだが。

人の信仰とはなんと奇妙なことだろう。朱芳の説明によれば、稲荷信仰は人心の不安が増すのと軌を一にして、はやるという。今がまさに、人心の不安が大いに掻き立てられているときだ。ふだんは犬の糞ほどにしか感じていない稲荷に、皆こぞって押しかける。信じたいときにだけ信じ、利用するのが人々の本音なのだろう。信仰とはつまり、そういう心の表れなのだ。信仰は祈る者自身のための行為であり、対象はなんでもかまわないというわけか。狐だろうと、鰯《いわし》の頭だろうと。

八つ裂き狐の犠牲者は、ついに四人に達してしまった。あのお美代が殺されたと聞いたとき、私は自分の耳を疑った。あれほど屈強な男たちに囲まれていながら、なぜお美代はむざむざと殺されてしまったのか。長屋の者たちは力こそ余っていても、知恵はまったく足りなかったと言うしかない。警告を与えていたのにそれが実を結ばなかったことが残念であり、また、会ったばかりの若い女性が無惨な姿になったことが痛ましかった。私はこれでふたり、死を目前にした女性と顔を合わせたことになる。ふたりとも、怯えてはいても死相など顔に浮かんではいなかった。人の生など一寸先は闇だ。無常観に囚われ、どうにもやりきれない気持ちになる。

どうしたらこれ以上若い娘を死なさずに済むのだろう。この気持ちは同情や責任感ではなく、まして憐れみでもない。強いて表現するなら、憤りか。理不尽なことの少なくないこの世の中だが、若い女が切り刻まれて殺されること以上の理不尽があろうか。私は納得がいかない。なぜなのか、天に向かって問い質したい。

そんなやむにやまれぬ気持ちから、私は屍体発見現場となった稲荷を訪ねて歩いているのだった。もちろん警視庁が隈なく調べているだろうことは承知している。それでも私は、何かせずにはいられなかったのだ。事件解決に寄与できるなら、私はどんな労も惜しまない。それが、亡くなった美女たちへの私からの手向けだ。

お美代が屍体で発見された公魚《わかさぎ》稲荷にはまだ行っていないが、これまでに訪れた三ヵ所の稲荷に限って言うなら、特別なところなど何もなかった。どこにでもある、こんな事件でもなければ近所の人にさえ存在を忘れられかけているちっぽけな稲荷である。下手人があえてこの稲荷を屍体遺棄の場として選んだ理由など、特にないと考えざるを得ない。おそらく稲荷に捨てるという行為だけが重要であり、その稲荷がどこに建っておりどういう来歴であるかなど、大した意味はないのだろう。ならばもし仮に事件を食い止めることができず、新たな犠牲者が出てしまうとしても、その屍体が捨てられる場所など事前に予想することはできない。そう結論するしかなかった。

下手人にとって、稲荷に屍体を捨てることにこそ、何か大切な意味があるのだ。他の場所ではなく、稲荷でなければならない理由は何か。単なる信仰心ならば、対象が稲荷というのは奇妙すぎる。稲荷に特有の、他の寺社にはない特徴などあるのだろうか。

例えば京に生まれた私は、稲荷といえば「正一位稲荷大明神」の神階と、二月初午《はつうま》の祭日、朱色の鳥居などをとっさに思い浮かべる。これらはすべて伏見稲荷に付随する特徴、行事なのだが、東京の稲荷もすべてこれらを踏襲しているところを見ると、発祥は別であってもやはり影響は受けていると見做《みな》すべきであろうことが理解できる。だが伏見稲荷と東京の稲荷の関係性や、稲荷に共通して見られるそうした特徴を列挙してみても、それが八つ裂きにされた屍体と結びつくことはない。稲荷でなければならない特別な意味など、私の乏しい知識では見いだせない。博識の朱芳でさえ思いつけないのだから、私などが知恵を絞ったところで甲斐のない努力だろう。

私は社殿の前を離れ、諦めて帰路に就いた。この暑いさなかに足を棒にして稲荷を巡ってみたが、結局収穫はまったくなかったことになる。何か目覚ましい発見があることを期待していたわけではないが、しかしひとつも新しい思いつきを得られなかったことには強い徒労感を覚える。私の足取りは重かった。

四谷の屋敷に帰り着いてみると、さらに私の気を重たくさせることが待ちかまえていた。ふだんならばこの時刻に顔を合わせることなどめったにない人物、私の兄である惟章《これあき》がいたのだ。

惟章は私のすぐ上の兄、九条家の次男になる。長兄とともに、父の自慢の息子だ。とはいえ、父の傲慢《ごうまん》さをそのまま受け継いだ長兄とは違い、惟章は至って人当たりのよい好人物である。父と長兄が揃って私の惰弱を罵る中、惟章が間に立ってずいぶんと庇《かば》ってくれたものだった。惟章がいなければ、私はこの家に居所がない。その意味で、私は肉親としての愛情以上の感謝を惟章に覚えている。

だから、惟章と顔を合わせること自体は決して気が重くなるようなことではない。ただし、惟章が改まって私と話し合いたいと希望するときは、まずろくな用件ではない。惟章は我が家の調停役であり、つまり私に厄介事を伝える使者だからだ。父や長兄から咎め立てされるような何かをしただろうかと、私はとっさに我が身を振り返ってしまった。しかし、心当たりなど何もない。

呼ばれて惟章の待つ座敷に赴くと、次兄は背筋をぴしりと伸ばした姿勢で私を待っていた。相変わらず、末弟に対してすら折り目正しい兄である。人がいいことは間違いないのだが、堅苦しすぎるのが惟章の欠点だった。生真面目《きまじめ》、という形容がこれほど似合う人物を、私は他に知らない。

「惟親、これへ」

私を認めると、惟章は軽く手で指し示して正面に坐るよう促した。私は一礼して、兄の前に進み出る。父の面前に出るのとはまた違う意味で、私は惟章の前では息苦しい気分を味わわされる。視線を下げたまま、どのような言葉が下されるのかと身構えた。

「藤下家のご息女の受難は、まったく痛ましいことだったな」

惟章は開口一番、そのように言った。なるほど、藤下家に関することかと、私は納得する。もしや私と実基の間に生じた諍いのことが、惟章の耳に入ったのだろうか。

「私も珠子さんがまだ小さかった頃に、何度か会ったことがある。何年も前のこととはいえ、面識のあった人が亡くなるのはなんとも辛いものだ。ましてそれが、若い女性であるならなおさらだ。そうではないか」

「そのとおりですね」

同意を求められたので、私は素直に頷く。惟章はこうした言葉を、決して社交辞令として口にしたりしない。辛いと言えば本人にとって本当に辛いことなのだ。時に大袈裟すぎて滑稽に思えることもあるが、基本的にはそうした反応に惟章の人の好さが現れる。

「しかし詳しい話を聞けば、珠子さんが殺された遠因は今様美女三十六歌仙なる錦絵だというではないか。市井の娘ならばともかく、公家の女が絵師などという下賤な生業《なりわい》の者に己が身を描かせるとは、前代未聞だ。珠子さんはいったい、何を考えていたのだろう」

「珠子さんの気持ちはよくわかりますよ。おそらく珠子さんは、世の中が変わっても未だに家柄だの格式だのにこだわっていることが、重苦しくてならなかったはずだ。それを打ち払いたくてあえて奔放な行動をとったんじゃないかと思います」

珠子の軽率さを咎めるような言葉を聞くと、私はつい向きになって反論してしまう。惟章はそんな私の言葉を聞いても、穏やかな口調を変えなかった。

「そなたと気持ちは同じというわけか。しかし、結果として一族の他の者にまで迷惑をかけるようでは、浅慮との誹《そし》りを免れまいて。格式を窮屈に思う気持ちは、私もわからぬでもない。しかし奔放に振る舞うにも、自ずから限度があろう。錦絵に姿を描かせるなど、いささか限度を逸脱してはいまいか」

惟章は頭ごなしに叱りつけるような真似は決してしない。質問のような形で自分の意見をこちらに向け、そして判断するよう促す。惟章の話を聞いていると、いかにも私の思慮が足らず、若輩であるが故の軽挙であったような気にさせられるのが不思議だ。もしかしたら私は、惟章が苦手なのかもしれないと何度か感じたことがある。

もちろん今は、私が咎められているわけではない。私も公家に生まれた者である、珠子の行動が軽率であったと言われてしまう、公家の間の価値基準をいやになるくらい理解できる。だから惟章の問いかけに頷くことは簡単だったが、しかしそうはしたくない意地も厳然と存在した。珠子の行動を否定してしまえば、私の現在をも否定することになってしまうからだ。珠子は決して、行動が軽率だったから命を狙われたのではない。あえて言うなら、美しすぎる故に命を落としたのだ。そして、美しすぎるほどの美貌に生まれついたことに、珠子はなんの責任もない。珠子を咎めることには、どうしても同意できなかった。

「故人の行動をいまさら責めるような真似はやめましょう。言っても詮ないことです」

「それは部外者だから言えることなのだよ、惟親。残された肉親にしてみれば、どうしても珠子さんの軽率さに腹を立ててしまう。そなたにはそれがわからないかな」

「私と実基の間でちょっとした諍《いさか》いがあったことをご存じなんですね」

「ああ、今日初めて聞いた」

やはりそうだったのだ。考えてみれば惟章の妻も、藤原氏に繋がる家の出である。公家の世界は狭い。どこでどう繋がり、話がややこしくなるかわからないのだ。公家の血を鬱陶《うっとう》しいと感じるのは、まさにこのようなときである。

「いいか、惟親。そなたが新政府の職に就こうともせず、日がな一日ぶらぶらして暮らしているのを、父上も兄上も苦々しく思っているのはわかっているだろう。もしそなたが何か外聞を憚《はばか》るようなことに巻き込まれて死んだなら、父上と兄上はそれこそ烈火の如くお怒りなさるだろう。そなたの葬儀すら行わないかもしれない」

「それは、大いにあり得ることですね」

私は皮肉ではなく、本気で同意する。惟章はそんな私の態度にも腹を立てなかった。

「父上と兄上だけじゃない。おそらく私だってそなたを弟とは思いたくなくなるだろう。そなたは幼い頃から、私の好意だけは常に当てにしていたはずだ。しかしその私にしても、家名を汚すような死に方をすれば腹を立てる。兄弟の縁を切りたくなる。つまりはそういうことなのだ。他家のことに首を突っ込むなら、そうした機微を承知しておくべきではないか。同じ公家の者にしては、そなたの物言いは無神経すぎたのではないかと、私は話を聞いて感じたのだ」

なるほど、そういうことだったか。私は大いに得心《とくしん》がいった心地だった。今度は皮肉をたっぷり込めて、何度も頷きたくなる。惟章は私をいつも庇ってくれるとはいえ、決して物わかりのよい兄ではない。むしろ、堅物過ぎるその性格は偏狭と評してもいいくらいだ。実基の考え方に同調するのは、太陽が東から昇るくらい自明のことだった。

「実基にも言ったことですが、珠子さんが殺されて嗤っている者などひとりもいませんよ。気の毒にと、ただ同情されているだけです。三十六歌仙に姿を描かせたことだって、なんと開明的なことかと感心されているくらいなんですから。むしろ珠子さんの振る舞いこそ、今後の公家が取るべき行動の指針になっているというべきではないですか」

「感心されている？　それはそなたがあまりに世間知らずだから、皮肉をそのまま真に受けているだけだ」

世間知らずとは言っても、眼前の兄も含めた大方の公家よりはずっと、世事に通じているという自信がある。それなのに惟章は、未だに私を何も知らぬ末弟としか見ていない。なんとも疲れることだ。

「誰が馬鹿にしていると言うんです？　本当にそんな人がいるなら、ひとりでもここに連れてきて欲しいものです。むしろ市民は、我々公家の無根拠な選民意識をこそ嗤っているんじゃないですか。そうした川柳が何首も書かれていることを、兄上はご存じですか」

「庶民は我々を嗤うことくらいしかできないのさ。だからこそ我々は、襟《えり》を正して常に後ろ指を指されぬよう行動を律していなければならない。父上や兄上がそなたを叱りつけるのも、つまりはそういう考えあってのことなのだ。そろそろそなたも、そうしたことに思いを致してもいい頃ではないかな」

「時代が読めなければ、取り残されていくだけです。かつて私たちの先祖は、一度時代から取り残された。今こうして日の当たる場所に出てこられたのは、僥倖《ぎょうこう》以外の何物でもない。それを自覚しなければ、かつての過ちを繰り返すだけでしょう」

あくまで言い張る私に、惟章は呆れ果てたようだった。悲しげに眉根を寄せ、ため息をつく。

「父上や兄上にだけは、そのようなことを言ってくれるなよ。いくら私でも、そこまで言われては庇いきれない。くれぐれも自重して欲しい」

「珠子さんのことを悪く言う者がいれば、私はいつでも反論しますよ」

「まったくそなたの頑固さと来たら、いったい誰に似たものか。父上とぶつからぬよう、ただ祈ることにするよ」

「私なりの珠子さんへの供養は、なんとしてもするつもりです」

その言葉は、下手人逮捕に少しでも貢献することを意味したつもりだった。だが惟章はそれを理解したとも思えず、ただ首を振るだけだった。

30

鈴木春朝は怯えていた。

どうしてこんなことになってしまったのか、さっぱりわからない。ついふた月ほど前までは、昨日までとまったく変わらぬ日々が明日以降も続くものと思っていた。ところがお菊が殺された日を境に、見慣れていたはずの光景が一変した。世の中は魑魅魍魎《ちみもうりょう》の巣くう魔窟と化し、自分以外の誰も信じられなくなった。己が八つ裂き狐でないことだけは、揺るぎない事実として信ずることができる。しかしそれ以外のいっさいは、嘘偽りである可能性がある。師匠の春永が美女を殺して回っているのかもしれないし、毎朝やってくる棒手振《ぼてふり》の蜆売《しじみう》りが八つ裂き狐かもしれない。疑い始めると疑惑は際限もなく湧き出し、春朝を怯えさせた。すべてが信じられない虚構の世界では、己の拠って立つ基盤すら確かではなく、現実が激しく揺らぐ。真実と虚構の境が曖昧になり、重視すべき何物をも見いだせなくなる。己が口に運んでいる飯粒は、果たして本当に飯粒なのか。泥団子ではないのか。話しかけてくる女は真実人間か。狐狸狢《こりむじな》の類ではないか。空の色は本当に青なのか。実は血のように赤い色なのではないか。何もかも、疑い出せば切りがない。

そんな不安な日々を送っているうちに、精神が負荷に耐えられなくなったように、春朝は高熱を発した。体の中から火で炙られるが如く、全身が熱い。加えて季節は猛暑のただ中だ。灼熱地獄とはまさにこのことかと、春朝は朦朧《もうろう》とする意識の中で考えた。高熱のせいで視野までもが歪み、ますます世界の虚構性を露呈させる。熱で曇った瞳にこそ、真実が映るように感じられる。

熱に魘《うな》される眠りの中では、奇妙にもすべてが自明のことと感じられた。八つ裂き狐は自分であり、師匠であり、死んだお菊であり、お咲であり、珠子であり、お美代であった。夢の中で春朝は女たちを慈《いつく》しみ、愛《め》で、愛撫した。手足を喰いちぎり、頭からがつがつと喰らった。女の肉はまさに甘露《かんろ》というにふさわしく、天上の果実の味がした。豊饒《ほうじょう》であり、濃厚であり、甘く、芳《かぐわ》しく、禁忌の味を伴い、淫《みだ》らで、厭《いと》わしく、吐き気を覚えさせた。春朝は女と一体になり、その甘美な感覚に驚き、酔いしれ、何度も精を放った。快感は体験したこともないほど激烈で、何物にも代えがたいほど愛しく、それ故に命を削る痛みを伴った。女を喰らうことで春朝は新たな命を我が身に導入し、そして己が命を磨り減らした。女を喰らい続けなければ、早晩命が尽き果てるだろうという焦りが、春朝を駆り立てる。そして春朝は新たな女を求め彷徨《ほうこう》し、美女を次々と顎《あぎと》にかけた。

なるほど、それが八つ裂き狐の目的か。春朝はすべてを見通す神の目を得て、洞察に至った。八つ裂き狐は女を愛しているのだ。だからこそ、女を喰らい続ける。それが究極の、最後の愛情表現だからだ。どんなに女を愛そうと、まぐわうだけでは完全なる満足は得られない。女を我が身に取り込み、我が身を女の肉に埋没させたい原初の欲望が、人間の裡には厳然と存在する。その欲望を充足させないで死ぬ人間の生は、不完全だ。八つ裂き狐は己が人生を全うするため、女を喰らうのだろう。

春朝は独り身であったが、病に倒れても困ることはなかった。師匠の手を煩わすまでもなく、看病に訪れる女には事足りていたからだ。春朝の、下手な役者が裸足で逃げ出す美貌に惚れ込む女は多い。春朝の発熱を好機と、大勢の女がひっきりなしに春永の仕事場を訪れた。入れ替わり立ち替わり現れる女たちは、互いに牽制《けんせい》し合い、自分だけの特権を確保しようとする。そんな鍔《つば》迫り合いのために、春永の仕事に影響が出てしまうほどだった。もっとも春永自身も、八つ裂き狐事件の渦中に巻き込まれて、平穏な日々などとうに失っていたのだが。

春朝の周囲には、幼い頃から女が群れていた。物心ついたときにはすでに、母の仲間の女たちに特別かわいがられていた記憶がある。春朝は父親の顔を知らないが、母が言うにはやはり役者顔負けのいい男であったそうだ。明らかに春朝は、その父の血を濃厚に受け継いでいた。

春朝はいわゆる父《てて》なし子である。母は春朝に、父の名前すら告げなかった。思うに、母自身が父の名を知らなかったのだろう。父は母の上を通り過ぎた多くの男のひとりに過ぎなかったのだから。

母の生業は夜鷹《よたか》だった。かつては吉原にいたこともあるらしいが、花魁《おいらん》などとはほど遠い切見世《きりみせ》の女である。やがて年を重ねるにつれ客の数が減り、年季が明けると役立たずとして放り出された。しかし手に職もない女郎上がりが、人生をやり直そうとしてもうまくいくわけがない。母は己の唯一の財産である体を売り物にして、身過ぎとすることにした。それ以外に、できることなどなかったのだ。

春朝にとって、夜鷹の生態は不思議なことでも汚らわしいことでもなかった。一日の糧《かて》を得るための当然の労働として、母のしていることを捉えていた。だから父がいないことにも特に疑問を覚えなかったし、寂しさも感じなかった。寂しいと感じるには、春朝の周囲には女が多すぎた。

春朝は、母が仕事をしている間、他の夜鷹に面倒を見られていた。本来ならば足手まといにしかならないはずなのに、春朝の面倒を見たがる夜鷹は多かった。つまりそれほど、春朝の美貌が早くから際立っていたということだ。夜鷹たちはとても上品とは言えず、卑猥《ひわい》な冗談を口にしては春朝をからかった。それでも夜鷹たちは、明らかに春朝を愛していた。春朝は決して恵まれた生い立ちを辿ったとは言えないが、しかし愛情だけは過剰すぎるほど手にしていた。女の愛は春朝にとって、水よりも簡単に手に入るものであった。

母にとって春朝は、この上ない自慢の種だった。美しい男と一夜を過ごしたことだけでも、夜鷹にまで落ちぶれ果てた女には至上の思い出である。ましてその男の種を授かったとあれば、鼻が高くならない方がおかしい。夜鷹にとって客の子を身籠《みごも》ることなど恥以外の何物でもないが、しかし母の場合は例外となった。誰が見ても、春朝の父親が美しい男であったことは一目瞭然だったからだ。母の仲間たちは美しい男と寝た母を羨み、その延長として春朝を奪い合った。春朝は夜鷹たちの玩具であり、たったひとつの夢でもあった。

　春朝が女を知ったのは、まだ七つのときのことだった。いつものように母が客を取っている間、夜鷹ふたりに預けられ、遊んでいた。川沿いの粗末な小屋の中で時を潰しているうちに、夜鷹ふたりは暇を持て余して春朝を性的にからかい始めた。春朝の股間をまさぐり、まだ大人の小指ほどもない性器を露出させた。春朝はそんなことをされるのがいやでならなかったが、しかし抵抗はしなかった。いつかはこんなときがくるような予感があり、早くから覚悟を固めていたからだ。今がそのときだと、幼いながらも冷静に事態を捉えていた。

　最初は女たちも冗談のつもりだったのだろうが、春朝の性器が硬くなるのを見て興に乗ってきたようだった。徐々に目が真剣になり、やがて性器だけでなく全身を愛撫し始めた。春朝は着物を剝がれ、女ふたりに体中を舐め回され、静かに嗚咽《おえつ》をこらえた。口を吸われ、そして包皮も剝けていない性器を女の中に囚われたとき、絶望の呻きを漏らした。幼い頃から男女のまぐわいを見てきた春朝は、それを不潔と感じたことなど一度もない。しかしそのときばかりは、女の性欲の激しさに強い嫌悪を覚えた。母の生業を恥ずべきものと感じた。

う。春朝が自分の裡に存在する冷たい感覚を自覚したのは、果たしていくつのときだっただろう。春朝は長ずるにつれ誰に対しても愛想のいい如才なさを身につけ、それ故にますます多くの女に慕われるようになった。女がどんな言葉に喜ぶか承知の上で、それを相手の耳許に囁いてやるすべを覚えた。だがその言葉は皮相的で、実《じつ》を伴っていない。感情を込めない上辺《うわべ》だけの言葉でも、女はたわいなく喜び、春朝に夢中になった。そんな女の愚かしさが面白く、愛しく、春朝は空疎な言葉を囁き続けた。

それでも春朝は、自分が女を愛しているのだと思い込んでいた。その愛が簡単に醒めるとしても、女を抱いている瞬間は本気のつもりだった。その熱が高いときもあれば低いときもあるのはやむを得ない。相手が違えばこちらの思い入れの度合いも異なってくるのは当然だからだ。

しかしそうして女と睦《むつ》み合っている際に、ふと虚しさを覚えるのもまた事実だった。春朝は決して性欲が強い方ではない。むしろ母の仲間に無理矢理奪われた体験が心の底に傷となって残り、まぐわいには疎ましささえ感じていた。それでも女を抱くのは、女の馬鹿さ加減が愛しいからだと思っていた。自分はいわゆる女好きであると、長い間信じ込んでいた。

ところが、何人もの女を抱くうちに、どうしても満たされない何かが己の中に存在することに気づいた。埋めようとしても決して埋まらぬ、底のない穴。その穴はいくら女に愛を囁こうと、どんな美しい女に慕われようと、塞がることはない。穴の存在を自覚した瞬間、春朝は初めて己の気持ちの正体を見た。その穴は、女に対してのどうしようもない憎しみだった。

なるほど、おれは女を憎んでいるのか。そう自覚すると、すべてが腑に落ちる気がした。なぜ女に囁きかける言葉に心が籠らないのか。どうしてひとりの女をいつまでも愛し続けることができないのか。自分でも不思議に思っていたそうした気持ちを、初めて理解することができた。女を愛していると勘違いしていたのは、自分を育ててくれたのが大勢の女だったからだ。幼い春朝は、女たちがどんな痴態を繰り広げようと、思慕の念を失わなかった。汚らわしいとは思わなかった。しかし春朝にとって母だった女たちは、ある日を境に性欲を向けてくるようになった。その変化は幼子にとっては劇的で、とても耐えがたいことだった。思慕は大きければ大きいほど、その大きさを保ったままくるりと変貌した。愛情は同じだけの強さの憎しみに変わった。しかしそうした己の裡の激変を、幼い春朝は把握できなかった。そのために長い間、勘違いし続けることになったのだった。

女を憎んでいるとはっきり自覚してから、春朝はそれまでに倍する情熱を込めて女を渉《しよう》猟《りよう》するようになった。以前の春朝は、ただ女に言い寄られるのを受け止めているだけに過ぎなかった。それでも多くの女を抱く羽目になっていた春朝にとって、意図的に女を陥落させることなど呼吸をするほど簡単であった。たいていの女は甘い言葉をふた言も囁きかければ腕にしなだれかかってくる。そうでない女もまれにいたが、その場合はかえって征服欲を掻き立てられた。春朝は誠心誠意、女を口説く。皮肉にも、そのときの春朝の言葉には、紛れもなく誠意が籠っていたのだ。春朝は女を口説く際に手間を惜しまなかった。ありとあらゆる努力を尽くし、そして女を手に入れた。苦労すればするほど、達成感もまた大きかった。その快感は、おそらく釣りを趣味とする人のそれに似ていただろう。己の釣果《ちょうか》を誇るように、春朝は女を慈しんだ。

母が身罷ったのは、二年前のことだった。荒れた生活を送り続けた母は、まだ四十そこそこの年齢のはずなのに、六十過ぎの老婆の如き容貌だった。それでも春朝にとっては、ただひとりの母だった。春朝は母の亡骸に縋《すが》って、人目を憚《はばか》らず号泣した。その涙が収まったとき、またしても春朝の中で何かが変わった。今度の変化は幼いときほど劇的ではなかったが、しかしじわじわと効果を及ぼした。

春朝は女を陥落させる過程のみを楽しむようになった。抵抗を続けていた女が春朝の熱心さに負けてなびくと、その瞬間に熱は冷める。女に対する嫌悪が頭をもたげる。すると奇妙なことに、女の方がかえって情熱的になるのだった。そんな反応を何度も見せられるにつけ、女は犬だと思うようになった。追うと走って逃げるが、こちらが逃げると逆に追ってくる。まったく女は面白く、同時につまらない生き物だ。春朝は醒めた気分で、そう考える。

女に対しての自分の仕打ちが、世間一般で言うところの女たらしの行為であるという認識はあった。しかし春朝は、罪悪感など微塵《みじん》も覚えなかった。何人の女を捨てようと、自分が受けた仕打ちに比べれば何ほどのこともない。まだ初潮も迎えぬ子供を抱けば罪だろうが、春朝が相手にする女は成熟した大人ばかりだ。大人ならば、自分の行動の責任は自らが負わねばならない。悪い男に引っかかって辛い思いをしたとて、それは己の愚かさが原因なのだ。他人を責めるのは筋違いであろう。春朝はそんな言葉で己の行為を正当化してきた。

しかし、その正当化もここ最近は揺らぎ始めている。もちろん原因は八つ裂き狐だ。八つ裂き狐の行動には、女全般への底知れぬ憎しみが感じられる。それはまるで、己の心の真の姿を見せられるかのようであった。

八つ裂き狐は美女ばかりを、これ以上不可能なほど残虐に殺す。その標的の選び方は、まさに春朝の嗜好《しこう》に合致していた。春朝は女への復讐を意識し始めてから、美しい女か身持ちの堅い女しか相手にしなかった。簡単に落ちる女、さして美しくもない女は歯牙《しが》にもかけなかった。その方が、より強い満足が味わえたからだ。身持ちの堅い女は征服欲を、美しい女は嗜虐心《しぎゃくしん》を満たしてくれた。そうした女を抱かなければ、己の心が壊れてしまいそうな恐怖があった。

八つ裂き狐は、おれの心から這い出した化け物だ。春朝にはそんなふうに感じられてならなかった。お菊とお咲が殺されただけなら、まだなんとも思わなかった。しかし珠子、お美代と続くうちに、疑いは確信へと変わった。もし八つ裂き狐が春朝の心のどす黒い部分から生じたのでなければ、どうして面識ある女ばかりが殺されるのだろうか。八つ裂き狐が他の女に興味を示さないのは、つまり春朝と関係のない女を殺す必要はないからではないか。春朝は己の憎しみの強さに恐怖した。まさか自分がこれほど女を憎んでいるとは、まったく思わなかった。確かにいくら女を冷たく捨てようと、心の穴は埋まらなかった。だからといって、女を八つ裂きにして殺すような真似をしたいと望んだことはなかった。あれが本当の望みであるなら、自分はなんとおぞましい心を持っていたことか。あれは人間のできることではない。まさしく化け物の所行だ。

春朝の恐怖に拍車をかけるのは、己の本当の姿を誰にも告げるわけにいかないということだった。春朝はひとり悶々とし、やがて不安が高じて熱を発した。熱の中で春朝は、女を八つ裂きにして喰らった。夢は、己の心を映す鏡だ。ようやく熱が下がって床から起き上がっても、快癒《かいゆ》の喜びなど微塵《みじん》もなかった。ただひたすら、自らの心が恐ろしくてならなかった。

そんなさなかに春朝は、一通の書状を受け取った。近所の子供が運んできたその書状の裏には、ただひと言「勢《せい》」とだけ書いてある。その文字を認め、春朝は慌てて書状を開いた。誰がこの手紙を託したのか、子供に確かめる余裕すらなかった。

お勢からの書状は簡潔だった。相談したいことがあるから、六つ頃に近くの亀崎《かめさき》神社まで来て欲しいと書いてある。相談の内容にまでは触れていなかった。

しかし春朝には、その相談内容を告げられずとも予想がついた。お勢もまた、今様三十六歌仙に選ばれたひとりだったからだ。お勢は今、次に八つ裂き狐に狙われるのは自分かもしれないと怯えているのだろう。その不安を誰にも訴えることができず、思い余って春朝に書状を送ってきたのだ。お勢の気持ちは痛いほど理解できた。

春朝は決して思慮の浅い男ではなかった。女の望む言葉をいち早く察し、そのとおりに告げてやるには相当の賢さが必要である。それを実践できていた春朝は、やはり愚鈍などではなかったと見るしかない。にもかかわらず春朝は、その書状を疑う気持ちを持たなかった。八つ裂き狐に怯える女が、夕方の神社で会おうなどと指定してくる奇妙さに考えを至らすこともなかった。それだけ春朝自身が一連の事件に怯えていたことを、そのときの判断は如実に物語っている。そしてこの判断が、春朝の運命を分けたのだった。

春朝は六つ近くになると、師匠にも告げずこっそりと仕事場を抜け出した。なるべく人に会わぬよう裏通りを通って、神社に向かう。夕刻の神社は人の姿もなく、密会には適していた。春朝は境内に入り、小声でお勢の名を呼んだ。

この神社は、幾度も女との逢い引きの場に使ったことがあった。そのため、社殿の裏がどのようになっているかも知悉《ちしつ》している。人目を避けたい女は、たいてい裏に回って春朝を待っていた。今日のお勢も同じ心理に違いないと春朝は考え、警戒することもなく社殿の裏に回り込んだ。

すると、目の前にいきなり威圧的な壁が聳《そび》え立った。驚いて後ずさると、それは大柄な人間だった。お勢が待っているかと思っていたのに、そこにいたのが雲を衝くような大男だったことに、春朝は度肝を抜かれた。あまりの巨軀に気圧され、かける言葉を失う。金魚のように口をぱくぱくと開閉するだけだった。

「お勢は来ない」

大男は、低い声でぼそりとそう呟いた。春朝は何を言われたのかわからず、「えっ？」と問い返す。その瞬間、夕日を照り返す鋭い切っ先が、斜め上方から降ってきた。斬られる、と思った瞬間には、目の前に血しぶきが飛んでいた。大量の血しぶきが自分の体から吹き出しているのだと知ったのは、意識が遠くなり始めた後だった。なぜ斬りつけられなければならないのか、という当然の疑問を、春朝が感じている暇はなかった。大男が返す刀で春朝の首を刎《は》ねたためだった。春朝の端正な顔《かんばせ》は、胴体から切り離されて地面に落ちても、依然として美しいままだった。

31

いったいどういうことなのだ。この帝都で何が起きているのか。

私は先を急ぎながら、そんな疑問を何度も何度も頭の中で転がした。これは異常だ。あまりにも異常すぎる。やはり遷都以来の平和は、危惧していたようにただの偽りに過ぎず、今ようやく真の姿を露呈しようとしているのだ。ふたたび血腥《ちなまぐさ》い時代がやってくる。その足音はすぐ背後まで近づいていたのに、誰も気づこうとしなかったのだ。ご一新だ、開化だといったお題目に浮かれ、我々は時代が変わる際に流された血の臭いを忘れた。だがその臭いは消え去ったわけではなく、この東京の大地に染みつき、深く沈潜していたに過ぎない。上辺だけを取り繕《つくろ》った脆弱《ぜいじゃく》な虚構が破れたとき、そこから血風が吹き上がるのは当然のことだ。死と生の境が曖昧になり、人の命に塵ほどの価値も見いだせなくなる時代。そんな時代が、すぐそこに来ている。

八つ裂き狐は、ついに矛先を美女以外に向けた。それは、無差別な殺戮の開始を告げる狼煙《のろし》かもしれない。もはや誰ひとり、命を惜しんで稲荷に油揚げを供える者を嗤うことはできない。嗤った者自身が、次の瞬間には八つ裂き狐に追いつかれているかもしれないからだ。男でも襲われるならば、例外はひとりもいない。次の犠牲者は、他ならぬ私かもしれない。

鈴木春朝が殺されたと知ったとき、私はとっさにそう考えた。恐れていたことがついに起きた。これまでの私は、美女たちの死を痛ましいと感じながらも、どこか他人事《ひとごと》と捉えていたのかもしれない。己の背後に八つ裂き狐が忍び寄っているかもしれないと感じたときのあの恐怖は、そんな私の野次馬根性を白日《はくじつ》の下に曝した。同じ感覚を味わった者は、私以外にも大勢いるだろう。恐怖は恐怖を呼び、人々の間を伝播《でんぱ》する。帝都の安寧《あんねい》は、もはや望むべくもない。

もちろん冷静に考えれば、まだ慌てる必要もないことは理解できる。なんといっても春朝は、一連の事件とまったく無関係の立場にいたとは言えないからだ。美女四人は、今様美女三十六歌仙に選ばれていた。そして春朝は、その錦絵を描いた絵師の弟子である。そんな立場が春朝の命を縮めたのだと考えることは可能だ。

さらに穿《うが》った見方をするなら、春朝の死は八つ裂き狐とは関係がないのかもしれない。何しろ殺された状況が、美女たちの死に様とは明らかに違う。春朝は女たちのように四肢を切断されていたわけではなく、まず胴体を袈裟《けさ》斬りにされ、その上で首を斬り落とされていた。その切り口は女たちとは違い、鮮やかな太刀筋による切断であることは一目瞭然だという。しかも春朝の体は、ほぼすべて発見された現場に残っていた。屍体発見現場も、今度は稲荷ではなくただの神社だ。

しかし、八つ裂き狐事件との繋がりを示唆する要素も、皆無ではなかった。なんと春朝の性器は、無惨に抉《えぐ》り取られていたのだ。それは、第四の犠牲者であるお美代の死に様と共通する。下手人はいったいどういう意図があって、屍体から性器を抉り取るのだろうか。

このように手口には多くの相違がありながらも、しかし東京中の誰もがこれもまた八つ裂き狐の仕業と信じ込んでいるようだった。そうした見方に、私も賛同する。いかに手口が異なろうと、美女たちの惨死と春朝の死には、同じ臭いを感じるからだ。すべての事件は同一人物の手に拠《よ》るものと、私は強く確信する。

春朝の死に関して、他にも気になる点がないでもなかった。それは、春朝が男にはまれな美貌の持ち主だった点だ。殺された者たちは皆、性別の違いを超えて美しい容姿を持っていたという共通点がある。春朝や女たちは、ただ美しいが故に無惨に殺されなければならなかったのだろうか。八つ裂き狐は何故《なにゆえ》に、美しい者を憎むのか。そこに、一連の事件の真の理由が潜んでいるような気がした。

私は春朝惨死の詳細を聞くべく、警視庁へと急いでいるのだった。次に狙われるのは極上六歌仙の残りふたりであろうという予想は、見事に裏切られたことになる。川辺警部の苦渋は、いやが上にも増していることだろう。胸中を察するに、同情せずにはいられなかった。

事件の新たな展開にごった返しているだろうと予想していたが、果たして警視庁は混乱のさなかにあった。玄関でおとないを告げても、誰ひとり応対に出てくるでもない。しかし人が出払っているわけではなく、むしろ声高な罵り合いが聞こえるほどだ。誰もが苛立ち故に殺気立ち、大声を張り上げたくなっている。そんな心境がありありと伝わってくる警視庁だった。

ある程度で私は警部を呼び出すのを諦め、引き下がった。この様子では、とても部外者の私と応対している暇などなさそうだ。仮に無理を通して会ってもらっても、こちらは一方的に事情を聞くだけで、何も新しい示唆を与えられるわけでもない。ただ邪魔をするだけならば、日を改めるべきであろう。私はそう判断し、屋敷を後にした。

しかし、せっかく外に出てきたのだから、このまま真っ直ぐ帰宅する気にもなれない。こんなとき私は、朱芳の屋敷を訪れるのが常だった。体調が悪そうなので最近は遠慮していたが、先日の様子からすると突然訪ねても大丈夫だろう。そう判断し、私は虎ノ門に足を向けた。

朱芳家下屋敷は、相も変わらず雨戸をきっちりと閉め切っていた。見るからに暑苦しそうな風情である。その様子を見て私は、このまま帰ろうかと瞬時考えてしまった。しかし今は、暑さよりも優先すべきことがある。朱芳が先日以降の事件の変転を聞いていないなら、耳に入れてやる必要があった。朱芳にとっては迷惑かもしれないが、私はあの博識な友人の意見が聞きたいのだ。

応対に出てきた岩助は、暑さなど感じていないような涼しい顔である。もっとも、この岩助が表情を変えている様子など、見た憶えがない。無愛想という点では、主人をも遥かに超えるのがこの岩助なのだ。私がいくらお時との仲を冷やかそうが、岩助はその名のとおり岩のように表情を変えない。これはこれでひと角《かど》の人物である。

自分の座敷にいた朱芳は、床《とこ》に就いてはいなかった。ようやく起き上がることができたようである。いつものように文机《ふづくえ》に向かい、なにやら西洋の書物を繙《ひもと》いている。書物から顔を上げて私を認めると、「そろそろいらっしゃる頃だと思っていました」と言って、また視線を文字に戻してしまった。

「やあ、もう寝ていなくてもよくなったんだね。それは幸甚《こうじん》だ」

「ご心配をおかけしました。申し訳ない」

さすがに書物を閉じ、朱芳は殊勝に言う。私は文机を挟んで正面に坐り、友人の顔を改めて見た。

相変わらず顔色は悪い。頰はますます削げ、骨格がはっきりと見て取れるほどだ。だが目には生気が宿り、病寠《やまいやつ》れなどとは無縁だということを物語っている。こんな目をしているならば、病状もいくらかなりと好転していると見做していいだろう。先日の朱芳の言葉が心に引っかかっていたので、私は密かに安堵した。

「そろそろ来る頃だと思っていたというのは、どういう意味だ?」

私は友人の言葉を捉えて、問い返す。こんな会話は、これまで幾度も交わしたことがあった。

「八つ裂き狐の犠牲者は、まだ続いているようじゃないですか。しかも下手人は捕まっていない。そうでしょ」

「新聞を読んでいるんだな。じゃあ改めて説明するまでもないか」

「いや、新聞だけでは詳細はわからない。九条さんが知っている限りのことを話してくれませんか」

「君の方から詳しいことを聞きたがるとは、珍しいな。どういう心境の変化だ」

「どうにも気になることがあるんですよ。でもそれを確認しようにも、ぼくの体はこんな状態だ。いつらしてくれるかと、ずっと待ってたんです」

「そうなのか。そんなことならもっと頻繁に足を運ぶんだった。君の体のことを考えて、遠慮してたんだよ」

「ご覧のとおり、しばらくは大丈夫そうです。遠慮は無用に願います」

「わかった。じゃあ、その後事件がどのようになっているか、知っている限り話そう。今朝ついに男の犠牲者が出たことは聞いているか？」

「詳しいことは何も。順を追って話してください」

　私は乞われるままに、お美代が行方不明になったときの状況から、八つ裂き屍体として発見されるまでと、そして春朝殺しについてを語って聞かせた。朱芳はその間、腕を組んでじっと瞑目している。表情に変化はなく、ともすれば寝ているのではないかと思えるほどだ。しかしいくら体が弱っていようと、この友人が人の話の途中で寝るわけがない。私はかまわず語り続けた。

「……大柄な男、と言いましたね」

　私がすべてを説明し終えた後、初めて朱芳が発した言葉がこれだった。やはりそこが気になるらしい。何しろ八つ裂き狐が初めて、多くの人に目撃されたのである。気にならない方がおかしかった。

「そうなんだ。堂々と姿を曝してお美代を拉致したのだから、大胆な奴だな。捕まらない自信があるというより、そうでもしないとお美代をひとりにできなかったのだろう。何しろあの長屋は、大金をはたいて雇う用心棒より頼りになりそうな男たちが大勢いたから」

しかし実際には、そんな男たちもまったく頼りにならなかったわけである。唯一の功績は、そうして八つ裂き狐を表に引きずり出したことくらいか。それでもみすみすお美代を死なせてしまえば、元も子もないのだが。

「身の丈が六尺以上はありそうな大男など、めったにいるものじゃないでしょうね。九条さんの知人に、そんな大きな人はいますか」

「いないよ。通りすがりでも見たことないな」

「でしょうね」

朱芳はなぜか、残念そうに頷く。そしてふたたび目を瞑り、しばし思案するように黙り込んだ。私は朱芳が何を考えているのか、まったく見当がつかない。

「岩助」

朱芳は目を開いて腕組みを解くと、いきなりそのように呼ばわった。そしてそれに応えて、「ここに」という短いいらえが聞こえる。朱芳の声は決して大きくなかったのに、迅速な反応だった。

「使いを頼みたい。これから書く書状を、急いで届けてもらいたいのだ」

「畏《かしこ》まりました」

「行く先は横浜だ。汽車を使っていい。書状の届け先は、ヘボン先生だ。わかるな」

「わかります」

「では、準備を始めてくれ」

「畏まりました」

廊下に控えていた岩助は、一礼して引き下がった。私はそれを見送り、朱芳に顔を戻す。

「その書状は、今の話と何か関係があるのか？」

「ええ、大いにあります。ヘボン先生ならご存じの、ある人物の消息を尋ねたいのですよ」

「ある人物？」

「ええ、ぼくの古い友人です。名前は川端市右衛門《かわばたいちえもん》。市右衛門は、身の丈が六尺を軽く超える大男でした」

「なんだって」

私は驚愕の声を上げた。

32

翌日、私は朱芳の依頼を受けて、大塚の観音長屋へと向かった。意外に多芸な朱芳は、風流などいっこうに解さない顔をしていて、あれで絵心《えごころ》がある。ヘボン先生への書状を書いた後、その筆でさらさらと市右衛門の似顔を描いた。そしてそれを私に託し、珍しくすまなさそうな顔をしてこう言った。

『本当なら岩助に頼むところですが、さっきも言ったとおり今から横浜に行ってもらわなければならない。早くとも、帰りは明日になってしまうでしょう。と言って、女のお時をひとりで行かせるのは心許ない。乗りかかった船と思って、引き受けてもらえませんか』

『かまわないよ。何をすればいいんだい?』

『この似顔を持ってお美代の住んでいた長屋に行き、お美代を連れ去った大柄の男がこんな顔をしていなかったか、確認して欲しいのです。もし数人の人が認めたなら、お美代を拉致《らち》したのはやはり市右衛門ということになる』

そう言ったときの朱芳は、まるで体の痛みに耐えるかのように険しい顔をしていた。朱芳を苦しめているのは、旧友が残虐な殺人を繰り返している下手人かもしれないという疑惑だろう。市右衛門なる人物の消息をヘボン先生が知っているというなら、横浜時代の知人か。かつてふたりはどういう知り合いだったのか、私は確かめずにいられなかった。

『ぼくと市右衛門は、ヘボン塾の傍輩《ほうばい》でした。ともにヘボン先生に師事し、医術を学んでいたのです』

『では、大男が医者と称していたのは、あながち口から出任《でまか》せというわけではなかったのか』

『そういうことになりますね。そもそもぼくがこの事件を気にかけたのも、屍体の切り口に特徴があるように思ったからです』

『君は最初からその点にこだわっていたよな。川辺警部に聞いた限りでは、なんとも曖昧な返事だったが』

『曖昧ではありませんよ。川辺警部は的確な返事をしてくれました。鉈のような物で乱暴に断ち切ったのではなく、かといって刀で一刀のもとに斬り捨てたわけでもないと言いましたね。まるで包丁捌きのうまい板場の人間が、魚を捌くように切ったようだと。もちろん、板場に勤める者が下手人などではありません。そのような切り口で人間を切り刻める技術を持つ者は、そうざらにいない。手術の経験がある医者だけです』

『そうか』

私は深く納得して頷いた。なるほど、確かに医者ならば、屍体の手足を切断するのも手慣れたものかもしれない。ましてそれがただの町医者ではなく、あの高名なヘボン先生の弟子であったらなおさらのことだ。朱芳が当初から案じていたことを、私はそのとき初めて理解した。

『その市右衛門という男は、このような残虐な事件を引き起こしそうな人物だったのか』

朱芳が八つ裂き狐の人となりを知っているのであれば、話は早い。このまま一挙に下手人捕縛に結びつくかもしれなかった。

ところが朱芳は、珍しく困惑を面に出して首を振った。

『とんでもない。市右衛門は虫も殺せないような男でした。かつてぼくたちは、生物の構造を知るために犬や猫を生きたまま解剖したことがあります。残酷なことですから、どうしても必要な行為だったなどと言い訳するつもりはありません。医者とは時に慈悲の心を捨てなければならないことがあるのです。しかし市右衛門は、そのように割り切ることができなかった。ぼくたちが死なせてしまった野良犬を、涙を流しながら埋葬してやったのが市右衛門だったのです。市右衛門は医者としての腕は確かだったものの、割り切ることができない点が問題だった。そんな奴に、果たして何人もの女を切り刻むような真似ができるでしょうか？』

朱芳の問いかけに、私は答える言葉を持たなかった。確かに今のところ、一連の事件が市右衛門なる男の仕業と断定するだけの証拠はない。ただお美代を連れ去った男が大柄だったという事実と、屍体を切断したのは医者ではないかという推測があるだけだ。しかしその二点に合致する人物など、日本国中探したところでそう多くはないだろう。むしろ、ひとりもいなくてもおかしくないくらいだ。ところがここに、ふたつの条件を満たす人物が浮上した。たとえ少々納得できない点があるにしろ、やはりその人物こそ八つ裂き狐と見做すべきではないか。朱芳の知る市右衛門は心優しい男だったとしても、人は時とともに変わるのだ。現在の市右衛門がどういう人物であるか、朱芳は知らないに違いない。

『君が最後に市右衛門と会ったのは、いつのことなんだ』

だから私は、その点を朱芳に質した。朱芳は考える間も置かず、すぐに答える。

『五年前です。私が横浜からここに移ってきて以降は、一度も会ったことがありません』

『君がちょうど体を壊した頃だね。市右衛門はそのまま、ヘボン先生の許に残っていたのか』

『ぼくの知る限りでは。最近のことはわからないのですが』

『もし今でも横浜にいて、事件が起きたときにもヘボン先生の施療院にいたと証明されるといいんだがな』

『そうですね』

私は自分でも本気にしていない言葉を口にしたが、それが慰めであることは朱芳にも伝わってしまったようだ。朱芳の返事は、彼には似つかわしくない弱気なものだった。

私は大塚へと向かう俥に揺られながら、そんなやり取りを回想した。朱芳から預かった似顔は、懐にある。それを取り出し、改めて眺めてみた。

朱芳の筆になる市右衛門の顔は、柔和な印象だった。目許に愛嬌があり、笑えば親しみを感じさせそうな気配だ。決して色男ではないものの、こうした優しげな男を好もしいと感じる女は多いだろう。その絵を見る限り、私もまた好感を抱かずにはいられなかった。

しかしこの絵には、朱芳の思い入れが籠ってはいないだろうか。私はどうしても疑ってしまう。もし真実市右衛門がこのような顔の人物であるなら、確かに残虐な殺しを繰り返す男には見えない。にもかかわらず状況は、八つ裂き狐が市右衛門であると示唆しているのだ。ならば、朱芳の筆の方が真実を映していないと考えるべきではないだろうか。

横浜時代の朱芳は、いったいどういう生活を送っていたのだろう。私は考えてみる。朱芳はこの市右衛門や他の傍輩たちとともに、今とはまったく違う快活な毎日を送っていたのだろうか。高邁《こうまい》な理想を掲げて日本にやってきた師の許で医術を学ぶ日々は、さぞ充実していたに違いない。談笑し、時に議論し、武家の者らしく磊落《らいらく》に酒を酌み交わしていたのかもしれない。そうした生活を共有した仲間であるなら、朱芳が市右衛門に疑いを向けたくないと願う気持ちは理解できる。

私は病を得てからの朱芳しか知らない。今の朱芳はおそらく、真実の姿ではないのだろう。市右衛門たちとともに過ごした横浜の日々こそ、本来朱芳が送るべき人生だったはずだ。にもかかわらず、重い病が朱芳の前途を閉ざした。朱芳の無念はいかばかりだっただろう。それだけに、志を全うするかつての友人は、朱芳にとって憧憬の対象なのではないだろうか。

この血腥い事件は、朱芳の黄金の日々に繋がりそうな様相を呈している。そのことに私は、強い同情を覚えた。似顔には、そんな朱芳の複雑な心境が反映しているように思える。しかし私には、朱芳の心中の葛藤を察してやることはできても、共有することは不可能だ。それがどうにも歯痒《はがゆ》い。

俥は路地が込み入り始める手前で停まり、私を降ろした。私はいつぞやと同じように徒歩で観音長屋に向かう。あのとき訪ねたお美代はもういないのだと思うと、改めて沸々と八つ裂き狐に対する怒りが込み上げてきた。市右衛門が八つ裂き狐であるなら、いかに朱芳と深い親交があろうとも、許すわけにはいかない。改めて、そんな自分の気持ちを確認する。

長屋は大事件に巻き込まれた後とはいえ、猥雑《わいざつ》な雰囲気を失っていなかった。日々の雑事は容赦なく人々に押し寄せてくる。悲しみに暮れていようと腹は減るし、怒りに身を焦がしていても睡魔は襲ってくる。今日もまた井戸端では、先日のように女たちが群れ集っていた。

「すみません」

声をかけると、この前とはまったく違う反応が返ってきた。女たちは怯えたように私を眺め、身を遠ざけたいかのような素振りを見せる。よそ者に対する警戒心を、かつて以上に張り巡らしているようだ。私は煩わしい前置きは抜きにして、懐から似顔を取り出した。

「ちょっとお尋ねしたいのです。お美代さんを連れ去った大柄な男は、こんな顔をしていませんでしたか？」

お美代と口にしただけで、はっきりとわかる敵意が女たちから放射された。しかし私が似顔を見せると、注意はそちらに向かう。そして皆一様に、目を大きく見開いて怒りの表情を見せた。

「そいつだ！　そいつがお美代ちゃんを連れてった奴だよ！　間違いない！」

ひとりが絶叫するように認めると、他の者も口々に罵りの言葉を上げる。その口汚い罵声は聞くに堪えなかったが、それだけ女たちの怒りが深いことを物語っていた。女たちが決して見間違いなどしていないことは、どうやら明らかなようだ。

「間違いないんですね。この男が、お美代さんを連れ去ったんですね」

それでも念を押すと、怒りの矛先《ほこさき》は私にも向かってくる。

「間違えるもんか！　絶対に忘れるわけないよ。顔だけじゃなく姿形全部、この目にしっかり焼きつけてるんだ。親の仇だって、こんなに憎いとは思わないだろうよ。間違えたりするもんか」

女たちのいらえは異口同音だった。やはりそうだったか。これで市右衛門が事件に関係していることははっきりした。仮に本人が否定したところで、こうまで明確な証言が集まるのなら、逃れようがない。私は納得して、似顔を懐にしまった。

「ところであんたは何者なんだよ。いつだったかも来たよね。あんた、警視庁の犬か？」

小太りの女が憎々しげに問い質してくる。彼女たちにとって、下手人も警視庁の人間も、同じく憎悪の対象なのだろうか。その感覚は私にはよく理解できない。

「警視庁の者ではないけど、ちょっと個人的に事件のことを調べているんだ。三番目に八つ裂き狐に殺された人は、ぼくの古い知り合いなんでね」

「どうしてそんな似顔を持ってるのさ。あんた、あの男のことを知ってるのか？」

知っているなら今すぐにでも男をここに連れてこい、と言いかねない剣幕である。私は説明に困り、これは警視庁が作った手配書きだと言い繕《つくろ》っておいた。

「あいつを知ってるなら、おいらをあいつのところに連れてってくれよ！」

突然、背後から甲高い声が聞こえた。振り返ると、この前私の財布を掏り取った男の子が立っている。男の子は小さな拳を力いっぱい握り締め、ぶるぶると震えていた。目には、今にも溢れんばかりの涙が溜まっている。小さい体に狂おしい怒りが漲《みなぎ》っていることを、私は見て取った。

「君も、お美代さんを殺されて悔しいんだね」

私は同情を込めて問いかけた。男の子は、当たり前だと言わんばかりに強く頷く。

「あいつはおいらのこと騙しやがった！　騙しやがったんだ！　おいらのせいでお美代姐は死んじまった！　絶対に許さねえ！」

「君の名前は？」

「悠太だ！」

「悠太君か。騙されたというのは、どういう意味なんだ？」

「そんなことはどうだっていいよ！　おいら、あいつが憎くてしょうがないんだ。なあ、あいつのことを知ってるなら、おいらをあいつのいるところまで連れてってくれよ。なっ」

　悠太は懇願するように両手を合わせる。私は首を振って、悠太の方に進み出た。

「本当に知らないいんだよ。でも、この男のところに行って、何をしようと言うんだ？」

「決まってるさ！　お美代姐の仇を討つんだよ！」

「仇？　どうやって」

「殺してやるんだ、あいつを！　おいらはあいつを絶対に許さねえ」

　おそらくこの少年は、お美代のことを心から慕っていたのだろう。悠太の悲しみは、痛いばかりに伝わってくる。できるなら望みを叶えてやりたかったが、しかし仇討ちなど現実的ではないだろう。私は暫時《ざんじ》考え、そして答えた。

「よし。君の気持ちはよくわかった。もし八つ裂き狐が捕まったなら、連行されるときに顔を見せてやろう。どんな奴がお美代さんを殺したのか、とくと顔を見るがいい。でも、してあげられるのはその程度だ。それ以上は約束できない」

「わかったよ。それでいいから、約束だぞ。絶対約束を守ってくれよな！」

「約束する。ぼくの名前は九条だ。憶えていてくれ」

「九条さんだね。絶対に忘れないよ！」

そう言うと悠太は、くるりと踵を返して駆け去っていった。それを見送り、女たちに顔を戻すと、女たちは疑わしそうな目をこちらに向けていた。

「本当に、約束を守れるんだろうね」

ひとりが念を押す。私ははっきりと頷いた。

「顔を見せてやるくらいはできると思いますよ。ところであの子は、どうして騙されたなんて言ってるんですか」

尋ねると、女たちは互いに顔を見合わせて口籠った。やがて小太りの女が代表して答える。

「八つ裂き狐をこの長屋に呼んだのが、あの子なんだよ。お美代ちゃんが連れ去られる少し前に声をかけられて、自分は医者だからお美代が熱を出したら呼ぶといい、なんて言われてたんだ。あの子はお美代ちゃんを実の姉のように慕っていたからね。なんとか助けてやろうとしたところが、それが裏目に出ちゃったってわけさ」

「それは……気の毒に」

慕っていた女性を死地に追いやったのが自分の行動であれば、それは気も狂わんばかりの衝撃だろう。なんともひどいことをするものだと、八つ裂き狐に対する憤りはますます膨れ上がる。

「あんた、約束したからには絶対に守ってやってよ。破ったりしたら、あんたもあの男と同じだからね」

「わかりました」

私は真剣な顔で頷いた。すると、張りつめていた女たちの気配が、わずかながら緩んだように思えた。

33

その足で私は、虎ノ門の朱芳家下屋敷に向かった。今知ったばかりのことを朱芳に報告するためである。女たちの証言で、市右衛門の事件への関与が明らかになった。いや、そんな持って回った言い方をする必要はない。市右衛門こそ、帝都を恐怖のどん底に陥れた八つ裂き狐その人であったのだ。朱芳はその事実を知り、いったいどう思うのであろうか。私は友人の反応を見たくなかった。

しかし、今はそのようなことを言っている場合ではない。下手人の身許がわかったなら、捕縛のために動き出さなければならなかった。朱芳に報告した後で、私は警視庁へも赴くつもりだった。

ふたたび俥を拾い、虎ノ門まで急いでもらった。屋敷に到着すると、お時の案内ももどかしく朱芳のいる座敷へと急ぐ。朱芳は書物も手にせず、私の到来を待ち受けていた。

「朱芳君。君の危惧《きぐ》が的中した。お美代を連れ去ったのは、やはり市右衛門だったよ」

坐るか坐らぬかのうちに、私は挨拶も抜きにそう告げた。朱芳はこちらの言葉を聞いても、顔の筋ひとつ動かさない。朱芳なりの覚悟を、すでに固めていたようである。

「そうですか。それはご苦労様でした」

「ぼくの苦労などどうでもいいよ。これで下手人の名は判明した。岩助が帰ってきたら、市右衛門の所在も明らかになるだろう。そうしたら、一挙に下手人捕縛となって欲しいものだ」

「そうですね」

朱芳は同意するものの、明らかに納得いってないようであった。私は友人の気持ちを確認する。

「まだ信じられないのかい？　こうまで歴然とした証言があるなら、もう言い逃れはできないよ。市右衛門とて、それは覚悟の上だろう」

「でしょうね」

「君ももちろん、とうにそんなことはわかっているはずだよな。じゃあいったい、何に納得していないんだ」

「ぼくは何もわかっていない。どうして市右衛門がこんなことをしでかしたのか？　美女を殺さなければならない理由は何か？　屍体を切り刻むのはなぜか？　バラバラにした屍体を稲荷に捨てる理由は？　それらがすべて判明するまで、ぼくは納得することなどできませんよ」

「それはぼくだってそうさ。しかしそんなことは、当人に訊けばはっきりするだろう。何よりも大事なのは、次の犠牲者が出るのを食い止めることだ。もっとも、もはや先方も身動きなどとれないだろうけどね」

「ぼくは市右衛門の人となりを知っている。だからこそ、あいつが何を考えるか、わかるはずなんだ。それなのにこの事件における市右衛門の行動原理は、さっぱり理解できない。それがどうにも奇妙に思える」

「君が市右衛門と最後に会ったのは、五年も前のことなんだろう。五年も経てば、人は変わるよ。女の体を切り刻むような男の心理を理解できなくたって、それは当然のことじゃないかな」

「市右衛門は狂人ではありませんでした。ヘボン先生の門下生の中でも、特に聡明な男だったと言ってもいい。何か理由がなければ、こんな凶行に走るわけがないんだ。ぼくはその理由が知りたい。ああ、なんてぼくは頭が悪いんだ」

朱芳は拳で自分の額をこつこつと叩いた。朱芳のことだ、まったく考えがまとまらないわけではないだろう。しかし何かが足りないために、まだ思考は明瞭な形を描かない。それがもどかしく感じられて、自分が情けないのではないだろうか。私はそのように見て取った。

「市右衛門とは、どんな素性の人なんだ？　ヘボン先生の教えを乞うていたというなら、君と同じく武家の出なんだろう？」

「そうです。旗本の四男坊ですよ。ヘボン先生の許には徳川幕府から医術を学ぶよう命じられてやってきた人たちもいましたが、ぼくのように自ら進んで教えを乞うた者もいる。市右衛門もやはり、外国の進んだ医術を学びたくて、先生の門戸を叩いた者でした」

「知り合ったのはいつ頃なんだ」

「慶応元年のことですから、もう十年も前ですね」

「十年前？　すると君は、そんな幼少の頃からヘボン先生の薫陶《くんとう》を受けていたのか」

「先生の許を訪れたのはもっと以前のことですよ。ぼくの方が市右衛門より早かったですからね」

「市右衛門は君と同年輩なのか」

「いや、ぼくより四つ上だったはずです」

では今は二十八ということか。だんだんと八つ裂き狐の輪郭が明らかになっていく。

「その後の市右衛門の消息を知らないところを見ると、君はさして親しかったわけではないんだろう？」

「いえ、門下生の中でも、特に市右衛門とは意気投合していたと言ってもいいでしょう。連絡をとり合わなくなったのは、主にぼくの側の理由です。ここに引き籠ってからは、かつての知人との付き合いもすべて切れてしまいましたから。市右衛門も、ヘボン先生とともに辞書を編纂《へんさん》していたので、わざわざ虎ノ門まで足を運ぶ暇がなかったはずです」

「お美代の長屋に姿を見せたくらいだから、現在は横浜に居留しているわけではなく、東京に出てきているのだろうな」

「……おそらく、そうでしょうね」

ふたたび朱芳の言葉は重くなる。私はもう尋ねるべきことも見つけられず、自然と沈黙が訪れた。

ちょうどそのときだった。廊下をこちらに向かう足音が聞こえたかと思うと、すぐに岩助の重々しい声が届いた。横浜から戻ってきたようだ。

「ただいま戻りました」

岩助は廊下に坐り、私たちに一礼した。朱芳は「ご苦労だった」と声をかけて、岩助を座敷内に呼び寄せる。

「暑い中、ご苦労だったな。ヘボン先生は息災でいらっしゃったか」

「リュウマチを患われて以降、多少立ち居振る舞いに難儀するようになられたそうですが、それ以外は至ってお元気そうでした」

「そうか。それは重畳《ちょうじょう》だ。ぼくの書状を読んで、先生はなんとおっしゃっていた？」

「若様のお加減をいたくご心配なされておられました。一別以来久しいので、近いうちぜひともお会いしたいと」

「そうか」

岩助の伝言に、朱芳はただ短く頷くだけだった。会いたいと言われても、今の体調では朱芳が横浜まで出向くことは難しいだろう。彼我《ひが》を隔てる距離は、健康な人間が思うよりずっと遠い。それを思っての、朱芳の短い返事なのだろうと私は推察した。

「若様のお尋ねに関しては、ヘボン先生の書状を預かって参りました」

こちらです、と岩助は、恭《うやうや》しく懐から一通の書状を取り出した。それを捧げるようにして朱芳に差し出す。朱芳は無言で受け取り、すぐに開いて中身を読み始めた。

それは英語で書かれた書状だった。紙を透《す》かして文字が見えるものの、私に読み取ることは不可能だ。私はただ、朱芳がそれを読み終えるのをじっと待つ。

「――わかった。ご苦労だったな、岩助。旅の汗を流してくれ」

「はい」

言われて岩助は、ふたたび低頭して下がっていった。朱芳は丁寧に書状を畳み直している。私は勢い込んで尋ねた。

「どうなんだ。市右衛門の所在はわかったのか」

「ええ。現在の住まいはやはり東京でした。三年前に市右衛門はヘボン先生の許を離れ、東京で施療院を開いていたそうです」

「場所はどこなんだ」

「お茶《ちゃ》の水《みず》です」

34

私はすぐに朱芳家下屋敷を出立し、警視庁に赴いた。警視庁は先日と同様ごった返していたが、今日は遠慮している場合ではない。大声を上げて川辺警部への取り次ぎを頼み、なんとか面会に成功した。

新たにわかった情報を伝えると、川辺警部は珍しく血相を変えた。私の手を握り締めんばかりに感謝を示し、すぐに慌ただしく出動の準備を始める。これは警視庁始まって以来の大がかりな捕り物になるはずだ。私もまた、事件が大詰めに来ていることを感じて興奮した。

総勢十名にも及ぶ巡査を引き連れ、川辺警部はお茶の水へと向かった。私も遠巻きに眺めているだけならという条件で、同行を許される。それも、霧生家の事件の際の功績を認めてもらったからだろう。下手人捕縛の瞬間に立ち会えることに、私は内心で快哉《かいさい》を叫んだ。

馬車と馬を使い、我々はお茶の水へと急いだ。ヘボン先生の情報は正確だったので、市右衛門の施療院への道筋を迷うようなこともない。警官隊は施療院のすぐそばまで馬で近づき、そしてそこから先は下馬して徒歩で向かった。施療院を包囲するまで、相手に接近を悟られてはならないのだ。

市右衛門が何食わぬ顔をして日常を過ごしているなら、施療院に診療を受けに来る患者がいるかもしれない。そうした患者への対処が、捕縛に際して一番苦慮しなければならない点だった。市右衛門はまれに見る大男だ。捕まるまいと激しく抵抗したなら、警官隊総出で取り押さえねばならないだろう。そのときに無辜《むこ》の市民を巻き込み、怪我など負わせては一大事だ。ただでさえ警視庁への風当たりは強くなっている。さらなる失態を犯し、信頼を回復する機会を失ってはならない。川辺警部は相も変わらず沈鬱な表情だが、内心でそう考えていることはありありと窺えた。

私は巡査たちが散開するのを見送り、川辺警部とともにゆっくりと動き出した。十間《じっけん》ほど先に、目指す市右衛門の施療院がある。この界隈《かいわい》の町並みは整然としていて、見通しもよかった。取り囲まれたなら、包囲網から逃げ出すのは容易ではないはずだった。

そこを曲がれば施療院が見えるという地点で、川辺警部は私を制した。物陰から慎重に顔を出し、前方を窺う。すぐに顔を引っ込めると、私に向かって首を振った。

「どうやら患者でごった返しているといった気配ではないですな。中に市右衛門なる男がいるかどうかはわかりませんが」

「施療院自体は開いているんですか?」

「ここからではなんとも言えませんね。私が少し近づいてみます。九条さんは絶対にここから動かないでください」

そう釘を刺して、川辺警部は曲がり角から飛び出した。私も急いで角から顔を出す。警部は小走りに施療院の前まで向かうと、警戒しながら中の様子を窺った。施療院の門は閉ざされたまま、開く気配もない。

警部は手振りで巡査二名を呼び寄せ、緊張した面もちで門扉《もんぴ》を押した。だが内側から門が掛けられていたらしい。すぐに警部は潜《くぐ》り戸の方も押したが、やはりこちらも内側から閉められていた。

どうやら施療院は開業していなかったようだ。患者がいないのならば、それは警視庁にとってもっけの幸いと言える。警部は巡査たちとなにやら短く相談し、すぐに次の行動に移った。巡査一名がもうひとりの肩を借りて塀を乗り越えると、内側に飛び降りる。そして潜り戸を開けて、警部たちを中に請じ入れた。いよいよ捕り物の始まりだ。私は我知らず肩に力が入り、固唾《かたず》を呑む。

しばし静寂が巷を覆った。人通りも少ない道らしく、施療院の前を通りかかる者もいない。施療院を包囲している巡査たちは大勢いるはずだが、その息づかいも今は聞こえなかった。私の心の臓が跳ね上がる音だけが、やけに耳に響く。

ずいぶん長い時間が経ったが、格闘の音も聞こえなかった。やがて戸や障子を乱暴に開け放つ音が、屋敷内から届いてくる。察するに、屋敷内はもぬけの殻だったのではないか。警部たちは市右衛門の姿を求めて、屋敷中を探索しているのだろう。

想像していたような立ち回りにはなりそうにないとわかり、私は詰めていた息を吐き出した。とたんに、夏の仮借《かしやく》ない日差しが辛く感じられる。目を眇《すが》めて見上げると、西に傾きかけた太陽がぎらぎらと輝いていた。

やがて川辺警部が、むっつりとした顔で外に出てきた。私と目が合うと、ひどく残念そうに首を振る。あの様子では、市右衛門の行方を知る手がかりすら見つからなかったのだろう。暑い夏の捕り物は、どうやら空振りに終わったようだ。気も狂わんばかりの夏の惨事は、まだ果てが見えない。

35

味噌味に仕立てた肉鍋は、なかなか美味だった。味噌と酒が肉の生臭さを打ち消し、口当たりを柔らかくしている。よく煮込んだ肉片からは出汁も程良く取れて、汁の旨味を増していた。喜八郎はもったいないからという理由ではなく、心底旨いと感じて肉鍋を貪《むさぼ》り食った。

前回と違い、今回はいつまでも女の脚に執着することはなかった。なかなか思い切ることができなかったせいで脚を腐らせてしまい、結局食中《あ》たりを起こしたことへの反省があったのだ。むろん、いつまでも脚を慈しみ続けていたいという欲望は、厳然と存在する。だがたとえ脚を喰らってしまっても、代わりがいくらでも手に入るとわかった今は、未練を断ち切ることも容易だった。

経験によって学んだことは、それだけではなかった。肉が腐れる前に食べなければならないのなら、この前のように無理矢理腹に押し込むのではなく、もっと肉本来の味を楽しみたい。そう考えて喜八郎は、調味料一式を廃屋に持ち込んでいた。料理など手がけたことはなかったが、鍋に入れて煮込むくらいは見様見真似でどうにかなる。もの問いたげな母の目を無視して、喜八郎は醤油や味噌を持ち出したのだった。

脚と過ごす期間は一日と決めていた。稲荷から脚を盗み出した翌日だけ、たっぷりと肌触りを満喫した。そしてその夜には、解体して鍋にしてしまった。鍋には他に、大根と人参、豆腐も入れてある。それらを適当にざくざくと切り、手順もかまわず肉と一緒に煮込んだ。やがて時間が経つにつれ、食欲をそそる匂いが立ち上ってくる。喜八郎は酒をちびちびと飲みながら、鍋ができあがるのを心待ちにした。

何度も味見をしながら、肉に火が通るのを見計らった。とろけるほど柔らかく煮込むには時間が足りないだろうが、生のままではまた食中たりになる危険性がある。菜箸で何度も肉をつつき、赤みがなくなるのを確認した。これが得も言われぬ弾力を持っていた腿の肉かと思うと、自然と唾が湧いてくる。

果たして、できあがった肉鍋は喜八郎の予想以上に美味だった。初めての料理にしては、充分に及第点をつけられる。肉は獣のそれとはまったく違う甘みを持ち、喜八郎の舌を楽しませてくれた。肉を咀嚼《そしやく》し、嚥下《えんか》するたびに喜八郎は、陶酔する思いを味わう。愛する者を胃の腑に収める喜び。これ以上甘美な体験があろうか。喜八郎は感動に打ち震えながら、肉鍋を最後まで味わった。

ただ残念ながら、すべてを喰らい尽くすにはあまりに肉の量が多かった。骨の一片すら残さず我が身に収めたいところだったが、もう無理はできない。糞尿にまみれてのたうった経験は、喜八郎の中に恐怖として残っていた。二度とあのような目には遭いたくない。

　そこで、非常に残念ではあるものの、残った肉は母に食べさせてやることにした。食べきれないだろうと予想して、持ち帰る分の肉は鍋に入れず分けてある。それを笹の葉に包み、喜八郎は長屋に帰宅した。手みやげを携えて息子が帰ってきたことを、母は諸手《もろて》を挙げて喜んだ。

　母には牛の肉だと告げておいた。肉など食べたこともない母には、人肉と牛肉の区別などつかない。へえっ、と感嘆の声を上げるだけで、疑うことなど知らなかった。恐る恐る鼻を近づけて、匂いを嗅いだりしている。

　こんなものをどこで手に入れたのだと、母は当然の質問を向けてきた。喜八郎はそんな問いかけにも、曖昧に笑って答えを濁す。己にとって最も大事な物を分けてやる行為に、喜八郎は自ら酔っていた。なんと親孝行なのだろうと賞賛したくなる。これがいかに貴重な肉であるか、母に説明できないのが残念だった。

　食用の肉を初めて手にした母は、それを調理するすべも知らなかった。結局喜八郎と同じく、味噌で煮込むくらいしか思いつかない。明日までは保《も》たないかもしれないという喜八郎の言葉を受けて、夜中だというのに火を熾《おこ》して調理にかかった。

　残っていた野菜屑をぶち込んだ鍋は、喜八郎が作ったものと酷似していた。喜八郎はできあがった料理を見て、内心で苦笑する。しかし考えてみると、これが最も肉をおいしく味わう方法なのかもしれない。自分が満腹していることが、改めて残念に思えた。

傘貼りだけで生計を立てている母は、粗食が当たり前のことになっている。今日も夕食は摂《と》っているはずだが、満腹などとはほど遠い状態だろう。だから思いがけず肉鍋を食べることになっても、食欲はあるようだった。両手を合わせてひたすら拝んでから、恐る恐る肉に箸をつける。

最初母は、肉を頬張ってなんとも複雑な表情を浮かべた。あまりに未知の味に、美味ともなんとも判断がつかなかったのだろう。喜八郎はそんな様子を見て、すかさず「旨いだろう」と同意を求める。すると母は、慌てて満面の笑みを作った。こんな旨い物は食べたことがないと、大袈裟に言う。

しかしそれも、ふた口三口と食が進むうちに、決してお愛想などではなくなったようだった。肉の味に慣れるにつれて、確かにこれが並はずれた美味だということが、母の貧しい舌にも伝わる。やがて喜八郎に感謝することも忘れ、母はがつがつと肉を喰らい始めた。母が目の色を変えて食事している様子など、喜八郎は初めて見た。ますます、いいことをしたと虚栄心が満たされる。

汁に至るまですべて食べ終えると、母はふたたび手を合わせて喜八郎に感謝した。お前がこんな親孝行をしてくれるとは思わなかった、私は育て方を間違っていなかったと、涙に暮れながら繰り返す。そのしつこさはいささか鬱陶しかったが、しかし今は鷹揚《おうよう》に耳を傾ける余裕があった。肉の美味を賞賛されることは、喜八郎にとっても誇らしいことだったからだ。

その日以来、喜八郎は母に優しくしてやるようになった。昼は大道芸に出て稼ぐが、実入りが少ないときには早めに切り上げ、これまではいやで仕方がなかった傘貼りを手伝う。母はそんな喜八郎に、畳に額《いぶか》を擦りつけんばかりにして感謝の意を示した。なぜ突然に息子の態度が変わったのか、訝しく思っているのは明らかだったが、深く追及しては来ない。あれこれと詮索して、また喜八郎の気が変わってしまうことを恐れているのだろう。

喜八郎自身も、母に対する自分の態度には戸惑っていた。強いて理由を探すなら、それは仲間意識故だろうか。互いに女の肉を喰らった者であるという自覚が、母を近しく思わせたのかもしれない。次に脚が手に入ったら、わざわざ廃屋になど籠らないで、ここに持ち込んで母とふたりで調理してもいいと考えた。

問題は、次の脚の入手法である。幸いなことに八つ裂き狐は、未だ捕まっていない。ならば、八つ裂き狐は必ず女を殺すだろう。これきり犯行をやめてしまうのではないかという危惧は、まったく持たなかった。女を殺す味を憶えたなら、途中でやめることなど不可能なはずだ。八つ裂き狐は捕縛されるまで女を殺し続ける。喜八郎は強く確信していた。

喜八郎は地図を広げて、書き込まれている地名に目を走らせた。板橋、高田馬場、富久町、麴町と、屍体発見現場はどんどん南に向かっている。その伝で、麴町よりもさらに南の稲荷を探せばいい。その中で、条件に合致する稲荷はあるだろうか――。

小一時間ほど地図を睨み続けた挙げ句、喜八郎はふたつの候補地を見つけた。ひとつは赤《あか》坂《さか》の三角稲荷だ。この稲荷を「さんかく」と読むのであれば、ここそ次に屍体の捨てられる場所のはずだ。だがおそらく、そうではなく「みすみ」と読むのだろう。ここに屍体が捨てられる可能性がまったくないわけではないが、ふたつの場所に泊まり込むことはできないのだから、こちらはきっぱりと無視するしかない。

もうひとつの候補は、愛宕《あたご》の唐草《からくさ》稲荷だ。赤坂よりさらに南になってしまう点が気になるものの、やはり素直にこちらこそ次に屍体の捨てられる場所と考えるべきだろう。

そう結論すると、もはや次の脚は手に入ったも同然のように感じられた。東京にいる限り、いつでも新しい女の脚が手に入る。これを極楽と言わずして、いったい何が極楽か。喜八郎は抑えようにも抑えきれず、ひとりほくそ笑んだ。

36

「あら、新《しん》さん、遅いじゃないのサ」鏡に映った箱屋の姿を認めて、琴菊《ことぎく》は怨ずるように言った。「今日のお座敷は遅れるわけにいかないのヨ。先様を怒らせたらどうしようかって、冷や冷やしたじゃない」

「へえ、すみません。ちょっとそこで、お喋りな姐さんに摑まってしまったものですから」

寡黙な箱屋は、そうとだけ答えて琴菊の後ろに膝をついた。すぐに愛用の箱を開け、鬢出《びんだ》しを取り出す。振り向きかけた琴菊を鏡に向き直らせると、そのまま髪型を整え始めた。

「新さんはもてるからネ。でも誰にでも愛想良くしてると、そのうち怖い目に遭うかもしれないわよ」

「へえ、気をつけます」

「まったく、口ばっかりなんだから」

琴菊は腹立たしげに言ったが、しかし実際は特に不愉快でもなかった。箱屋のこうした返事はいつものことである。よけいなことを言わずただ黙々と仕事をするところが、この箱屋のいいところだった。それが気に入って琴菊も髪型の手入れを任せているのだし、ここ根津《ねづ》の色町で新松《しんまつ》が重宝がられる所以《ゆえん》でもある。芸妓《げいぎ》置屋に出入りする者が、お喋りでは困る。

「それよりも、姐さんの方こそ気をつけてくださいよ」

続けて新松は、そんなふうに言った。新松の方から話題を振ってくることなど、雹《ひょう》が降るよりも珍しい。琴菊は目を剝いて、鏡に映る新松の顔を眺めた。新松の四角い顔は、いつものようにむっつりとしている。

「あら、新さんがそんなこと言ってくれるなんて、嬉しいワ。雪でも降らなきゃいいけど」

「冗談事じゃありませんぜ。八つ裂き狐はまだ捕まっちゃいないんだ」

「知ってるわよ、そんなこと。あたしだってついこの前まで、次は自分が殺されるかもしれないってびくびくしてたんだから。でも、八つ裂き狐が狙うのは極上六歌仙の女だけなんでしょ。馬鹿にしてるじゃない。他の女は美女でもなんでもないって言いたいのかしら」

琴菊は、この色町ではちょっと名の知られた芸妓だった。根津の琴菊といえば、顔を知らぬ者でも「ああ、あの美人と評判の」と頷くほどである。当然呼ばれる座敷も多く、根津一の売れっ子芸者と自他ともに認めていた。琴菊自身、自分の美貌には少なからず自信がある。

だから、今東京で評判の鈴木春永が姿を描かせて欲しいと申し出てきたときも、それは当然のこととしか受け止めなかった。芸者が錦絵に描かれるのは誉《ほま》れであり、まだごく普通のことでもある。これまでにも何人もの絵師からそのような申し出を受け、応じてきた。春永だけことさらに断る理由など、特になかった。

そのことを後悔したのは、錦絵が販売されてしばらく経った頃のことである。今様美女三十六歌仙として売り出された錦絵は大当たりを取り、飛ぶように売れた。むろん琴菊の絵も三十六枚の中でもかなりの売れ行きを示したが、しかし一番ではなかった。そのこと自体にすでに、琴菊は矜持を傷つけられた思いだった。

しかし琴菊の自尊心は、さらに傷つけられることになる。三十六歌仙が話題になればなるほど、男たちはそれぞれの女を比較したくなるらしい。そしてそのうち、誰言うともなく極上六歌仙なる女たちが選び出された。その六人の中に、琴菊の名はなかった。

　そのことを客から聞かされたとき、琴菊は怒りのあまり気が遠くなりそうになった。女同士を比較して優劣をつけるのはかまわない。自分が一番になるのは決まっているのだから。それなのに、何をどう間違えたのか、一番の美女という評判を逸しただけでなく、上位六人からも漏れてしまったというのか。そんなことがあるわけもない。琴菊は我を忘れて、思わずその場で抗議の声を上げそうになった。

　琴菊は色町で生まれ、色町で育った女だった。母もまた、根津で一、二を争う美女だった。その血を濃く受け継いだ琴菊は、幼い頃から際立った顔立ちをしていた。色町に出入りする男は皆、将来美人になるよと保証してくれた。物心つく頃からそんな言葉を聞かされ続けた琴菊は、自分が美しくあることになんの疑問も持たなかった。むしろ、賞賛の声が聞かれないと、かえって不思議に感じるほどだった。

　その自尊心は、今に至るまで傷つけられたことはなかった。むろん芸事の世界のことである、芸の未熟さ故に叱られ、悔し涙を流したことは何度もある。しかしそれはあくまで、後天的に身につけた芸を比較した場合のことだった。芸は修練を積めば、いずれ他人を上回る可能性がある。しかし持って生まれた美貌だけは、努力で変えられるものではない。この美しさがある限り、琴菊が他人に負けることはないし、たとえ芸で負けることがあっても心底からの悔しさなど味わう必要はないのだ。琴菊は長い時間をかけて、そのような人生観を育《はぐく》んできた。

ところがそんな琴菊の人生観に、今様美女三十六歌仙は罅《ひび》を入れた。あたかも琴菊など井の中の蛙《かわず》であったかのように、さらなる美女を並べてみせた。一番でもなく二番でもなく、七番以下に過ぎないとはどういうことか。琴菊のことを美しいと褒めそやした男たちは、嘘をついていたのか。

琴菊が真っ先に考えたのは、絵師の腕が悪かったということである。たまたま琴菊を描いたときだけ、絵師の筆が鈍ったのだろう。だからこそ、実物を比較すれば琴菊より劣る女たちが、錦絵では美しく見えてしまった。そうとしか考えられなかった。

一度はそう考えて腹立ちを収めた琴菊だったが、断続的に耳に入ってくる評判にはさらに苛立たせられた。錦絵を買った男の一部は、酔狂にも実物を眺めに行ったのだという。そして多くの女たちを比較した結果、琴菊よりも美しい女がいることを確認したそうだ。もちろん面と向かって琴菊にそのようなことを告げる男はいなかったが、噂はどこからともなく聞こえてくる。その都度《つど》琴菊は、腸《はらわた》が煮えくり返る思いを味わった。

そんな琴菊の思いに、追い打ちをかけるような事件が勃発した。八つ裂き狐と異名をとる、美女の連続殺しである。ふたり目のお咲が殺された頃から、誰言うともなくあれは美女三十六歌仙の女を順に殺しているのだと噂が立った。それは三人目の犠牲者が出たとき、推測ではなく事実として人々に受け入れられた。ならば、三十六歌仙のひとりである琴菊も、いずれ八つ裂きにされてしまうかもしれない。錦絵に姿を描かれただけでも、自尊心を傷つけられるほどの衝撃を味わった琴菊である。この上わけもわからず殺されては、それこそ踏んだり蹴ったりというものだ。深く考えもせずに春氷の申し出を受けてしまったことを、琴菊は強く後悔した。

だから八つ裂き狐の標的が三十六歌仙全員ではなく、極上六歌仙の女に限られると知ったとき、琴菊はこの上ない安堵を味わった。傷つけられた矜持《きょうじ》も、いっときとはいえ癒された。なまじ評判になったりするから、悲惨な末路を迎えるのだ。自分のように控え目に、東京の一角でだけ美貌を褒めそやされていればよかったのだ。琴菊は殺された女たちに同情など一片も覚えず、むしろいい気味だと考えていた。

そして同時に、琴菊はあることに気づいた。自分と同じように感じている者がいたのだととっさに考えたのだ。極上六歌仙なる女に選ばれなかったとき、琴菊は怒り心頭に発した。こんな屈辱を味わわせた者全員を、叩いて叩いて叩き倒してやりたかった。もちろん実際にそのような行動はとらなかったが、琴菊より美しい女を知っているなどと目の前で言う男がいたなら、その頬を張り飛ばしていることだろう。それほど琴菊が受けた衝撃は深甚だったのだ。

同じように怒りを覚え、そして琴菊とは違ってその怒りを実際に晴らしてしまった女がいたとしたら。己の自尊心を傷つけた人間を、その女は許すことができなかったのだろう。八つ裂きにしても飽き足りないくらい、自分より美しい女たちを憎んだはずだ。だからこそ八つ裂き狐は、女たちの体を切り刻んでいるのだ。琴菊はそう確信した。

そしてそれは、琴菊にとっても決して都合の悪いことではなかった。何しろ己の手を汚さずとも、この東京から美しい女が消えていくのである。琴菊は三十六歌仙の評判を耳にした今でもなお、自分こそが東京一の美女だと信じている。それでも己に対抗し得るほどの女が存在することは、はっきり言って目障《めざわ》りだった。その目障りな女が消えるなら、琴菊より美しい女が存在するなどという世迷《よま》い言《ごと》を口にする輩もいなくなるだろう。それは琴菊にとって、非常に心安らぐことであった。

だが今は、そんな内心を押し殺して冗談めかしたことを言っておく。己の嫉妬心を口に出し、新松から軽蔑されたくないからだ。別に新松に惚れているわけではない。男には惚れるものではなく、惚れさせるものだと琴菊は考えている。それでも新松は、なかなか苦み走ったいい男だった。いい男の前では己を少しでもよく見せたいのが、女の性《さが》である。

「極上六歌仙なんて、誰が決めたわけでもないじゃないですか。八つ裂き狐が美しい女ばかりを殺しているのなら、姐さんだって気をつけなきゃならない」

新松はせっせと琴菊の髪型を整えながら、ぼそっとそのように言う。新松は日頃から、世辞の類はいっさい口にしない男だった。だからこそ、その言葉には真実味が籠っている。軽薄な幇間《ほうかん》ならともかく、他ならぬ新松がそうして心配してくれたことが、琴菊には嬉しくてならなかった。

「じゃあ新さんは、殺された女たちと同じくらいあたしが綺麗だって言ってくれるの?」

新松の言うことは理解していたが、きちんと確かめずにはいられない。琴菊は上目遣いに新松の顔を見た。

「姐さんより綺麗な女など、東京中探してもいないでしょう」

「嬉しいことを言ってくれるわね」

思わず琴菊は、髪を触る新松の手を握った。新松は驚いたように、手を引っ込めようとする。琴菊は少し強く握ってそれに抵抗し、すぐに放してやった。新松は何事もなかったように、箱から鬢《びん》つけ油を取り出す。

新松はあたしに気があるのかしら。琴菊は内心で考えた。誰に対しても四角四面な物腰の新松が、自分をそのように見ているとは知らなかった。寡黙だからなかなか本心が見えづらいが、もしかしたらずいぶん以前からこちらを好いていたのかもしれない。そう思うと、新松の純情がかわいらしく感じられる。

色町では芸子と出入りの者の色恋沙汰はご法度《はっと》である。だが実際には、男と女がいれば惚《ほ》れた腫《は》れたといった話は後を絶たない。琴菊とて、今はあちこちから声がかかる売れっ子だが、やがて年を取るにつれて容色も衰えるだろう。大店の主人に引かされるのが一番だが、違う世界に飛び込むには面倒事も覚悟しなければならない。切りのいいところですっぱりと芸者稼業から足を洗い、箱屋の女房として生きていくのも悪くないかもしれない。何しろ根津は、小さい頃から馴染んだ町なのだから……。

琴菊がひとりで妄想を膨らませている一方、新松は黙々と手を動かし続け、琴菊の髪型を整え終えた。「はい、けっこうです」と言って、道具を箱にしまい始める。新松が回らなければならない置屋は、何もここだけではない。これからすぐに次の得意先へと向かうのだろう。「どうぞ行ってらっしゃいまし」と一礼して、さっさと立ち去ってしまった。照れているのだろうか。新松の後ろ姿を見送り、琴菊はクスリと笑う。どちらかといえば琴菊は、軽薄なくらいべらべらと喋ってくれる男の方が好きだった。だがそれは、座敷に出る者としての観点からなのかもしれないと思い直す。一緒に長い時間を過ごすには、うるさい男よりも寡黙な方が気が休まるかもしれない。何より、あたしは人の話を聞くよりも、自分のことを語りたいのだ。黙ってこちらの話に耳を傾けてくれるような男を、心の底では欲していたのだろうか。

そんなふうに想像を巡らすだけで、琴菊はなにやら浮かれた気分になった。いつもと変わらぬ夜がやってくるはずだったのに、少し得をした思いだ。これまで新松とは、挨拶程度の言葉しか交わさなかった。明日からはもう少し、互いの本心を見せ合うようなことを話してみようか。そんなふうに考え、琴菊はひとり微笑む。

そうこうするうちに、出立しなければならない時刻になった。琴菊は同じ置屋の芸妓たちに声をかけて、表に出た。外は日が落ち初め、涼やかな風が吹いている。夏の夜とて、根津の色町は賑やかだった。

今日は琴菊を最も贔屓《ひいき》にしてくれる、天満《てんま》屋の座敷だった。置屋から少々離れているのが難だが、それ以外は申し分ない。琴菊はすれ違う顔馴染みたちとにこやかに挨拶を交わしながら、先を急いだ。

その途中でのことだった。ふと横手から「琴菊姐さん」と声をかけられ、立ち止まった。声が新松に似ているような気がしたのだ。だが一瞬後には、相手が新松ではないことに気づいた。新松も低い声だが、今の呼びかけほどではない。琴菊を呼び止めた声は、わざと声を押し殺しているようにくぐもっていた。

声は横手の路地から聞こえてきたのだった。路地はそここに灯る行燈《あんどん》の火も届かず、薄暗い。その暗がりには大八車が停めてあり、傍らに手拭いを頭から被った男が蹲《うずくま》っていた。男の顔は、暗くてよく見えなかった。

「だあれ?」

気分が浮かれていたので、琴菊は甘い声を出して問いかけた。そのまま深い考えもなく、男に近寄っていく。男の格好は粗末で、どう見ても客ではない。客でないなら顔見知りだろうと、琴菊は無条件に思い込んでいた。

だから男が不意に立ち上がったときも、ただその上背の高さに驚いただけで、警戒心など微塵《みじん》もなかった。鳩尾《みぞおち》に強い衝撃を受け、それきり琴菊の意識は遠のいた。大八車に乗せられ、菰《こも》を被されても、琴菊はまったく無抵抗のままだった。

37

琴菊が行方知れずになったとの報せは、すぐに警視庁に届いたものの、川辺警部の耳には入らなかった。受けつけた者が八つ裂き狐事件との関連性に気づかず、単なる駆け落ち騒ぎであろうと判断したためだった。ただでさえ警視庁は、相次ぐ事件の勃発《ぼっぱつ》に翻弄《ほんろう》されている。こんなときに芸者ひとりがいなくなったからといって、人員を割《さ》くわけにはいかない。受付の者は内心でそう考え、訴えにやってきた置屋の主を追い払ったのだった。

その判断は大いに咎《とが》められるべき類のものだったが、しかし受付の者に同情すべき点がないでもなかった。一番の売れっ子がいなくなって座敷に穴を開けた置屋の主は、狼狽のあまり琴菊が今様美女三十六歌仙に選ばれている女だと告げ忘れたのだ。娘がいなくなり、八つ裂き狐に拐《かどわ》かされたのだと訴える親は少なくない。そうした訴えに律儀に対応しても、結局は男とどこぞの出会い茶屋に籠っているところを発見するのが落ちだった。だからこそ受付の者は、そうした訴えにうんざりして置屋をぞんざいに扱ったのだった。混乱のただ中にあったからこそ起きた、不幸な行き違いと言える。

ただ、訴えを受けて直ちに警視庁が動き出したとしても、琴菊を連れ戻せたとは言い切れなかった。何しろ琴菊の足取りは忽然と消え失せ、連れ去られる現場すら目撃した者がいないからだ。琴菊を座敷に呼んだ天満屋から、いつまで経ってもやってこないとの苦情があり、初めて置屋は異変を知った。まだ残っていた他の芸妓に確かめてみると、確かに琴菊は身支度をして出立したという。その様子は平素と変わりなく、無断で座敷に穴を開けるような気配は微塵もなかったそうだ。加えて琴菊は、少々高慢なところはあるものの、根は真面目な女だった。これまで一度たりとも、無断で仕事をすっぽかすような真似はしたことがない。どう考えても、何者かに拐かされたと考えるしかなかった。

川辺がそうした仔細を知ったのは、翌日の昼過ぎのことだった。ひと晩経っても戻ってこない琴菊の身を案じ、再度置屋の主がやってきたことでようやく騒ぎになったのだ。行方が知れなくなったという訴えがこれで二度目だと知り、川辺は昨晩受けつけた者に怒声を浴びせた。まったく、どうしてどいつもこいつも考えが浅いのか。ただでさえ市民の信頼を失っている警視庁である、ふだん以上に誠意を持って訴えに対応すべきところなのに、なぜそれがわからぬか。川辺の怒りは、いっこうに計《はか》が行かぬ捜査状況への歯痒《はがゆ》さとも相まって、必要以上に大きく膨れ上がった。受付の巡査は、頬を張られる痛みをこらえなければならなかった。

だがいつまでも部下の落ち度を咎めている場合ではない。川辺は直ちに数名の巡査を率いて、根津に向かった。琴菊が籍を置いている置屋を訪ね、いなくなったときの状況を再確認する。だが琴菊の同僚たちの言も、主の説明と矛盾するところはなかった。

唯一、川辺の注意を惹いたのは、出入りの箱屋の証言だった。箱屋は琴菊の世話を任されており、昨晩も出かける前の琴菊の髪型を整えたそうだった。その折に箱屋は、八つ裂き狐に言及して注意を促したと言う。

「それなのに琴菊さんは、殺されるのは極上六歌仙の女だけだから大丈夫、なんて大きく構えていました。あっしはそんな琴菊さんの呑気《のんき》さが心配でならなかったんですが、案の定……」

箱屋は言葉を呑み込み、沈鬱な表情でうなだれた。心底悔しそうに、膝の上で拳を握り締めている。川辺は箱屋の無念を理解できるような気がした。川辺自身、誰よりも強い悔しさを味わっていたからだ。

どうやら琴菊は、自分が襲われる可能性などまったく感じていなかったらしい。つまり命を狙われるような心当たりはなかったということだ。にもかかわらず琴菊は、痕跡も残さず消えた。もし琴菊が何者かに連れ去られ、そしてそれが一連の事件と同じ下手人の仕業であったなら、果たしてその目的はなんなのか。疑問は結局そこに行き着く。

こんな事件が起きている時節にもかかわらず、琴菊はあまりに無防備だったと言えるだろう。だがそのことを川辺が咎めることはできない。川辺もまた、極上六歌仙以外の女が狙われる可能性については、深く考慮していなかったからだ。殺された女四人までが極上六歌仙に入っていたなら、次もまたその中から選ばれると考えるのが普通の発想だ。しかし下手人は、そんな警視庁の判断をあざ笑うかのように、その牙を他の女に向けてきた。本来ならば、春朝が殺された事件でもっと警戒しなければならなかったはずだ。しかし川辺は、人員不足を理由に三十六歌仙の残りの女全員を警護するという手段には出なかった。極上六歌仙の残りふたりを守っていれば事足りると、無根拠に思い込んでいたからだ。川辺の失態というしかない。

自責の念が川辺の全身を締め上げていた。力いっぱい嚙み締めた奥歯が、ぎりぎりと音を立てて鳴る。それでも川辺には、今すぐ打つべき妙手などなかった。連れ去られた琴菊の安全をただ祈ることしかできないのが、どうにも歯痒く、情けなくてならなかった。

川辺は腹を固めた。もはや警視庁の面子にこだわっている場合ではない。頭を下げて陸海軍からの応援を頼んででも、残りの女たちを護衛しなければならない。そして同時に、東京中を虱潰《しらみつぶ》しに探索するのだ。下手人の名は判明している。身体的特徴まで把握している。この上は下手人を発見し、縛《ばく》に就かせるだけで事件は解決するのだ。あと一歩の手間を惜しんではならない。

陸海軍に応援を要請するには、お偉方同士で話し合ってもらわなければならない。すぐにも数寄屋橋に戻り、警視庁の長である川路《かわじ》大警視に事の次第を説明する必要があった。川辺は周辺の探索を継続するよう巡査たちに申しつけて、自分は最後に箱屋に質問を向けた。

「ところで、琴菊の本名はなんというのだ」

箱屋はまるで喉が痛むかのように、苦しげに答える。

「へえ、お勢、と言います」

38

来た、八つ裂き狐だ。

社殿の床下で息を潜めながら、喜八郎は快哉を叫んだ。必ず来ると信じていた。今や喜八郎と八つ裂き狐は、固い信頼で結ばれていると言ってもいい。八つ裂き狐が喜八郎の期待を裏切ることなど、まったく考えられなかった。喜八郎は他のどんな者に対するよりも、八つ裂き狐に親愛の情を抱いている。その気持ちは親友に向けるそれと評しても、あながち的外れではなかった。喜八郎にとって八つ裂き狐は、心が通い合うただひとりの存在であった。

だから喜八郎は、足音を聞いただけでそれが八つ裂き狐の立てる音だと聞き分けることができた。重々しい、大地を踏み締めるような足取り。足音の重さは、何も女の屍体を担いでいるからではない。八つ裂き狐自身が、雲を衝《つ》くような巨体の持ち主なのだ。その巨軀の男が、喜八郎のために女を拐かし、体を八つ裂きにしてくれる。喜八郎が女の脚を手に入れられるように、こうして深夜の稲荷社にやってきてくれる。喜八郎はそうした八つ裂き狐の好意に、心から感謝していた。床下から飛び出し、直接礼を言えないことが残念でならなかった。

喜八郎が潜んでいる愛宕の唐草稲荷は、麴町の公魚《わかさぎ》稲荷よりも遥かに大きかった。日中は人の出入りも頻繁で、寂れた気配はない。そのため、初めてこの稲荷の境内に足を踏み入れたときには、身を隠すのは困難ではないかと案じたが、幸いにも夜になると嘘のように人気がなくなった。結局、日中に訪れる人たちは皆、己の安全を祈願するために油揚げを供えに来るのである。日が落ちた後にまで稲荷に足を運ぶのは、かえって身を危険に晒す行為であり本末転倒だ。それがわかって喜八郎は、大勢の参拝客たちを密かにあざ笑った。八つ裂き狐が狙うのは脚の美しい女だけなのだ。それなのに、何も心配する必要のない者たちまで、真剣な表情で油揚げを捧げる。その無意味さを、喜八郎は嗤ったのだった。

夜間の泊まり込みは、公魚稲荷の際と同じように社殿の床下に潜り込んだ。こんな待機も、一度思惑どおりにいっているので苦ではない。誰よりも近しく感じられる八つ裂き狐は、喜八郎を失望させることなど絶対にないのだ。そう信じて、数日の間じっと待ち続けた。

そして、今ようやく八つ裂き狐は姿を現した。喜八郎の胸は、前回にも増して弾んでいる。八つ裂き狐との間に確立できた信頼関係が、嬉しくてならない。この感謝の気持ちを、いったいどのように伝えればいいのだろう。言葉などではとうてい言い表せなかった。

八つ裂き狐はこの前と同じように、社殿の裏に歩を進めると、重い荷を地面に投げ捨てた。そして悠々とした足取りで、境内の外へと去っていく。喜八郎はその後ろ姿を見送って、床下から這い出した。すぐそこに新鮮な脚が落ちていると思うと、自然と早足になる。

誰のものでもない、自分のための脚が、そこに落ちているのだ。

屍体は、例によって無秩序に折り重なっていた。胴の上に、首と手足が乱雑に載っている。その有様を見て、喜八郎はしばし戸惑った。なんと、脚が一本しかなかったのだ。

他にも右腕が欠けていたが、そんなことはどうでもいい。二本あるべき脚が一本しかないのは、なんとしたことか。

八つ裂き狐が、右腕と左脚は手許に置いておいたのだろう。八つ裂き狐は常に、女の体の一部を捨てないでおく。今回はたまたま、脚を留め置く番だったというわけか。喜八郎はいかにも残念でならなかった。

しかし、ないよりは一本でもあった方がましだった。喜八郎《あざ》は右脚を手に取り、月明かりに照らして矯《た》めつ眇《すが》めつ眺めた。よし、これは美しい脚だ。痣のひとつもない、魚の腹のような白い肌を持っている。やはり女の脚は、こうでなければならない。月明かりに滑《ぬめ》るような光沢を放つ脚に、喜八郎は口をつけた。ひんやりとした、心地よい感触があった。

喜八郎は用意してきた風呂敷を広げ、大事に脚を包み込んだ。それを小脇に抱え、稲荷を後にする。脚さえ手に入れてしまえば、こんなところに長居は無用だった。屍体の残りのそばに長く留まれば、それだけ危険が増す。深夜で誰も通わないとはいえ、何かの拍子に訪れる者がいるかもしれないからだ。喜八郎は小走りに先を急いだ。

脚が二本あったなら、先日のように母にも肉を分けてやろうと思っていた。しかし一本しかないとなれば、余人に喰わせる余裕はない。長屋に帰っている場合ではなく、やはりいつもの廃屋に籠らざるを得ないだろう。母に肉を分けてやるのは、次回にしよう。喜八郎は寝静まった町中を走り抜けながら、そんなことを考えていた。

だから、周囲への注意が若干疎《おろそ》かになっていたのは否めなかった。こんな真夜中に外を出歩いている者がいるとは思わなかったのだ。特に警戒することもなく四つ辻を曲がったとき、喜八郎は出会い頭に人影とぶつかった。その弾みに脚を取り落としてしまう。風呂敷の一部がほどけ、女の脚の先が覗いた。

「きっ、貴様。こっ、これはなんだ！」

すぐに、ぶつかった相手が声を発した。その声を聞いてようやく、喜八郎は相手に注意を向けた。そして、息が止まるほどの驚愕を味わう。なんと、人影は警察官の制服を着ていたのだ。

「こっ、これは女の脚ではないか！　なぜこんなものを運んでいる？　貴様、八つ裂き狐かっ！」

「ち、違う」

喜八郎はわずかに後ずさり、首を振った。違うのだ、おれは八つ裂き狐ではない。そう言い訳したかったが、己の意思を裏切って声が出ない。そもそも、端《はな》から言い訳など通じる状況ではなかった。すぐにそう悟り、喜八郎は落とした脚に縋《すが》りついた。そしてそのまま、後ろも振り返らずに駆け出す。

「待て！　胡乱《うろん》な奴め！」

すぐに巡査の声が追ってきた。当然のことだ。胡乱と言えば、今の喜八郎以上に胡乱な奴などいない。夜中に女の脚を抱えて走っていれば、どんな申し開きも不可能だった。喜八郎としては、ただひたすら逃げるしかなかった。

「待て！　待たんか！」

巡査は声を限りに叫んでいたが、必死という点では喜八郎も負けていなかった。なんとしても巡査を振り切り、廃屋に逃げ込まなければならない。せっかく新しい脚を手に入れたのに、こんなところで捕まるわけにはいかなかった。

喜八郎は大きな荷物を抱えていたが、それでも巡査よりも足が速かった。彼我の距離はどんどん開いていく。この調子でいけば、なんとか逃げ切ることができるかもしれない。喜八郎がそう楽観的に考えたときだった。

夜の静寂を破る、鋭い音が巷に響いた。呼子《よぶこ》の音だ。このままでは追いつけないと見た巡査が、応援を呼んでいるのだろう。どうやら警視庁では、夜中でも見回りに人員を割いているようだった。これほどの大事件が立て続いている今ならば、それも当然のことだが。

すぐに、前方から人の駆け寄ってくる音が聞こえた。喜八郎は慌てて立ち止まり、横の路地に飛び込む。挟み撃ちになるのだけは避けなければならなかった。

呼子の音はいつまでもやまなかった。それに眠りを破られたのか、町中は徐々に騒がしくなってくる。明らかに複数の人間の足音が響き、しかもそれは喜八郎を中心として結集しつつあった。喜八郎の焦りは絶頂に達した。

路地を抜けたときだった。不意に目の前に、新たな人影が現れた。喜八郎はとっさに、抱えていた脚を振るって相手の横面を殴った。手加減などする余裕はなかったので、腿の部分がまともに相手の耳を叩く。相手は呻きを漏らして、地面にくずおれた。その隙に喜八郎は、さらに遠くへと逃げる。

しかし今の攻防によって、喜八郎の所在は警官隊に伝わってしまったようだった。「こっちだ！」という声が聞こえ、足音もすぐ近くに迫る。このままでは逃げ切れないと判断し、喜八郎は身を隠す場所を探した。首を巡らすと、防火用の水を溜めた桶が見えた。中を確認すると、桶の半分ほどしか水は溜まっていない。これ幸いと、喜八郎はその中に身を潜めようとした。

「いたぞ！　こっちだ！」

　その声が背中を叩いたのは、喜八郎が水桶に右脚を突っ込んだときだった。見つかってしまったようだ。怯えた目で背後を振り返ると、巡査が抜刀して迫ってくる。喜八郎は刀を持ってこなかったことを心底悔いた。

　こうなれば、逃げている場合ではなかった。ふたたび脚を武器に、迫る巡査に立ち向かう。巡査は喜八郎の抵抗の意思を察し、剣先に殺気を込めた。威嚇ではなく、本気で刀を振り下ろしてくる。

　ひと太刀目は、脚の膝上の部分で受け止めることができた。刃が脚の肉に食い込み、すぐには抜けない。それを利用し、喜八郎は相手の腹を蹴りつけた。巡査は呻きを漏らして倒れる。

「神妙にしろ！」

　新たな声がまたしても背後から聞こえた。喜八郎は相手の姿を確認するより早く、唯一の武器である脚を振り回す。しかし今度の攻撃は空を切り、体の平衡を崩すだけだった。よろけたときに、視界の隅に数人の警官の姿を見た。

　白刃が降ってきたのは、その一瞬後だった。自分に向かって刀が振り下ろされつつあることは理解できても、それをよけるすべはない。絶望に駆られて目を閉じると同時に、焼かれるような痛みが左肩から右脇腹にかけて走った。続いて、脳天にも激痛。だらりと生暖かい血が顔面を覆い、視界を赤く染める。それが、喜八郎の見た最後の光景だった。

39

私が事件の新たな展開について知ったのは翌朝のことだったので、愛宕の唐草稲荷に駆けつけてもすでに屍体は片づけられていた。脚を盗み出そうとしていたという男の亡骸《なきがら》も同様である。稲荷の周囲に野次馬は多かったものの、警官の姿は見られない。川辺警部を始めとした巡査たちは皆、三十六歌仙の女たちの護衛か、市右衛門捜索に向かったのだろう。仕方なく私は、群れている野次馬たちに話しかけ、詳しい情報を収集した。

そしてその足で、朱芳の屋敷に赴いた。愛宕と虎ノ門は目と鼻の先である。ここまで来ていながら、朱芳に会わずに帰るわけにはいかなかった。

「聞きましたよ」朱芳は私の顔を見るなり、開口一番そう言った。「お時を見に行かせました。いろいろと聞き込んできたので、詳細は知っています」

朱芳は珍しく、坐っていなかった。苛立たしげに座敷の中を歩き回り、眉根を寄せて思案している。私も腰を落ち着けるわけにはいかず、立ち尽くしてそんな朱芳の様を見ていた。朱芳はこちらの視線も意に介さず、ぐるぐると動き回る。

「今度殺された女は、極上六歌仙には含まれていなかったそうですね。つまり、下手人の狙いは極上六歌仙の女と限ったわけではなかったわけだ。ならば、三十六歌仙の女全員を殺すのが目的か。いや、そんなことはもう不可能なはずだ。これだけ騒ぎになってしまえば、夜中とはいえ自由に市中を動き回ることも困難だろう。殺す順番には、必ず優先順位をつけていたはずだ。その順位に従って、今度の女は殺されたに違いない。いったい何だ。何が女たちを結びつけている？」

朱芳は己の考えをまとめるように、ぶつぶつと呟き続けていた。私に返事を求めているわけでないことは明らかだ。だがそれでも、口を挟まずにいられない。

「新しい犠牲者は、琴菊という名の芸者だそうだ。最初のお菊が蕎麦屋の娘、次のお咲が古着屋の娘、珠子さんは公家の娘、そしてお美代は下駄職人の娘で、今度が芸者だ。それぞれの境遇には、何も繋がりがないな」

「やはり三十六歌仙でしょう。春永が描いた錦絵が、この事件の原因になっていることは間違いない。しかし市右衛門と錦絵の間に、いったいどんな繋がりがあるというのだ。市右衛門は美人絵を眺めて楽しむような趣味はなかった。それなのになぜ、錦絵に描かれた女たちを殺し続けるのだ」

「殺された女は気の毒だが、それよりも気になるのは脚を持ち去ろうとしていた男だ。話に聞いたところによると、どうやらその男はそれほど大柄だったというわけじゃない。まだ身許はわかっていないものの、市右衛門ではなさそうだ。しかし下手人でないとすると、大きな疑問がある。どうして男は脚を持ち去ろうとしていたのか。脚を持ち去って、何か得することがあったのか。それと、脚を見つけたのは偶然なんだろうか。それとも市右衛門となんらかの繋がりがあって、脚だけを譲り受けたのか。この男については、君はどう思う？」

意見を求めると、朱芳はようやく立ち止まってこちらを見た。難しそうな顔で、「それなんです」と言う。

「ぼくが先ほどから頭を悩ませているのは、その男の存在なんだ。男が何者かは、いずれ警視庁が明らかにしてくれるでしょう。しかしそんなことは問題じゃない。気にかけるべきは九条さんも指摘したように、どうして男が脚を入手できたか、だ。男と市右衛門の間に繋がりがあったとは思えない。繋がりがあったなら、もっと違う場所で脚の受け渡しをすればよかったからだ。屍体の切断は、唐草稲荷で行《おこな》ったわけではない。ならば、どこかに根城があるのでしょう。その根城で脚を渡しておけば、巡査に見つかる危険もなかったはずだ。にもかかわらず脚を抱えて市中を歩いていたのなら、市右衛門が捨てた屍体から脚だけを持ち去ったと考えるしかない。ふたりの間に繋がりはないですよ」

「じゃあ、男は偶然に屍体を見つけたのか？　まああり得ないことではないが、しかしいかにも奇妙だな。たまたま屍体を見つけたなら、警視庁に通報するのが筋だろう。それなのに男は、脚だけを持って逃走しようとしていた。男の目的がわからないな」

「男が死んでしまった今となっては想像でしかありませんが、脚など持ち去っても役に立つことはないでしょう。役に立たないならば、考えられる理由はただひとつだ。男は女の脚が好きだったのです」

「脚が好き？　そりゃいったいどういうことだ」

朱芳が何を言い出すのか、私にはさっぱり見当がつかなかった。女の胸や尻が好きな男がいることは理解できる。太腿が好きな男も、決して珍しくはないだろう。だがだからといって、切断された脚だけを持ち去りたいと考える人間がいるだろうか。あまりに突飛すぎて、私にはついていけなかった。

「文字どおりの意味ですよ。普通に女を愛せない人が少なくないのは、九条さんだってご存じでしょう。だから陰間《かげま》茶屋なんてものが繁盛するんです。脚が好きだというのだって、それと同じ理屈ですよ。男が男を愛するより、ある意味ではわかりやすい」

「そうかなぁ。ぼくには理解できないな。生きて動いていてこその女であり、脚じゃないのか？　切断された脚だけ持ち去っても、いったい何が楽しいんだ」

「九条さんが健全な感覚を持っているから、理解できないだけです。九条さんは陰間を買う人の気持ちはわかるんですか？　わからないでしょう。それでも、男が好きな人がいることに疑問は持っていないんじゃないですか。ならば、脚だけを愛する人がいても、不思議じゃないはずです」

「ううん、受け入れがたいが、じゃあそういうことにしておこう。しかし、そんな特殊な嗜好を持った男が、たまたま八つ裂きにされた屍体を見つけたのか。そんな偶然があるかな」

「偶然だとは思いませんね。男は唐草稲荷に屍体が捨てられることを見抜いていたんです。だからこそ、捨てられてすぐに脚を持ち去ることができたんですよ」

「見抜いていた？　どうして」

「それがわからないから、頭を悩ませているんじゃありませんか。まあ、いい。こんな立ち話もなんですから、坐りませんか」

　ようやく朱芳は、座布団を勧めてくれた。「ああ、そうだね」と私は応じて、腰を下ろす。朱芳は床の間を背にしたいつもの場所に落ち着いた。

「これまで八つ裂き狐の行動は、稲荷に屍体を捨てることこそが目的だと思われていた。だが脚を持ち去った男が先回りできたのなら、どこの稲荷でもかまわなかったわけじゃないということになる。なんらかの法則があったからこそ、男は市右衛門の行動を先読みすることができたんだ。その法則を考えているんですけど、いっこうにわからないんです。それがもどかしくてならない」

「男だけが知りうる、何か特殊な事情があったのかもしれないぞ。関係のない者がいくら頭を捻ろうと、絶対にわからないような事情が」

「もちろんその可能性はあります。ですが、男と市右衛門の間に共通の基盤がなかったことは、さっきも言ったとおり明らかだ。ならば、ぼくたちが考えてもわかるかもしれないんです。ぼくは、わかるはずだと考えている。それなのに、何も思いつけないんですよ」

朱芳には珍しく、焦りが仄《ほの》見《み》える口振りだった。一刻も早く事件の真相を見抜き、市右衛門の愚行を制止したいのだろう。東京中を走り回って市右衛門を捜すことが不可能な朱芳は、確かに知恵を巡らすしかない。朱芳の焦燥を、私は自分のことのように理解することができた。

「地図はないか。板橋辺りまで含めている広い地図だ。屍体が発見された各稲荷を地図で俯《ふ》瞰《かん》してみれば、何か新たな発見があるかもしれない」

私がそう提案すると、朱芳は一瞬考えて頷く。

「さんざんやったことですが、もう一度試してみても無駄ではないでしょう。地図はここにあります」

そういって身を捻り、床の間に積んである本の上から地図を取り出した。それを広げて、私の前に差し出す。地図上には、いくつかの点が打たれていた。

「見てのとおり、一目瞭然の法則があります。屍体発見現場は、だんだん南に下っているのです。おそらく、一度屍体を捨てた場所には、二度と近づかないようにしているのでしょう。だから次に屍体が遺棄される稲荷を探し当てたいなら、ある程度数を絞り込むことは可能だ。でも、男が先回りできたのなら、手がかりがそれだけだったはずはない。立地か、名前か、来歴か、周囲の状況か、どこかになんらかの共通項があるはずなんです。それはいったいなんなのか」

私は朱芳の言葉を受けて、しばし地図を睨んだ。稲荷の来歴や周囲の状況が条件ならば、地図を眺めていただけではわからない。だが立地が重要であるなら、ここから何かが読み取れるはずだ。私はそう考え、各稲荷を線で結んでみた。しかし、その線が何かを示すこともない。ただジグザグに東京を縦断するだけの線だ。一定の法則など、そこから読み取ることはできない。

「ぼくたちにはわからなくても、男にはわかったこととは何か。おそらくそれは、ぼくたちにとっては身近でなくても、男にとっては日常的な何かが鍵となっていたからだろう。鍵だ。その鍵さえ判明すれば、すべては明らかになるはずなんだ。何が鍵になっている？　男はいったい、どんな日常を送っていたのだ」

朱芳は呟きながら、ふたたび立ち上がって座敷内を周回し始めた。私はそんな様を目で追いながら、声をかける。

「男の人となりが知りたいなら、すぐにも警視庁が調べ上げてくれるはずだよ。ぼくが今から行って、川辺警部に訊いてこようか」

「そうですね。その方が早いかもしれない。でも、ずっと前からわかりかけてはいるんですよ。つい喉元まで答えが出てきているのに、つっかえて吐き出すことができない。これほど自分を情けなく思ったことはないですね」

「わからなくたって、何も君のせいじゃないよ。君が責任を感じる必要はない」

「それはそうなんですが、しかし……」

私の慰めなど、朱芳の焦慮《しょうりょ》を緩和するにはなんの役にも立っていないようだった。私は膝を打ち、立ち上がる。

「わかったよ。じゃあ、川辺警部に会ってこよう。できるだけ男の情報を聞き込んで戻ってくる。男のことがわかれば、君のことだ、必ずそこから何かを拾い出せるはずだ」

「申し訳ありません。ぼくがこんな体でなければ、自分で行くのですが」

「気にすることはないさ。もともとこの事件には、ぼくの方が先に巻き込まれたんだ。君の話を聞かなくても、近いうちに警部に会いに行くつもりだった」

じゃあ、と頷いて廊下に出たときだった。閉め切った雨戸越しに、なにやら湿った匂いを感じた。ぱらぱらと雨戸や軒を叩く音も聞こえる。今朝方からすでに雲行きが怪しかったが、どうやらついにひと雨来たようだった。夏の俄雨《にわかあめ》だ。

「ああ、しまった。雨が降ってきたようだ。こんなときに、間が悪いな。すまないけど、傘を貸してくれないか」

私はなんの気なしに、背後にいる朱芳に頼んだ。朱芳は「いいですよ」と応じると、そのまま中空に視線を据えたまま黙り込む。何事かと、私は友人の奇妙な反応を見守った。朱芳は虚ろな声で尋ねてくる。

「……九条さん。今、なんと言いましたか？」

「えっ？　いや、雨が降ってきたから、傘を貸してくれないかと頼んだんだ。それがどうかしたか」

「――そうか。かさだ」

「傘だよ。それがどうしたって言うんだ」

朱芳は俯くと、しばらく口の中で「かさ、かさ」と呟き続けた。考えすぎて頭がどうかしてしまったのではないかと、私は本気で心配した。

「――九条さん。ぼくは大馬鹿だった。今後一生、ぼくのことを馬鹿と呼んでくれていい。答えは最初から、目の前に落ちていたじゃないですか」

「何？　すると君は、稲荷を結ぶ法則がわかったのか」

「稲荷の法則だけじゃない。どうして女たちを殺すのか、なぜ屍体を八つ裂きにするのか、稲荷に屍体を捨てるのはどういう理由からか、すべて理解できました」

朱芳は囁くようにそう言った。友人の顔は、これ以上不可能なほど厳しく引き締められていた。

40

昨日の昼に降り始めた雨は、ただの俄雨《にわかあめ》かと思いきや、存外にいつまでもやまなかった。決して雨足は強くないものの、静かに大地を叩き続ける。だがそれは決して不愉快ではなく、むしろ酷暑の小休止といった感があって、心地よかった。このまましばらく降り続けて欲しいと、市右衛門は思う。

この川縁にある廃屋を住居と定めて、もうひと月余りになる。人家と近くないことを理由にここに居を構えたのだが、いつまでも人目につかないでいるのを期待し続けるわけにはいかないだろう。ひと月もの間、誰も近づいてこなかったこと自体が僥倖《ぎょうこう》なのだ。おそらく今頃は、警視庁が目の色を変えて東京中を捜し回っているだろう。ここが見つかるのも、そう遠い日のことではないはずだった。

幸いにも、多少の困難はあったものの目的をすべてなしとげることができた。目指す女全員と、鈴木春朝を首尾よく殺し得た。ひとところに留まり続ける理由はもはやない。どこかに居を移さねばならないのなら、この雨は格好の隠れ蓑《みの》となるはずだった。

しかし市右衛門は、降り続く雨をただ鬱々《うつうつ》と眺めるだけで、どうにも行動を起こす気になれなかった。目的を達することができて、虚脱しているのかもしれない。実際、最後の琴菊を拉致するまで、市右衛門の神経はずっと張りつめ続けだった。緊張の糸が緩んだ今、すぐに動き出せないのも当然のことだった。

だが市右衛門は、動きたくない理由をただの虚脱だけとは捉えていなかった。人ひとりを殺すたび、市右衛門の心には拭いようのないどす黒い澱《おり》が溜まった。それはただ沈殿するだけではなく、強い酸のように市右衛門自身を蝕《むしば》み続ける。人間らしさなどとうに捨てたつもりの心が、その痛みに耐えかねて悲鳴を上げる。そして市右衛門は、活力を失う。

市右衛門は虚脱を癒すためにただ深い眠りだけを欲したが、それももはやこの上ない贅沢でしかなかった。安眠などこの先一度も望めないことは、充分に承知している。それが、市右衛門が自ら選んだ修羅《しゅら》の道であった。

市右衛門は窓際から離れ、瓶《かめ》から柄杓《ひしゃく》で水を汲んだ。口をつけ、一気に飲み干す。気づいてみれば喉の渇きは慢性的になっていて、常に水を飲まずにはいられなかった。酷暑のせいとは思われない。心が渇ききって、いくら水を注いでも潤うことがないのだ。市右衛門はそう考えていた。これも、人でなしになった者が必然的に負う障害のひとつなのだろう。市右衛門の裡には深い諦念《ていねん》がある。しかし、後悔はない。

後悔するくらいならば、最初から逃げ出していた。心を定めたとき、決して後悔するまいと己を戒めた。後悔すれば、さらに苦しくなるだけである。非を悔いさえすれば手に掛けた女たちが甦るというなら、いくらでも後悔しよう。頭を丸め、仏門に帰依することも辞さない。だがそんなことは、己に対する言い訳に過ぎないことを市右衛門は承知していた。世の中には、許される行為と許されざる行為がある。市右衛門のしでかしたことは、七たび生まれ変わったとて決して許されることはないだろう。ならば、喉が渇くくらい何ほどのことか。来世にまで跨《また》がる罪の重さは、この程度の苦しみで償えるものではない。

とはいえ、後悔はなくても、かつての生活への郷愁は覚える。それもここ数日、とみに強くなっていた。横浜で、敬愛するヘボン先生の許で医術を学んだ日々。気を許しあった傍輩。もはやヘボン先生はむろんのこと、かつての傍輩たちと相まみえることすら望めない己を、市右衛門は自覚していた。人でなしに堕ちても、まだ恥を忘れたわけではない。ヘボン塾の名を辱めた市右衛門のことを、傍輩たちは決して許しはしないだろう。

もしかしておれは、もうすぐ死ぬのか。市右衛門は過去を思うと同時に、他人事のように考える。死期が近づいていることを自覚するから、昔を懐かしむのだろうか。自分でもよくわからない。

死はもとより覚悟の上だった。目的を達し得ず、志半ばにして斃《たお》れてもおかしくはなかった。しかし幸か不幸か、殺さねばならない女すべてを殺すことができた。かくなる上は、いつ死んでもかまわないという気持ちがある。だからこそ、こんな凄惨な生活に踏み入る以前の暮らしを懐かしんでしまうのかもしれない。ならば、それは己の心の惰弱でしかない。人でなしになり果てた者に、人並みの追憶など許されない。

市右衛門は柄杓にもう一杯の水を飲んだ。そして、傍らの笊《ざる》に載っている野菜屑を眺める。このひと月の間、市右衛門は少し離れたところにある畑に忍び入り、野菜を盗んで飢えを凌いでいた。だがそれも、もう限界に近づいている。何度も野菜を盗まれた畑の主が、警戒して夜間の巡回を始めたからだ。それは他の畑でも同じことだった。野菜泥棒の噂は、この界隈で広く囁き交わされているらしい。

やはり、どう考えてもここを引き払わねばならない。市右衛門は改めて考える。一番望ましいのは、なんとか横浜に潜り込み、アメリカに渡る船を見つけて密航することだ。日本にいる限り、今のような生活を死ぬまで続けなければいけない。だがそれは、市右衛門の望むところではなかった。市右衛門は死を覚悟していても、未だ生への激しい執着を保持している。なんとしても生き延びてやるという、原初の欲望が胸の底で滾《たぎ》っている。そのためには、もはや日の当たる場所には出られなくなった日本に居続けるわけにはいかない。アメリカならば、新たな生活を築き直すことができるだろう。市右衛門はそう夢想する。これは、修羅の道へと踏み込む覚悟とはまったく別個のものだった。なんとなれば、生への執着は己のためではなかったからだ。

果たして横浜まで行き着くことは可能だろうか。現実に立ち戻って、市右衛門は思案する。汽車を使うことはできず、それどころか日中に移動するわけにもいかない。移動は夜間に限られるから、横浜に辿り着くまでには通常の倍以上の日数を必要とするはずだ。ただ移動するだけなら、それも不可能ではないだろう。しかし市右衛門の場合、野宿は不可能だった。日中は必ず、どこかに身を隠さなければならない。それは、頭で考えるより困難なことだろう。ただでさえ目立ってしまう己の巨軀が、どうにも恨めしくてならなかった。どうしてもう少し小さく産んでくれなかったのかと、今は亡き母を恨みたくなってしまう。

それでも、なんとしても横浜に入らなくてはならないだろう。横浜以外に、安住の地はない。幸いにも市右衛門には、横浜の土地勘がある。一度潜り込んでしまえば、密航できる船を探すまでの根城には困らない。すべては、横浜に辿り着くまでの道程だ。あらゆる知恵を駆使して、無事に踏破しなければならない。虚脱感に浸っている場合ではなかった。

市右衛門は改めて己を叱咤《しった》し、具体的な計画を練り始めた。行動を起こすならやはり、この雨を逃すべきではない。あまり大降りでは困るが、幸い今は静かな小糠雨《こぬかあめ》が落ちているだけだ。雨に濡れても体が冷えないような工夫さえ整えば、すぐにでも出立した方がよい。

そう考え、もう一度雨足を確認するために窓辺に寄った。縁からそっと目だけを覗かせ、外の様子を窺う。そのとき、ふと目の端で何かが動いたような気がした。慌てて首を引っ込め、別の窓へと向かう。そちらからもう一度外を眺めると、小さな野良犬が駆け去っていくのが見えた。なんだ、犬か。市右衛門は安堵して、視線を空に向けた。雨雲は、空を厚く覆っている。

41

市右衛門発見の報は、朱芳がすべてを見通した日の翌日に舞い込んできた。市右衛門は石神井川《しゃくじいがわ》上流の、川縁に建つ廃屋に籠っているらしい。東京中を奔走した巡査たちのひとりが運良くそれを発見し、直ちに警視庁を挙げての捕り物が準備された。幸いにも、市右衛門には警視庁が居所を発見したことを気取《けど》られていないらしい。そのため、廃屋を囲む包囲網は慎重に配備された。

そうした一部始終は、川辺警部の使いが伝えてくれたのだった。事件に浅からぬ関わりがある私に、気を使ってくれたようだ。使いの巡査は、私が現場まで同行することをも許可してくれた。私が希望するなら、受け入れるようにと警部に命じられていたそうだ。そのような願ってもない申し出を、私が拒否するわけもない。ありがたく承って、直ちに現場に向かった。

巡査の乗ってきた馬車にしばし揺られ、石神井川縁を遡《さかのぼ》った。夕日が地平線に沈もうかという時分に屋敷を出立したので、移動中に日はとっぷりと暮れてしまった。御者は提灯をぶら下げ、馬を急がせる。馬車に乗っている我々は、緊張で言葉も交わせなかった。

やがて、御者は手綱を引いて馬を停めた。窓から覗いても、周囲は漆黒の闇で何も見えない。しかし警官隊が松明《たいまつ》を掲げながら市右衛門のいる廃屋を包囲しているわけもないから、それも当然のことだ。馬の足音で気取られないよう、離れた地点で停めたのだろう。

私と巡査は、そこから徒歩で川沿いに進んだ。昨日から降り続いている雨は、静かに巷《ちまた》を濡らしている。そのお蔭で、特に足音に神経質になる必要もなかった。闇に紛れて近づくなら、これ以上の好機はない。

雨を弾く音を恐れて、傘は差さなかった。雨合羽《あまがっぱ》を羽織り、黙々と足を動かす。顔に降りかかる雨は冷たかったが、猛暑にうんざりしていた体には心地よかった。この雨の夜は、私の記憶に長く留まるだろうと思われた。

不意に、巡査が立ち止まって私を制した。眼下の河原に、ぼんやりと藁葺《わらぶ》きの屋根が見える。どうやらあそこが、市右衛門の根城らしい。巡査はここで待つよう手振りで指示すると、私を置いてさらに先へと向かった。私は身を屈め、土手に張りつくようにして警官隊の動きを見守ることにする。

小屋の中に人のいる気配はなかった。明かりも点いていないところを見ると、もう眠っているのかもしれない。こんな人里離れたところでは、目立ってしまうので明かりを点けるわけにもいかないのだろう。そもそも、油が簡単には手に入るとも思えない。

川辺警部はいったいどんな手順で小屋に踏み入るのだろうか。私は推し量った。何かのきっかけを待っているのか。それともじりじりと包囲網を狭め、一気に踏み込むつもりか。いずれにしても、息詰まるような緊迫感が小屋を囲繞《いにょう》していた。私は唾を呑むことすら憚《はばか》られるような静寂の中で、ただじっと成り行きを見守る。

そのままどれほどの時間が過ぎただろうか。均衡を破ったのは、警官隊ではなかった。唐突に小屋の戸が開き、中から大きな人影が姿を見せる。間違いない、あれが市右衛門だ。私は目を凝らした。

市右衛門は片手に盥《たらい》を手にしていた。川の中に踏み入り、水を汲む。どうやら飲み水を確保しようというつもりらしい。表情などは、雨のために見て取ることはできなかった。

いよいよか。私はすぐにも川辺警部の号令が下るものと思い、体を強張らせた。だが上がった声は、思いもかけぬ人物のものだった。市右衛門の名を呼んだ声の主は、どこからともなく現れてゆっくりと土手を下りていく。市右衛門は顔を上げ、愕然としたように「慶尚」と呼びかけた。

「久しいな、市右衛門。五年ぶりか」

朱芳は親しみすら感じさせる声音で、そう話しかけた。私は驚いて周囲を見回したが、朱芳を制止しようとする警官は見えない。あまりに意表を衝いた朱芳の振る舞いに、動くことすらできなかったのだろう。今ここで警官隊が周囲を囲んでいることを知られては、成り行きがどのように変転するかわからない。部外者の乱入を歯嚙みしながら見守っているに違いないと、私は感じ取った。

「どうしてお前がここにいるのだ。なぜここがわかった」

市右衛門は屈めていた腰を伸ばし、朱芳に向き直った。十尺ほどの間を置いて、ふたりは相対する。先ほどまでとは別種の緊張が、ふたりの間に漲《みなぎ》った。私はただ、それを遠くから見守るだけだ。

「お前に会いに来たんだよ。話したいことがあったのでな」

朱芳だけが、張りつめた空気から自由でいるようだった。淡々と、ただ久闊《きゅうかつ》を叙《じょ》しているだけといった口振りで、そんなことを言う。対照的に市右衛門は、訝《いぶか》しげに朱芳を眺めた。

「朱芳さん！　そこをどいてください！　後は我々が引き受けます！」

突然、ふたりの会話に割って入る声が響いた。今度こそ川辺警部の声だ。声に応えるように、小屋を囲んでいた警官たちがいっせいに立ち上がった。刀に手をかけている者もいれば、銃を保持している者もいた。先ほどまでの緊張が、一挙に殺気に入れ替わる。

「待ってください！　これは私の古い友人だ。私が言い聞かせれば、逃げたりしない。だから、少し話をさせて欲しい」

朱芳は手を挙げて、警官隊の動きを制した。土手の上に立つ川辺警部は、苛立たしげに応じる。

「何を話すと言うんです。今すぐそやつを捕縛します。邪魔をしないでください」

「大事なことなんだ！　私と市右衛門が話をしなければ、事件の謎は永久に解けませんよ。私との話が終わるまで、市右衛門は逃げたりしない。少しだけ時間をください」

「しかし――」

川辺警部が戸惑っている間に、朱芳はふたたび市右衛門へと顔を戻した。市右衛門はゆっくりと周囲を見渡し、苦笑いを浮かべる。

「なるほど。昼間に見たのは野良犬などではなく、やはり警視庁の手の者だったのか。夜になるのを待ったりせず、すぐに出立すればよかった」

「ここを出ても、お前の行き先などない。どこまで逃げるつもりなんだ」

私のいる位置からは朱芳の後ろ姿しか見えなかったが、その声に悲しげな響きが籠っていることは聞き取れた。対照的に、市右衛門の太い声は力強かった。

「横浜まで行き、アメリカ行きの船に潜り込むつもりだった。そうすれば、こんなおれでも生き延びることができるからな」

「馬鹿な夢は捨てろ。そんなことが無理だということは、お前もよくわかっているはずだ」

「無理じゃない。おれは是が非でも生き延びる必要があるのだ。念ずれば、不可能なことなどあるものか」

「懐かしいな。よくそう言って私を励ましてくれたよな、市右衛門。忘れていないぞ」

「お前こそ、ずいぶんと窶《やつ》れてしまったじゃないか。例の病気は芳しくないのか」

「一進一退というところさ。進行しないだけ、まだましだ」

「念ずれば不可能などない。絶対に死ぬんじゃないぞ。お前ほどの男、みすみす死なすにはあまりにも惜しい」

「そんなことを話すためにやってきたんじゃないんだ。頼む、おとなしく警視庁の縛に就いてくれ。逃げ延びようなどと馬鹿なことを考えるんじゃない」

朱芳の口調には、あろうことか懇願の色が混じっていた。あの朱芳が人に頼み事をしている。その事実だけで、どれほど朱芳が市右衛門のことを憂えているか伝わってきた。

だが市右衛門には、そんな朱芳の気持ちも通じないようだ。市右衛門は首を振って、きっぱりと拒絶する。

「そういうわけにはいかないんだよ。おれはお前を盾にとってでも、ここを切り抜ける。悪く思うな――」

市右衛門の言葉は、中途で呑み込まれた。朱芳が腰の刀を抜き、切っ先を向けたからだ。

「愚かしいことを言うな、市右衛門。病んだりとはいえ、まだ剣の腕まで衰えてはいないぞ。私の剣を、よもや忘れたわけではあるまい」

朱芳が刀を抜く様を、私は初めて見た。私にはその構えから腕前を見抜くほどの目はないが、それでも朱芳の体に静かな気迫が宿っているのはわかる。朱芳の剣先は、遥かに体の大きい市右衛門を圧倒していた。

「おれは丸腰だ。そんな相手にお前は刀を向けるのか」

市右衛門は苦し紛れにそんなことを言う。答える朱芳の声は、冷ややかだがどこか悲しげだった。

「お前が卑怯な振る舞いに出ないと約束するなら、刀も鞘に収めるさ。私はただ話がしたいだけだ。お前に剣を向けるためにわざわざやってきたわけじゃない」

「わかったよ。だが、こんなおれと何を話したいと言うんだ」

「お前の気持ちを確かめに来たのさ」

「気持ち?」

「ああ、なぜこんなことをしでかしたのか、お前自身の口から聞かせて欲しいのだ」

市右衛門が暴挙に出ることはないと見て取ったか、朱芳はくるりと刀を返すと、鮮やかに刃を鞘に収めた。市右衛門は周りを取り囲む警官たちを威嚇するように眺め回してから、朱芳に目を戻した。

「それは言えない。言うわけにはいかないのだ」

「お前のことだ。そのように答えると思っていたよ。ならば、こちらが指摘してやろう。お前はただ聞いていればいい」

「なんだと? お前はおれの行動の理由を見抜いていると言うのか」

「すべてわかっているさ。わかったのはつい昨日だから、なんの自慢にもならないがね。かさだろ」

朱芳の言葉に、市右衛門は愕然としたようだった。絶句して、何も言葉を返さない。

昨日私は、屍体が捨てられていた稲荷を結ぶある特徴について、朱芳から説明を受けていた。聞いてみればなんのことはない、それは名前に秘められたある共通点のことだったのだ。屍体が捨てられた稲荷の名にはすべて、「か」と「さ」の音が入っているというのだ。

『かさはら、みやさか、さかき、わかさぎ、からくさ。すべてに「か」と「さ」の音が込められている。例外はない。これが、稲荷を結ぶ法則だったのですよ』

朱芳は自分の発見に興奮することもなく、淡々と言う。だが私は、そんな説明を受けてもさっぱり理解できなかった。

『そうか。確かにそうだな。でもそれがどうしたって言うんだよ。「か」と「さ」が名前に入っていると、どういう特別なことがあるんだ』

『それは、まだ言いたくありません。できるなら、市右衛門本人に確かめてみたい』

『市右衛門本人に？　そんなことができるかな』

私はそう疑問を呈したのだった。だが朱芳は現に今、市右衛門と相対している。病が重くて屋敷を出ることすら叶わない朱芳が、この雨の中わざわざ足を運んできた。朱芳の思いの強さを、私ははっきりと感じ取ることができた。

「九条様」

傍らで、唐突に私の名を囁く声がした。驚いて顔を向けると、そこには岩助がいた。朱芳がいるところ必ず、この忠実な下男が付き従う。虎ノ門から遥か離れたこの石神井川縁には、岩助が朱芳を連れてきたのだろう。私は瞬時に納得する。

「岩助か。朱芳はどうして、ここに市右衛門がいることを知ったんだ？」

「警視庁の方がわざわざ報せてくれました」

なるほど、そうだったのか。市右衛門の情報を警視庁にもたらしたのは朱芳だ。私に感謝するのなら、朱芳にも恩を感じて当然である。私がこうしてここにいるように、朱芳も急を知って駆けつけたというわけか。

「朱芳は大丈夫かな。もし市右衛門が抵抗を示したら……」

「若様なら大丈夫です」

岩助はきっぱりと言った。私はその声の力強さに少し安堵して、また前方に目を戻す。

「――私は稲荷の名にかさの音が込められているのを知ったとき、すべてを理解した。それで間違いないだろう、市右衛門」

朱芳は絶句する相手に、なおも言葉を浴びせた。市右衛門は言葉を吐き出すように、かろうじて応じる。

「ならば、もう言わないでくれ。お前の胸に納めておいて欲しい」

「そんなことはできない。それでは、殺された大勢の女たちが浮かばれない」

「なぜだ。女たちだって、殺された理由を明かされたくはないだろう。己の恥だからな」

「それはお前の理屈だ。わけもわからず殺された者の気持ちを、お前は考えたことがあるのか。すべての理由を明かさず、事件を終わりにできるなどと甘いことは考えるなよ」

「相変わらず厳しいな、慶尚。おれはお前のそういう厳しさを、ずっと好もしく思っていた。だが今は、それが疎ましいぞ。そんな厳しさは、他者を傷つけるだけだ」

「なんとでも言え。私は他人の手足を切り刻んだりしない。ごく利己的な理由で女の手足を切り刻んだお前に、私を糾弾する資格などない」

「利己的な理由と言うのか、おれのしたことを」

「そうだろう。女たちになんの罪があった。女たちだけじゃない。春朝にさえ罪があったとは思わないぞ。ただ女たちは病気だっただけじゃないか」

42

「病気？　それはいったいどういうことですか？」

黙って成り行きを見守っていた川辺警部が、ようやく口を開いた。朱芳は市右衛門から目を逸らさず、背後の警部に答える。

「女たちを結ぶ糸は、今様美女三十六歌仙だけではなかったんです。女たちはある外聞を憚《はばか》る病気に罹っていた。いや、正確に言うと、罹っていた可能性がある。だからこそ、市右衛門は女たちを殺さなければならなかったのです」

「外聞を憚る病気？　それはいったい、なんです？」

「瘡《かさ》ですよ」

「かさ？　黴毒（梅毒《ばいどく》）ですか！」

「ええ」

朱芳は市右衛門を睨みつけたまま、頷く。私は己の耳を疑った。

朱芳は、殺された女たちが皆、黴毒《ばいどく》に罹っていたと言うのだろうか。そんな馬鹿な。他の女はいざ知らず、あの珠子に限ってそんなことがあるわけもない。朱芳は何か勘違いをしているのではないか。私は疑わずにいられなかった。

「市右衛門。『か』と『さ』の音が込められている稲荷に屍体を捨てたのは、供養のつもりだったのか」

朱芳は改めて、市右衛門に尋ねる。市右衛門は吐き捨てるように認めた。

「そうだ。いかになんでも、その辺りに塵《ごみ》のように捨てるには忍びなかったからな」

「しかし、『かさ』の音が込められていようと、それだけではなんの意味もないことは承知しているだろう。本当ならば、かさもり稲荷に捨てたかったのではないか」

「そのとおりだ。だがかさもり稲荷に捨てては、女がなぜ殺されたのか、すぐにわかってしまう。だからこそ、他の稲荷に捨てるしかなかったのだ」

私はふたりの会話の意味がわからなかった。かさもり稲荷とはなんだ？　何か特別な意味を持った稲荷なのだろうか。

「岩助。お前はかさもり稲荷という名前を聞いたことがあるか？」

傍らの岩助に、私は小声で尋ねた。岩助は硬い表情のまま、顎を引く。

「はい。存じております」

「もしかして、東京では有名な稲荷なのか」

「ある意味では有名かもしれません。かさもり稲荷は、瘡に罹った者が平癒を祈願する稲荷なのです」

「瘡に罹った者が？」

そんな稲荷があったのか。私は東京に移り住んで七年になるが、そのような稲荷の存在は初めて耳にした。しかしそれほど特別な稲荷であれば、知らなかったのも当然かもしれない。瘡などという病とは、私はまったく無縁でいたのだから。

「――鈴木春信が描いた美女三十六歌仙の中で、最も美しいと評判をとったのが笠森《かさもり》お仙《せん》だった。そして明詞《めいじ》の世となり新たに描かれた今様美女三十六歌仙もまた、瘡に取り憑かれていた。なんとも皮肉を感じないか、市右衛門」

朱芳は皮肉を嗤うでもなく、淡々と指摘する。市右衛門はただ唸るだけだった。

「笠森お仙とは、いったい何者だ？」

ふたたび岩助に問いかける。岩助は考える間も置かず、即答した。

「かさもり稲荷の門前にあった水茶屋の娘です。若様のおっしゃるとおり、春信の筆で描かれ、絶世の美女として大評判をとったそうでございます」

岩助の説明によると、正確には「かさもり稲荷」は谷中《やなか》にふたつあったという。ひとつがお仙という娘がいた笠森稲荷で、もうひとつがその名もずばり瘡守稲荷だそうだ。現在はご一新時の廃仏毀釈《はいぶつきしやく》の煽《あお》りで、笠森稲荷は現存していないらしい。

「——喜八郎という元幕臣が、お前の捨てた屍体から脚だけを持ち去っていたことを知っているか」

朱芳は黙り込む市右衛門に、なおも言葉を浴びせた。市右衛門は不本意そうに頷く。

「ああ、何者かが脚を持ち去ったことはわかっていた。そいつはいったい何者だったんだ」

「わからない。おそらくは異常な性癖を持った者だろう。私は、警官隊に殺されたその喜八郎なる男の屍体を検分させてもらった。予想どおり、黴毒を患っていたよ」

「それがどうかしたか」

「お前には関係のないことだろう。だが私には、喜八郎の存在は重要だった。喜八郎はお前の行動原理をいち早く見抜き、次にどこの稲荷に屍体が捨てられるか推測していた節がある。喜八郎が稲荷の名に込められた『かさ』の意味に気づいたのも、自分自身が瘡毒《そうどく》に体を冒されていたからだ。私は喜八郎の考えた道筋を追うことで、お前の真意を理解した。そのように、誰かに意図を察知される危険は簡単に予想できただろうに、なぜ無意味な『かさ』という音にこだわったんだ」

「供養だと言っただろう。慶尚、お前はわからないかもしれないな。人は弱いものだ。だから信仰を求める。供養は決して死者のための儀式ではなく、あくまで生き残った者が平安を得るための手段だ。おれは女たちのために屍体を供養したわけではない。自分のために、稲荷に捨てたのだ。だからおれ自身が満足できさえすれば、どこの寺社でもかまわなかった。おれは『かさ』という言葉にこだわることで、わずかなりとも心が楽になった。瘡を患った女たちの魂魄が、それで成仏するような錯覚を覚えることができた。信仰などとは、しょせんその程度の意味しかない。それだけのことだ」

私は市右衛門の言葉を聞いて、東京中の稲荷に捧げられた油揚げの山を思い出した。ふだんは顧みることもない稲荷に、人々はこぞって願を懸けた。油揚げを供えた人々が皆、日頃から稲荷信仰に熱心だったとは思えない。また、稲荷に油揚げを捧げたとて、身の安全が保障されるわけでもない。それでも人々が稲荷に殺到したのは、あくまで自己満足を得るためだ。信仰という行為の本質を、市右衛門の言葉は衝いていた。

「お前らしいことだな、市右衛門。これだけ残酷なことをしておきながら、なお女たちを憐れに思うか。ならば、最初から道を踏み外さねばよかったのに」

朱芳は理解できないと言いたげに首を振る。市右衛門はその言葉に、少し向きになったように気色《けしき》ばんだ。

「女のためではない。おれ自身のためだと言っただろう。誤解するな」

「偽悪者を気取っても駄目だ。お前のことはよくわかっている」

「何をわかっているというのだ。お前におれの気持ちなどわかるものか」

「わかるさ。お前がいかに純真な人間だったか、私は熟知している。だからこそ、お前の純真につけ込んで利用した人間が許せないのだ」

「何を言うか！　おれは誰にも利用されたりなどしていない！」

市右衛門は朱芳の言葉を打ち消さんとばかりに、右手を大きく振るった。明らかに市右衛門は動揺していた。

私もまた驚いていた。市右衛門は己の意思で凶行を繰り返していたわけではないのか。市右衛門の背後に何者かがいるとは、今の今まで考えもしなかった。その人物とは、いったい誰だ。

「ではなぜ、女の屍体を切り刻んだのだ」

朱芳は冷静に指摘する。市右衛門は喚《わめ》くように応えた。

「女たちが瘡を患っていることを知られないようにだ！　それ以外に理由などあるか！」

「お美代と春朝の性器が抉り取られていたのは、お前の言うとおりの理由だろう。お美代と春朝だけは、病状が進行して性器に膿疱《のうほう》でも浮いていたのだろう。だがそれだけでは、手足や首を切断する理由にはならない」

「膿疱は性器以外にもできていた。だからこそ、そうした部位は切り取る必要があったんだ」

「性器を抉ったように、膿疱だけを抉り取ればよかったじゃないか。それなのになぜ、屍体切断などという手間をかけた」

「おれは一時的に頭がおかしくなっていたんだ。膿疱だけ抉り取ればいいということに思い至らなかった」

「嘘をつくな、市右衛門。お前はそんなに愚かではない」

「事実だから仕方がないだろう。お前がなんと言おうと、事実は動かせない」

「あくまで言い張るのか。では当初の疑問に立ち戻ろう。女たちが黴毒を患っていたら、なぜお前が殺さねばならないのだ。お前自身が女たちから黴毒をうつされたわけではなかろう」

「淫らな女が許せなかっただけだ」

「では春朝は？　淫らな男も許せないか」

「そのとおりだ！」

「では、女たちが黴毒に罹っていることを、お前はどうやって知った？　女たちは皆、お前の施療院で治療を受けていたのか」

「そうだよ。だからおれは知ることができたんだ」

「嘘に嘘を重ねても、自分が辛くなるだけだろう。殺された女のひとりであるお美代は、医者などに通ってはいなかった。だからこそ、お前がそこにつけ込んで連れ去ったのではなかったのか。矛盾しているじゃないか」

「噂で聞いたのだよ」

「お美代が黴毒に罹っていることは、噂になどなっていなかったさ。おそらく本人も気づいていなかったんじゃないか。それなのに、もうじきお美代が熱を出すなどと、どうして近所の子供に予告することができた？」

「……」

　ついに市右衛門は言葉に詰まり、黙り込んだ。朱芳はそんな市右衛門を憐れむように、ゆっくりと首を振る。

「市右衛門、お前の気持ちはよくわかったよ。それほどまでして庇《かば》いたいのか。お前の気持ちは、本当に相手に伝わっているのか。ただ利用されているだけではないのか」

「お前の言っていることはさっぱりわからない。おれは自分の意思で女を殺したんだ。誰に命じられたことでもない」

あくまで市右衛門は同じことを主張した。そこに、焦《じ》れたように川辺警部が口を挟む。

「朱芳さん！　いったい誰のことを言っているんですか。市右衛門の背後に黒幕がいたんですか」

朱芳は振り向こうとはせず、じっと市右衛門の顔に視線を向けたまま、頷いた。

「ええ、います。この事件のからくりすべてを考えた人物がね。おそらく、その小屋の中にいるはずだ」

「誰もいない！　慶尚、お前は病に冒されて頭がおかしくなったんだ」

「幸いなことに、頭はまだ正常だ。だからこそ、小屋の中にいる人物を許すことができない。自分の都合だけで女たちを殺させた、藤下珠子さんをね」

43

珠子さんだと？　私は自分が聞き違えたかと一瞬考えた。珠子もまた、市右衛門に無惨に殺された被害者のひとりではないか。それなのに、どうして小屋の中にいることができる？　朱芳はいったい、何を言い出すのか。

「慶尚、やはりお前の頭はおかしい。藤下珠子は、おれがこの手で八つ裂きにした。それを忘れたのか」

「忘れるものか。確かにお前は、珠子さんの手足を切断した。だが、人間は手足を切り取られただけでは死なない。お前は珠子さんの手足を切り取っただけで、殺してはいないのだ」

なんだと？　私の頭の中で、朱芳の言葉が音を立てて響いた。珠子は死んでいない？　そんなことが可能なのか。

「どういうことですか！　手足を切り取っても死んでいないとは、どういう意味なんですか？」

川辺警部が当然の質問をぶつける。朱芳は一度だけ振り返って、すぐ市右衛門に向き直った。

「三世澤村田《さわむらた》之《の》助《すけ》の名はご存じでしょう。脱疽《だっそ》で両脚を失いながら、なおも舞台に立ち続けているあの有名な役者のことです。田之助のように、人間は手足を失いながらも生きていくことができる。きちんとした手術を受けさえすればね」

「しかし、そんな手術が行える医者は、限られているんじゃないですか。田之助を手術したのは、かの高名なヘボン先生だというじゃないですか」

「そうですよ。だからこそ市右衛門も、珠子さんの手足を切り取ることができたのです。私たちはヘボン先生の弟子なのですよ」

思わず、あっと驚きの声を上げてしまった。朱芳の主張が、ようやく頭に浸透する。しかし、ならば本当に珠子はまだ生きているのか。一連の事件を引き起こしたのは、朱芳の言うとおり珠子の意思だったのか。私は未だに信じられない。

「手足を失った珠子さんを連れて、お前はアメリカに渡るつもりだったのか。そんな絶望的な旅に、我が身を投じるつもりだったか」

朱芳はわずかに声を低めて、市右衛門に問いかける。それとは対照的に、市右衛門の口調は激しかった。

「お前の言うことはまったく見当外れだ。とても聞いていられない。そんなくだらないことを言うために、わざわざこんなところまでやってきたのか」

「見苦しいぞ、市右衛門。この期に及んでまだ白を切るか」

「うるさい！　誰がなんと言おうと――」

市右衛門の言葉は中途で遮られた。か細いがきっぱりとした声音が、狂乱しかけている市右衛門を制したのだ。その声が響いたとき、雨の音すら一瞬やんだように感じた。

「市右衛門。もうけっこうです。確かにその方がおっしゃるとおり、見苦しいですよ。元武家なら武家らしく、潔くなさい」

それは確かに珠子の声だった。聞き間違えようのない、あの珠子の声だった。それが、小屋の中から発せられている！

「市右衛門。わたくしもその方にお目にかかってみたい。外に連れ出してください」

珠子の声は、至極冷静に市右衛門に命じた。大柄な市右衛門の方が、如実に狼狽《ろうばい》を示す。

「し、しかし……」

「いいから」

珠子は長くは繰り返さなかった。ぴしりと言われ、市右衛門はうなだれる。そしてもの言いたげな一瞥を朱芳に向けて、小屋の中に入っていった。

川辺警部は何か言葉を発しようと口を開いたが、しかし制止している暇《いとま》はなかった。一度小屋の中に消えた市右衛門は、すぐ何かを押しながら出てきた。

市右衛門が押しているのは、手押し車だった。木の箱の左右に車輪がふたつずつ取りつけられ、後部に取っ手が伸びている。取っ手を押す市右衛門は、片手で傘を差しかけていた。傘で雨から守られた箱の中には、闇の中でも輝くように美しい女性が坐っている。紛れもなく、それは珠子の顔《かんばせ》だった。

珠子の首から下の部分は、箱の中に隠れて見えなかった。だから、朱芳の言うとおりに手足が失われているか、確認はできない。しかし、手押し車に乗っている意味は明らかだった。珠子は今や、そうして他人の力を借りなければ動くこともままならないのだ。変わり果てた姿に、私は思わず目を背けた。

「お初にお目にかかります。藤下珠子と申します」

珠子は朱芳を真っ直ぐに見て、軽く首を下げた。己の姿を、なんら気にかけていないようであった。

「朱芳慶尚です。あなたに会うために、ここまでやってきました」

朱芳もまた、立礼《りつれい》をする。珠子は朱芳の姿を、物珍しそうにしげしげと眺めた。

「あなたが市右衛門のご学友ですか。市右衛門から話は聞いておりました」

「市右衛門は優秀な人間でした。ヘボン塾きっての秀才と言ってもいいでしょう。そんな希《け》有《う》な男を、あなたは狂わせた。ご自分の罪を、自覚しておられますか」

「市右衛門は、いやいや手を貸してくれたわけではありません。自ら進んで、わたくしの計画に荷担してくれたのです。それをお間違えになっては困ります」

「市右衛門、お前はなぜ珠子さんの言いなりになった。犬猫を殺すことすらできなかったお前が、どうしてこんな凶行に手を貸したのだ」

朱芳は珠子の背後に立つ市右衛門に話しかけた。先ほどまでの惑乱した素振りは綺麗に消え失せ、誇らしげに市右衛門は答える。

「珠子さんは希有な女性だ。珠子さんのためなら、おれはなんでもできる。おれは、珠子さんに手を貸せることを至上の喜びとした。お前にこの気持ちはわかるまい」

「わからないさ。わかりたくもないね。それほど珠子さんに魅力があったのか。私には理解できないことだ」

「お前には、人を愛する気持ちなどわからないよ」

市右衛門はきっぱりと言い切る。それに対し、朱芳は何も言い返さなかった。

「珠子さん、あなたはどうなんです。自分の都合で罪もない多くの女を殺し、良心に恥じることはないのですか」

朱芳はふたたび珠子に問いかけた。珠子は昂然と顔を上げる。

「どうしてですか？　なぜわたくしが良心に恥じねばならないのです？　市右衛門が殺した女たちは、取るに足りない卑しい身分の者ばかりではないですか。町人連《づ》れの三人や四人殺したくらいで、何を恥じなければならないのです？」

「……なるほど。あなたがどういう女性か、よく理解できました」朱芳はうんざりしたように言い、市右衛門に目を向ける。「今の言葉を聞いたか、市右衛門。お前が惚れた女は、こういう人格の持ち主だ。どういう感想を持つ？」

「お前に珠子さんの良さなどわからないさ」

「愚かだな、市右衛門。まったく、愚かすぎる」

朱芳は諦念を込めるが如く、何度も首を振った。そして市右衛門たちから遠ざかるように後ずさると、川辺警部を見て言い放った。

「さっさと話を終わらせましょう。そもそもことの始まりは、今様美女三十六歌仙の作者である春永の弟子、春朝が黴毒に罹ったことでした。春朝はどこかの悪所で、瘡毒《そうどく》をもらってきたのでしょう。あるいは普通の女からか。感染経路は、この際どうでもいいことです。問題は、春朝がうつした相手でした」

「慶尚、それ以上言うなら、お前を許さない」

市右衛門は低い声で警告した。だが朱芳は、その言葉に応じてふたたび刀を抜く。その切っ先は、市右衛門ではなく珠子の顔に向かっていた。珠子は己に向けられた刃を、平然と受け流す。

「最後まで黙って聞くんだ。お前が惚れた女が、何をなしたかをな」そして朱芳は、先を急ぐ。「春朝は役者にしたいくらいのいい男だったそうですね。そんな男なら、女には不自由しなかったことでしょう。事実、春朝は多くの女と関係を持ったのです。師匠の許に姿絵を描かれに来る大勢の女とね。つまり、殺された女たちは皆、春朝と関係を持ったことがあったわけです」

「その女性もですか？」

川辺警部が質問を挟む。朱芳は大きく頷いた。

「そうです。珠子さんもまた、卑しい町人風情と関係を持ったのですよ。そのことについて、何か釈明することでもありますか？」

朱芳の口振りには棘《とげ》があった。おそらく、憤っているのだろう。あの霧生家の事件のときでさえ誰のことも糾弾しなかった朱芳が、今はっきりと珠子に怒りを向けている。それは、珠子に向けた剣先がはっきりと物語っていた。

「あの男の美しさは、それなりに価値がありました。ただ、それだけのことです。わたくしは己の愚かしい振る舞いの代償を、このとおり身をもって支払いました」

「自分の愚かさを素直に認めるならば、何もこれほどの事件を引き起こさなくてもよかったでしょう。黙って病を治療すれば、それで済んだのではないですか」

「そうはいきません。女たちを生かしておくわけにはいかなかったのですから」

「あなたの名前を春朝から聞いていたかもしれないからですか。あなた自身が、関係のあった女たちの名を春朝から聞き出したように」

「そうですよ。何もかもわかっていらっしゃるのですね」

珠子は面白そうに言う。朱芳の構える刀が、嫌悪を示すように上下する。

「あなたは春朝から黴毒をうつされたことを知り、自尊心を傷つけられた。そこで、春朝を殺すことにした。同時に、春朝から黴毒をうつされているかもしれない女たちも全員、この世から消えてもらうことに決めた。そうでしょう」

「そのとおりです」

「市右衛門とは、最初は医者と患者として知り合ったのですか。あなたの家と市右衛門の施療院は、すぐそばにありましたよね」

私は朱芳の言葉を聞いて思い出す。確かに藤下家の屋敷は本郷にあり、市右衛門の施療院はお茶の水にあった。馬車ならば、目と鼻の先の距離だ。

「ええ。市右衛門は知り合った当初から、わたくしの美しさを賞賛してくれました。口の堅い男を捜していたわたくしですから、市右衛門と知り合えたのは大変な僥倖《ぎょうこう》でした」

「市右衛門にとっては、それが不幸の始まりだったわけですね」

「言うな、慶尚。おれは悔いてなどいない」

市右衛門はすかさず抗議した。朱芳はまた悲しげに首を振り、珠子に言葉を向ける。

「あなたにとって、町人から黴毒をうつされたことは、決して知られてはならないことだった。死にも勝る屈辱があるとしたなら、このことがそうだ。あなたはそう考えたのでしょう」

「何もかもおわかりなのですね。面白いです。続けてください」

「死にも勝る屈辱とは、決して修辞ではなかった。それが証拠にあなたは、自分の名誉を守るために恐ろしいことを考え出した。自分もまた被害者のひとりになれば、疑いを向けられることもない。だから手足を市右衛門に切らせたのでしょう」

44

「女が次々に、体をバラバラにされて殺される。そしてその屍体の一部は、常に欠落していた。ならば、手足だけが遺棄されていて首と胴体がなくとも、その人もまた被害者と見做《みな》すのが当然だ。そうした誤解を人々に与えるために、あなたは己の手足を捨てたのですね」

朱芳の言葉はあまりに恐ろしかった。人にそのようなことができるのだろうか。私ならばできない。誰だって、そんなことをするくらいならば死を選ぶだろう。しかし現に、手足を失った珠子はすぐそこにいる。己の姿になんの痛痒《つうよう》も感じていないかの如く微笑んでいる。夏の暑さが一瞬にして酷寒に入れ替わったように、私は寒気を覚えた。

「おっしゃるとおりです。計算違いがあるとしたら、それを見抜く人がいるなどとは予想しなかったことでしょうか」

珠子の口調は、強がりなどではなく面白がっているようだった。あれが、私の知っていた珠子なのだろうか。いや、私は珠子の人となりなど、何も知らなかったのだ。そうとしか思えない。

「私の友人の九条さんに、次は自分が殺されるかのように怯えて見せたのも、あくまで自分が被害者のひとりと見せかけるためですね」

「最初はそんなつもりもなかったのですが、兄が呼んでしまったので仕方なく演技したのです。でも、結果的にはそれがよかったようですね。三十六歌仙の女が順番に殺されていると評判になったのですから」

　自分の名が上がり、私は思わず立ち上がりそうになった。すんでのところで思いとどまり、歯嚙みする。自分がいいように利用されたことが悔しくてならなかった。

「その評判のお蔭で、ますます誰もあなたが生きているとは疑わなくなった。手足を捨てるなどという思い切ったことをした甲斐があったというものですね」

「そこまでわかっていらっしゃるなら、いっそ黙っていてくだされればよかったのに」

　珠子はそう言って、くすくすと笑う。その笑い声は、あまりにこの場にそぐわなかった。

「わからないのは、そうまでして生き延びたいと願うあなたの執念だ。もはやあなたは、市右衛門の介添えなしには生きていけないでしょう。そんな不自由な身になるより、死を選ぼうとは考えなかったのですか」

「どうしてです？　なぜわたくしが、たかが町人の女を殺した程度のことで死を選ばなければならないのですか。身の回りの世話を他の者にさせるのなど当然のこと。不自由はただ、好きなときに町中を散策できなくなったことくらいでしょうか。しかしその程度のことは、己の愚かしさへのやむを得ない代償です」

「おれが、珠子さんを死なせたくなかったのだ。手足を失おうと、珠子さんは美しい。死んで欲しくなどなかった」

市右衛門が熱っぽい声で、珠子の言葉を補足した。しかし、それでも私には信じられない。手足を引き替えにできるほど、名誉とは大事なものだろうか。

「理解できないようですね、朱芳さん。あなたもそれなりの格式を持った武家の方ではないのですか。ならば、家の名を守ることがどれほど大切か、おわかりになるでしょう」

「己の手足より、名を惜しみますか」

「当然のことです。藤下の名を辱めないためなら、手足くらいは喜んで切り捨てます」

珠子の断言は、雨足よりも強くその場にいる者たちの耳に響き渡ったはずだ。中でも私は、誰よりも衝撃を受けていたことだろう。珠子の言葉の本当の意味は、おそらく私しか理解できないはずだ。なぜなら、私もまた公家の者だからだ。

珠子が亡くなったと思われたときの、藤下家の人々の反応を私は思い返した。あの時点では珠子もまた憐れな被害者のひとりと思われていたのに、実基たちは藤下家の恥曝しとして珠子を罵った。殺されただけでそのように言われるのだから、まして一連の事件の下手人であったなら、どんな騒ぎになることか。藤下家の人々は発狂してしまうかもしれない。

そしてそれは、私の家でも同様のことが言えるのだ。父や兄たちは、何にも増して家名を誇りと思っている。父たちもまた、家名を守るためならばどんな手段をも辞さないだろう。

世の中には確かに、己の命よりも肉親よりも、家名を大事に思う人々がいるのだ。多くの人間を殺しながらも、名を汚さず同時に命も長らえようとするなら、確かに手足を捨てるくらいの果断さは必要だろう。珠子の発想は、どんなに信じがたくとも、私にとって決して奇異なものではなかった。

「どうだ、慶尚。か弱い女性《にょしょう》がここまで覚悟を決めているのに、手を貸さずにいられるか。おれは珠子さんの覚悟に心を打たれた。だから、助力することにしたのだ。おれは自分の行為を悔いてなどいない」

先ほどと同じ言葉を、市右衛門は繰り返した。まるでそれは、己自身に言い聞かせているかのように私の耳には届いた。

「お前たちふたりが覚悟を決めるのは勝手だ。だがその覚悟のせいで、罪もなく殺されなければならなかった人々には、どのように申し開きをするつもりだ」

朱芳が構える刀の剣先は、徐々に下がってきているように見えた。この雨の中で立ち尽くし、神経を消耗するやり取りを続けているのだ、朱芳の残り少ない体力はもはや底を突きかけているのかもしれない。このままではまずい。私は焦ったが、しかしできることなど何もなかった。

「春朝はもちろんのこと、死んだ女たちは皆、己自身のふしだらさ故に身を滅ぼしたのだ。なんでも、もうじき婚礼を控えていた女もいたそうではないか。それなのに、他の男に抱かれるような女は、殺されても当然だ。何も申し開きなどする必要はない」

「お前の理屈はわかったよ。しかし、お前が傷つけた相手は本当に自業自得の者ばかりだったのか。もう一度、自分のなしたことを思い返してみるんだ」

「おれがいったい他の誰を傷つけたと言うんだ。娘たちの親か？　しかし親たちだって、己の娘をそのようにふしだらに育てた咎《とが》があるはずだ。そうではないか」

「お前が敬愛する珠子さんとて、そのふしだらな女のひとりではないか」

「珠子さんは別だ。他の女たちと一緒にするな」

「どう違うと言うのだ」

「姐《ねえ》ちゃんを返せ！」

ちょうどそのときだった。朱芳と市右衛門のやり取りに割り込む声が、大きく響き渡った。声のした方角に目を向けると、こちらに走ってくる小さな人影が見える。私はその少年の名を知っていた。

「お前だ！　お前が姐ちゃんを連れ去ったんだ！　よくもおれを騙してくれたな！　おれのせいでお美代姐は死んじまったんだ！　よくも、よくも……」

悠太は私の傍らを走り抜け、そして朱芳の横まで駆け寄ると肩で息をしながら市右衛門を糾弾した。突然の闖入者《ちんにゅうしゃ》に、市右衛門は目を瞠《みは》る。珠子はうんざりしたように「誰ですか、この子供は」と言った。

「お前がお美代さんを連れ出す際に利用した子供のようだな。思い出したか、市右衛門。これでもお前は、罪のない人を傷つけていないと言い張るか」

朱芳の追及は容赦がなかった。市右衛門は言葉を失い黙り込む。

「惟親様。遅くなりました。あの子供が寝ていたものですから」

私の傍らに、こちらもまた息を切らせた爺やがやってきた。私がこの場に悠太を呼ぶために、観音長屋まで使いにやらせたのだ。

「爺、ご苦労だったな。老骨に鞭打たせてしまった」

「なんの。年寄り扱いなさいますな。これしきのことはなんでもありません」

爺やは切れ切れの言葉で強がってみせる。私は傘を差せと声をかけて、視線を戻す。

「――どうなんだ、市右衛門。この少年に詫びる言葉はないのか」

朱芳の言葉に、市右衛門は苦しげに顔を背けた。対照的に珠子は、鋭い目で悠太を睨む。

「このような汚い子供は目障《めざわ》りです。市右衛門、早く追い払ってしまいなさい」

「市右衛門、お前ならばわかるはずだ。仮にこの場を逃げ延びることができても、お前たちに先などない。自分で動くこともできなくなった女を抱え、お尋ね者としていつまでも逃げ続けることなどできると思うか？　その女さえいなければ、お前は己の罪を悔いるに吝《やぶさ》かではないはずだ。目を覚ませ、市右衛門。心優しかったお前を取り戻すんだ」

「早く追い払ってしまいなさい、市右衛門。それと、ついでにこの周りを囲んでいる目障りな警官隊もどうにかなさい。そろそろ問答にも飽いてきました。アメリカに渡るなら、早く横浜に向かいましょう」

「市右衛門、その女の言葉に耳を貸すな。いくらお前でも、この包囲網を脱出することは不可能だ。おとなしく縛《ばく》に就いてくれ」

「何をしているのです、市右衛門。わたくしの言うことが聞けないのですか。早くこの場を切り抜けなさい」

「なんだ、その女は！　その女が悪い奴なのか！　お美代姐を殺させたのは、その女なのかよ！」

「目障りです、市右衛門。早くその薄汚い子供も斬り捨ててしまいなさい」

声が錯綜し、もはや最前までの静かなやり取りは望むべくもなかった。朱芳はといえば、右手に刀を持ち、左手では怒りの声を上げる悠太を押しとどめている。せめて悠太が足手まといにならぬよう、私が出ていくべきではないかと心を固めたときだった。

市右衛門が珠子と朱芳の間にふらりと進み出た。そして、いつの間にか腰に差していた刀を抜き放つ。どうやら珠子を連れ出す際に、刀を持ち出していたようだ。警官隊が瞬時に警戒の色を強めた。

「慶尚、おれはここ数日、昔のことを思い出していたよ。あのころは楽しかったな」

市右衛門はこの場にそぐわぬ、牧歌的とも言える述懐を口にした。朱芳は自分の背後に悠太を押しやりながら、答える。

「過ぎた日は戻らない。だが明日を昨日と同じく過ごすのは、本人の心構え次第だ。なぜお前は、自らの明日を捨てた」

「お前にはわからないよ、慶尚。だが、最後にお前に会えてよかった」

言うなり市右衛門は、刀を一閃させた。思わず私は息を呑んだが、市右衛門の振るった白刃は朱芳に向けられたものではなかった。市右衛門の背後に弧を描いた軌跡は、通り抜けた後に間欠泉のような血の噴出を生み出した。珠子の首は、手足のみならずついに胴体すら失って宙に舞った。

市右衛門は珠子の首を、地面に落ちる前に受け止めた。そして、これ以上不可能なほど愛《いと》しげに抱き締めると、声を上げて号泣した。

「憎い！　憎い！　珠子さんを抱いた春朝も、おれたちを追いつめた警官どもも、すべてを白日の下に引き出してしまった慶尚も、皆憎い！」

絶叫して、市右衛門は片手で刀を振りかざした。そのまま朱芳に斬りかかろうとする。私は心の臓が停まるほど朱芳を案じたが、しかし当人は一歩も引かなかった。刃が嚙み合う刹《せつ》那《な》、私は目を瞑ってしまった。

その瞬間だった。「撃て！」という鋭い号令が響き、すぐに鉄砲の発する轟音が轟いた。恐る恐る目を開くと、体から血を吹き出させた市右衛門がきりきりと回転している。市右衛門は獣のような声を上げると、手にしていた刀を捨てた。

市右衛門は抱き締めていた珠子の首を、天高く掲げた。あろうことか、そんな状態になろうともまだ、珠子の顔《かんばせ》は神々しいばかりに美しかった。魂を呑み込む美しさだ、私は畏怖を覚えながらそう考えた。市右衛門の魂は、珠子の美に呑み込まれてしまったに違いない。

市右衛門は珠子の口を吸った。そしてそのまま齧りつき、唇を嚙みちぎった。最後に市右衛門はもう一度絶叫すると、力尽きて地に伏した。市右衛門の両腕は、誰にも渡すまいとばかりに珠子の首をしっかりと抱き締めていた。

朱芳は市右衛門の狂態を、声も発さず眺めていた。絶命した市右衛門を、立ち尽くしたまま じっと見つめている。私のいる位置からは、朱芳がどのような表情をしているのか、見て取ることはできなかった。

補綴

何かが動く音を聞いたとき、墓守の源三《げんぞう》は全身が凍るように感じた。ついにこの寺にも墓暴《あば》きが現れたのか。他の寺で墓暴きが相次いでいることは知っていたが、自分が預かるこの寺でだけはそんなことなど起きてくれるなと念じていた。しかし、その願いは天に届かなかったようだ。

源三は今年で五十になる。そろそろ足腰が弱ってきて、目も霞《かす》むようになった。こんな老人が、いったいどうやって墓暴きを撃退すればいいというのだ。源三は最初からすっかり及び腰だった。

仕方なく、墓掘り用の鍬《くわ》を手にして、墓守小屋を出た。雨に濡れないよう、笠と蓑《みの》を被る。そんな動作は、自分でも呆れるほどゆっくりとしていた。こうしているうちに墓暴きが逃げてくれないかと、源三は心底望んでいた。

音は、明らかに墓地の敷地内から聞こえていた。耳を澄ますと、今日の昼に埋葬したばかりの墓の方から音は届く。どうやら間違いなく、墓暴きのようだ。

死人《しびと》を盗んで、いったい何をしようというのか。あまりの気味悪さに、源三は今このときに考えても仕方のない疑問を頭に浮かべた。死人の臓腑《ぞうふ》を取り出して、薬として売り出すつもりか。それとも死姦が目的か。そういえば今日の死人は、生きているときはさぞや美しかったろうと思われる女だった。まだ三十を過ぎたばかりの脂の乗った女で、取り残された亭主は呆然としていた。衰弱しきって息絶えた女の肌は、まるで透き通るかのように白かった。あの肌を一度抱いてみたいなどという不埒《ふらち》な思いを持った男が、今墓を掘り返しているのだろうか。

目的が何にしろ、なんとも薄気味の悪い話だ。こちらの姿を見てすぐに逃げてくれればいいが、もし手向かってきたらどうするか。こんな鍬一本で、果たして相手に対抗できるだろうか。源三は五十を過ぎても、まだ生に強い執着があった。まだまだ死にたくはない。

墓石に隠れるように、音のする方角へ進んだ。やがて、棺桶を埋めたばかりの墓が見えてくる。案の定、土は掘り返され、棺桶の蓋は開いていた。だが不思議なことに、掘り返した者の姿は見えない。

こちらの足音を察して、身を隠したのだろうか。源三は怪訝《けげん》に思い、周囲を見回した。物陰からこちらを襲うつもりなら、この鍬を振り回して返り討ちにしてやる。怯えが高じて源三は、いささか好戦的になっていた。来るなら来いと、自暴自棄に考える。

だが源三のそんな決意は、一瞬後には空の果てまで弾き飛ばされてしまった。魂魄を消し飛ばす、信じられない光景を目にしたのだ。源三は口をぽっかりと開け、その場にしゃがみ込んだ。思わず失禁したことにも気づかなかった。

掘り返された墓穴の中から、白い手がぬっと伸びてきた。それに続いて、ゆっくりと人間の頭が現れる。白装束を着たその人影は、間違いなく今朝方死んだばかりの女だった。女は立ち上がると、しばし呆然としてその場に佇んだ。

あわあわわわわ、と源三は言葉にならぬ声を発した。墓守を生業として三十年になるが、こんな恐ろしい思いをしたのは初めてだ。あまりの恐怖に、気が遠くなる。腰が抜けて、下半身にまったく力が入らなかった。

女は源三の声に気づいたか、ゆっくりと顔を向けた。そして、唇を左右に引いてニッと笑う。ひーっと声を上げて、源三はついに失神した。
女は白装束が汚れることも厭《いと》わず、雨に濡れた土にしがみついて墓穴から這い出した。そしてゆっくりとした足取りで、墓地を出ていく。源三が失神した今、女を見送る者は誰もいなかった。

次巻ニ続ク

多くの著作を参考にさせていただきましたが、書名を挙げることでミステリー的真相を明かすことにもなりかねないものがありますので、ここに謝意のみを表します。

解説

喜国雅彦

近所の本屋さんに行ったら貫井さんのコーナーができていた。

「＊＊万部突破」「重版出来」「売れてます」「面白さ保証!!」いくつもの販促ポップが楽しげに揺れ、現在のところの最新作である『殺人症候群』やブーム火付けの元となった『慟哭』など、数多くの作品がドドンドドンと積み上げられている。

僕はその風景をまことに嬉しく（そしてちょっぴり羨ましく）眺めながら、一人首肯《うなず》く。そうか、流れはとうとうここまで来たのか。この店までがコーナーを作るのなら、このブームは本物だな、と。なんせこの店ときたらね、毎年末年始に「『このミス』ベスト10」コーナーを作るくせして「このミスありますか？」という客の問いに「は？　このミ……何ですって？」と答える店員しかいない店、ついでに『天声人語』も知らなかった店、多分日本で一番本に詳しくない店、なのである。その店がコーナーを作った。これはもう日本中がそうであることを意味する。

「その店なおもて、いわんや日本中」なのである。

東京近郊のとある1軒の本屋さんが『慟哭』をプッシュしたところから始まった貫井ブーム。皮肉ではなく、愛情を込めて僕は「プチ『白い犬とワルツを』状況」と呼ぶ。デビューのときから貫井さんを読み続けている身からすれば、階段の二段ほど上から世間に向って「遅いよ君たち」と言いたくもあるのだが、そんなことを言って、せっかくこの機会に貫井さんのファンになった方を手ぶらで帰らせてしまっては、なんのために今回この解説の役割を引き受けたか判らない。なので静かに階段を二段下り、あなたの前に立ち、こう言うことにする。

「『慟哭』だけじゃねぇぞ。他にも面白い作品はいっぱいあるぜ。中でもこの『妖奇切断譜』は飛び切りだ。絶対に読め!!」

おっと、胸倉《むなぐら》を摑んでましたか、これはすみません。つい気合いが入ってしまってね。

「解説者なんだから薦《すす》めるだろうさ」だって？ それは違う。本当に面白いのよ。証拠？ 疑り深いね。いいことだ。最近はいろいろな詐欺業者が横行してるからね。それぐらい用心深くなきゃ。じゃ証拠を見せよう。最初に戻ってこの小説の巻頭一行目を読むこと。さ、やってみて。

どう、最高の書き出しでしょ？　それだけじゃなくて、ちょっと眉を顰《ひそ》めた？　悪いことは言わない。そういう方にはこの作品はお薦めしない。この本を棚に戻し、他の貫井作品を買うことだ。『光と影の誘惑』なんかはどうだろう。この場で他社の宣伝をする僕もどうかと思うが、そちらなら間違いがない。誰にも推薦できる素晴らしい作品集だ。『殺人症候群』もいいぞ。症候群シリーズの最高傑作であるどころか、今後の貫井徳郎にとって『慟哭』以上の代表作になるであろうから読み残してはいけない。

一方この『妖奇切断譜』だ。若干ではあるが読者を選ぶ、と思う。ではどういう人に？　それを確かめるのが、たった今読んでもらった巻頭一行目だったのだ。

ピン！　ググッ！　おっ！　表現はなんでもいいのだが、なにかが心に訴えた方はただちにこの本を買って読むことだ。あなたが感じた予感は裏切られない。最後の一行までの陶酔の時間を約束する。そう、僕自身のように……

出会いの予感というものは絶対にある。本に限らず、映画にしろ音楽にしろ、タイトルを聞いただけ、あるいはポスター、ジャケット、装幀を見ただけで「傑作に違いない」との天啓を受けることが。

この作品がそうだった。それを予感させる始まりの一行。そして、読み終えて確信した。

これは誰がなんと言おうと、僕のために書かれた作品だ。読了後、すぐに貫井さんにそう感想を述べた。

「喜国さんは絶対にそう言ってくれると思ってました」笑顔で答える貫井さん。

「文庫になるときの解説は喜国さんしか考えられませんね」

「それは光栄ですが、僕なんかでいいのでしょうか？」

　表向きは殊勝に答える僕であったが、本心は嘘であった。もしも貫井さんが他の人に解説を頼んでいたら、どんな汚い手を使ってでも阻止したに違いない。だってこれは僕のための小説なのである。僕が解説を書かなければいけないのである。ストーカー紛《まが》いの意気込みである。ひょっとしたら貫井さんにとっては迷惑なことかもしれない。いきなり他社の作品を薦めてたしな。熱意はあるけれど方法を間違えているところなんか完全にストーカーの行動じゃないか。そうか、僕はこの作品のストーカーだったのか。ここ数日どうやってきちんとした解説を書こうかと思案していたのだけれど、それなら話は早い。ラブレターにすればいいんだ。意味が判らなくてもいい。文章作法がなってなくてもいい。読者のことなんか考えなくていい。ルールなんか無用だ。あるのは熱意だけ、しかもギトギトと脂ぎった。だから内容にもガンガン触れる。本文読了前に知ってはいけないことも平気で書く。だから未読の人は（さっき示した魅力的な冒頭一行目を読んで、まだちんたらとここを読んでいる人はいないものと信じるが）、この次の段落より後は絶対に読んではいけない。とっとと本を閉じ、レジにもっていきなさい。ではすでに本文読了済みの人は読んでもいいかと言うとそれもどうかと思う。もう一度言うがストーカーのラブレターである。他人が読んで面白いかどうかは疑問である。書きたいだけである。僕がただ、そうしたいだけである。

『妖奇切断譜』様。一目見たときから好きになりました。僕が本格ミステリの作品を好きになるときの条件は以下の四つです。「青春もの、あるいは少年の成長もの」「作品内に流れている時間が長いもの」「遊び心があるもの」「血の匂いがするもの」

条件は四つ揃う必要はありません。一つでも含まれていれば充分です。あなたを好きになった理由は……言わなくても判りますね。そう「血」です。

全編血に充ち満ちた作品でした。血は美しいです。なにせバラバラ殺人ですからね、血はどろどろと流れます。しかもその死体は一つや二つではありませんから、どのページにも血の匂いが充満しています。さらにその血はすべて美女のものです。これほど絵になるものはありません。僕は一応絵を描く仕事をしていますから、死体にも美を求めます。切り口も内臓も体の部品もすべてに美を求めます。実生活では血が嫌いです。献血なぞは一度もしたことがありません。だけれど、だからこそ血にロマンを求めてしまうのです。

小説に書かれる美女のバラバラ殺人すべてにロマンがあるわけではありません。現実とのそれなりの距離が必要です。幸いなことにこの作品の舞台は明治です（この作品では明詞と表記、それについてはまたあとで）。平成からは遠く離れた時空にあります。客観的に見られる距離です。自分に血糊《ちのり》は届きませんし、被害者の親族はどこにも生きてはいません。いわばファンタジーです。悪夢の絵空事。血と肉との幻想世界。そこには美があるだけです。

僕は江戸川乱歩が好きです。あなたを前にして他の人のことを言うのを許して下さい。初恋の人ですから忘れられないのです。仕方がないのです。その人の作品に『虫』というのがあります（旧字では『蟲』です。こちらの方が不気味でいいのですが、それは置いといて）。その小説にとある印象的な一節があります。勿論あなたも御存知ですね。あなたの作品にも何度もそれを意識した文章が出てきますから。そこも気に入ったところの一つです。いえ、単純にそこが乱歩っぽいから気に入ったのではありませんよ。あなたの場合はそこが伏線になっていたからです。最初に読んでいるときはそこに気がつきませんでした。「ああ、乱歩だ」と嬉しかっただけでした。ところが読み終えてみると、これが推理の手がかりだったことに驚きました。解答を示された後、読み返す必要はありませんでした。それぐらい印象的な文脈、それが何度も出てきます。これほど人を食った伏線はありません。ははは、やられました。そしてますます好きになりました。

乱歩が出てきたついでに他の人の話をしてもいいですか？

あなたを書いた作家は山田風太郎が大好きですね。だから僕は彼の結婚祝いに『忍法相伝73』をプレゼントしたのですよ。結婚祝いにそんなものを贈りませんよね普通。つくづく古本者は困ったものだと思いますよ。それを見せられた新妻はどう思ったものでしょうね(笑)。まあそれはいいとして、あなたの作者がこの明治を選んだのは山田風太郎が挑戦した分野だからですよね。山田風太郎が「歴史」を描こうとしたのに比べ、この作品は「本格」であろうとしている部分が違っているのですが、尊敬する作家と同じ土俵に立ちたいと思うのは、作品をつくるときの原点ですから、多いに首肯けるところです。そう、あなたは望まれて、産まれるべくして産まれた作品だったのですね。

ところでなぜ明治じゃなくて明詞なのでしょう。あなたは知っていますか？　僕の想像ではこうです。あなたの作者は作品に対して真面目な人です。知らないことに嘘がつけない、または知ってるが故に嘘として書けない、と思ったのではないでしょうか。山田風太郎は「嘘をつくこと」が仕事でした。その嘘は出鱈目《でたらめ》なら出鱈目なほど、作品の面白さになりました。でも本格は違います。本格にとっての「嘘」は場合によっては作品を成り立たせなくしてしまう恐れがあります。例えば「この時代にこれはなかった」「この時代にだってこれぐらいは判ったはずだ」とかです。そういうクレームはときに作品をつまらなくしてしまいます。そこから逃れるための手続きとしての明詞、作品を面白くするための明詞、と僕はそう思っています。本当のところは知りません。それで創造の翼がより広がるのなら、それでいいと思います。

さて、バラバラ殺人といえばあの方を出さないわけにはいきません。そうです島田荘司です。誰の頭にも氏のあの名作が思い浮かぶことでしょう。島田氏は、あなたの生みの親が現存作家の中で一番好きな作家です。「島田さんが書いたというだけで全部好きだ」と言い切っているぐらいです。その好きな作家が書いた、歴史に残る名作への挑戦作、としてあなたは書かれました。大変だったろうと思いますよ。本格というジャンルでは後発作品は前作を超えなければいけないのですから。はたしてあなたがどうだったかって？

驚きましたよ、そこまでやるかと。バラバラ殺人には一つの絶対的な定義があります。「顔が見つかっていない死体は信用してはいけない」です。この理論にのっとって僕は島田作品のトリックを見破ったのですが（自慢です）、あなたの場合はそれを知っていてもやられてしまいました。悔しいです。しかもです。乱歩の『虫』が目くらましに使われたのと同じ方法論がここには用いられていました。つまり「島田作品があったからこそなお騙された」です。どこまでも憎いあなたです。

谷崎潤一郎も随所に出てきます。あなたを書いた人が、僕がこの作品を気に入った一番の理由はここにあると思っていたようですが、それはまあオマケみたいなものです。谷崎が『刺青』で見せた目の視点や、あなたの根底に流れている犯人の意志と『春琴抄』との共通点を述べることも可能ですが、ここでは時間が足らないので語りません。ただ驚いたのは「あなたを書いた人にはその趣味はないはずだが、よくぞここまで書ききった」です。まさか、そうだったのですか？　全く気がつきませんでした。当人には聞けないので、あなたが知っているならこっそりと教えて下さい。

これは全く関係ないかもしれませんが黒澤明の『用心棒』も出てきますね。犬が大根のようなものをくわえているシーンです。もっともこれは深読みかもしれません。

ミステリのテクニックとしては常に読者の先回りをして、容疑者を次々と省いていくところが見事です。ははん、こいつが怪しいぞ、と思わせた瞬間に、でも違うんだもんね、と、うっちゃられる快感を何度も何度も味わって。もう、残ってないじゃん、登場人物。そこまで容疑者を減らされたのは浜尾四郎の『殺人鬼』以来です。ああ、これぞミステリ、僕はもうメロメロです。

さて、長くなってしまいました。僕はストーカーなので相手の迷惑は気にしませんが、飛ばし読みされたんでは悲しいので、あと一つだけ褒めて終わることにします。

本格に心無い人の批判にこういうのがあります。「本当に名探偵なら事件を阻止してみろ」というのと「探偵を頭脳明晰に書きたいがために、ワトソンをアホウにしすぎてないか」の二つです。

あなたの場合はここもよく考えられていますね。

「探偵は病弱で事件の場に行けない。推理以上に休息が必要」だし、

「ワトソンの知識は誰がどう見ても普通人以上である」です。

今日はここまでにしておきます。

また会いに来ます。イヤだと言っても来ます。

満更でもないんでしょ？　気を持たせた終わり方をしといて、その気がないとは言わせませんよ。

さて、次に会えるのはいつでしょう。その日を楽しみに。また手紙します。

（漫画家）

貫井徳郎著作リスト

『慟哭』　1993年10月刊　東京創元社　黄金の13
　1999年3月刊　東京創元社（文庫）
『烙印』　1994年10月刊　東京創元社　創元クライム・クラブ
『失踪症候群』　1995年11月刊　双葉社
　1998年3月刊　双葉社（文庫）
『天使の屍』　1996年11月刊　角川書店　新本格ミステリー
　2000年5月刊　角川書店（文庫）
『修羅の終わり』　1997年2月刊　講談社
　2000年1月刊　講談社（文庫）
『崩れる　結婚にまつわる八つの風景』　1997年7月刊　集英社
　2000年7月刊　集英社（文庫）
『誘拐症候群』　1998年3月刊　双葉社
　2001年5月刊　双葉社（文庫）
『鬼流殺生祭』　1998年8月刊　講談社ノベルス